Vorwort

Aufgabe des Lehrbuches: Im Jahre 1929 erschien die *„Deutsche Sprachlehre für Ausländer"* von Hans Schulz und Wilhelm Sundermeyer unter Mitarbeit von Bernhard Thies im Verlage des Deutschen Instituts für Ausländer. Das Buch hat seitdem zahlreiche Auflagen erlebt und sich auch außerhalb Deutschlands als ein hervorragendes Hilfsmittel zur Erlernung des Deutschen bewährt. Es ist weniger eine systematische Grammatik als *„ein Arbeitsbuch, das den Lernenden möglichst schnell zu einer gewissen Sicherheit im deutschen Ausdruck verhelfen möchte"*.

Die Benutzung des Lehrbuchs: In der Anordnung des Lehrstoffes folgt das Buch der gewöhnlichen grammatischen Systematik. **Das bedeutet aber keinesfalls, daß bei der Behandlung an eine geradlinige Durcharbeitung des ganzen Buches von der ersten bis zur letzten Seite gedacht ist.**

Nur die **Vorstufe** ist in dieser Weise zu benutzen. Sie bringt in zwölf aufeinander abgestimmten Abschnitten zwölf Übungsstücke in enger Verbindung mit dem Nötigsten aus der Grammatik. Diese Übungsstücke umfassen Sachgebiete aus der Umwelt des studierenden Ausländers.

Die eigentliche *Aufgabe der Vorstufe* liegt darin, daß sie für den gemeinsamen Unterricht der Ausländer, die meist schon einige Kenntnis des Deutschen mitbringen, die einheitliche Grundlage schaffen hilft, auf der das Lehrbuch dann aufbauen kann.

Was der Lehrer **im Anschluß an die Vorstufe behandelt,** bleibt ihm überlassen. Im allgemeinen ist an eine *Durcharbeitung in drei Stufen* gedacht. In der Unterstufe wird es sich um die wichtigsten grammatischen Fragen handeln, soweit sie sich eng an die Vorstufe anlehnen. So dürfte es sich beim Adjektiv z. B. empfehlen, zunächst (Unterstufe) die Deklination (§ 37) zu behandeln und die Komparation (§ 38) zu ergänzen (vgl. die Vorstufe). Erst später (Mittelstufe) beschäftigt das Adjektiv als Substantiv (§ 39) den Lernenden, und zuletzt (Oberstufe) wird er sich genauer mit der Rektion des Adjektivs (§ 40 bis 43) bekanntmachen. Genauer, das bedeutet: Ein gelegentlicher Hinweis auf das Grundsätzliche der Rektion des Adjektivs kann (etwa im Anschluß an den Lesestoff oder an mündliche Übungen) durchaus auch früher gegeben werden, wie es überhaupt **von Wichtigkeit ist, den Schüler recht**

oft etwas nachschlagen und aufsuchen zu lassen, damit er in seinem Lehrbuch heimisch wird. Es bedarf auch für den Lehrer kaum eines Hinweises, daß z. B. bei der späteren Beschäftigung mit dem Adjektiv in der Mittel- und Oberstufe jedesmal auch der § 37 mit der Deklination des Adjektivs, die bekanntlich Schwierigkeiten macht, kurz wiederholt werden sollte, wofür Übungsstoff reichlich vorhanden ist.

In den §§ 76, 77 u. a. sind Grammatik wie Übungen am Rande mit einem ★ versehen. Das gleiche Zeichen tragen auch viele andere Abschnitte des Lehrbuches, die nach der Meinung der Bearbeiter zunächst zurückgestellt werden und besser einer späteren Zeit, meist der Oberstufe vorbehalten bleiben. ★

Auf jeder Stufe wird es sich empfehlen, die größeren zusammenhängenden Teile der Grammatik, z. B. die Konjugation des Verbs (§§ 1 bis 15) oder die Rektion (§§ 26 bis 32) *nicht Abschnitt für Abschnitt pausenlos bis zur Beendigung* zu behandeln. Es wird vom Schüler angenehm empfunden werden, wenn man dazwischen, *je nach den Anregungen des Lesestoffes und den Bedürfnissen des Unterrichts, auch andere Fragen der Grammatik aufwirft,* z. B. aus der Wortbildungslehre, aus der Satzlehre (die leichteren Abschnitte) u. dgl.

Schließlich sei darauf hingewiesen, daß die Beschäftigung mit der Grammatik bei vielen wenig beliebt ist. Es erfordert ein feines Gefühl des Lehrers, bei diesen Schülern eine richtige Auswahl zu treffen und zwar so, daß Regeln und Übungen praktisch wertvoll erscheinen, dabei aber nie über die Fertigkeit des Lernenden hinausgehen, der sonst sogleich bereit ist, in der Schwierigkeit eine Bestätigung eines Vorurteils zu finden, daß das Deutsche eben „doch sehr schwer" sei.

Deutsche Sprachlehre für Ausländer

Grammatik und Übungsbuch

Von
Hans Schulz und Wilhelm Sundermeyer
unter Mitwirkung von B. Thies

Bearbeitet von

Bernhard Thies

MAX HUEBER VERLAG

ISBN 3-19-00.1012-9
35. Auflage 1976

Umschlaggestaltung: Peter Schiffelholz, Stuttgart
Druck: P. Heinzelmann, München
Printed in Germany

Inhaltsverzeichnis

Das Alphabet

Normalschrift				Fraktur			
A	a	A	a	A	a	A	a
B	b	B	b	B	b	B	b
C	c	C	c	C	c	C	c
D	d	D	d	D	d	D	d
E	e	E	e	E	e	E	e
F	f	F	f	F	f	F	f
G	g	G	g	G	g	G	g
H	h	H	h	H	h	H	h
I	i	I	i	I	i	I	i
J	j	J	j	J	j	J	j
K	k	K	k	K	k	K	k
L	l	L	l	L	l	L	l
M	m	M	m	M	m	M	m
N	n	N	n	N	n	N	n
O	o	O	o	O	o	O	o
P	p	P	p	P	p	P	p
Q	q	Q	q	Q	q	Q	q
R	r	R	r	R	r	R	r
S	s ß	S	s ß	S	ſ s ß	S	ſ s ß
T	t	T	t	T	t	T	t
U	u	U	u	U	u	U	u
V	v	V	v	V	v	V	v
W	w	W	w	W	w	W	w
X	x	X	x	X	x	X	x
Y	y	Y	y	Y	y	Y	y
Z	z	Z	z	Z	z	Z	z

I. Teil

Vorstufe

Zur Wiederholung

1. Artikel und Substantiv

Verb: Infinitiv und 3. Person Präsens

Übungsstück: Die Familie

1. Der Vater schreibt. Die Mutter kocht. Das Kind spielt. Der Großvater schreibt nicht, er hört Radio. Die Großmutter schläft; sie ist krank. Das Mädchen arbeitet; es macht das Zimmer rein.

2. Der Vater sitzt, der Großvater sitzt auch; aber die Mutter steht, und die Großmutter liegt auf dem Sofa. Der kleine Bruder (der kleine Junge) läuft und springt. Die große Schwester spielt Klavier; die kleine Schwester (das kleine Mädchen) tanzt und singt.

3. Die Uhr geht, sie tickt. Sie geht nicht falsch; sie geht nicht vor, sie geht auch nicht nach, sie geht richtig. Das Feuer brennt, und der Ofen (der Heizkörper, die Zentralheizung) macht das Zimmer warm.

4. Ein Mann klingelt und klopft. Das ist der Briefträger. Das Mädchen geht und macht die Tür auf. Der Briefträger bringt einen Brief, eine Karte und ein Buch; er bringt heute keine Zeitung und kein Paket. Das Mädchen macht die Tür zu. Der Sohn (der große Bruder) liest den Brief, die Tochter (die große Schwester) liest die Karte, und der Großvater liest das Buch. Er hat eine Brille, aber die Tochter hat keine Brille und der Sohn auch nicht.

Der Artikel (Das Geschlechtswort)

Das Substantiv (Das Ding- oder Hauptwort)

Das Geschlecht: das Maskulinum (männlich)
das Femininum (weiblich)
das Neutrum (sächlich)

Der Fall: die Deklination hat vier Fälle (Seite 15): Nominativ, Genitiv, Dativ, Akkusativ

Die Zahl: der Singular (die Einzahl) — der Plural (die Mehrzahl)

Beachten Sie: 1. Lernen Sie immer das Substantiv zusammen mit dem Artikel wie ein Wort!

2. In den Übungen wird das Geschlecht der Substantive mit dem verkürzten Artikel bezeichnet:

r Mann = der Mann
e Frau = die Frau
s Kind = das Kind

Der Nominativ (Wer-Fall) und der Akkusativ (Wen-Fall)

	Maskulinum	Femininum	Neutrum
1.	Der bestimmte Artikel, Singular:		
Nom.	der Mann	die Frau	das Kind
Akk.	de*n* Mann	die Frau	das Kind
2.	Der bestimmte Artikel, Plural:		
Nom. / Akk.	die Männer	die Frauen	die Kinder
3.	Der unbestimmte Artikel, Singular:		
Nom.	ein Mann	eine Frau	ein Kind
Akk.	eine*n* Mann	eine Frau	ein Kind
4.	Der unbestimmte Artikel hat keinen Plural:		
Nom. / Akk.	Männer	Frauen	Kinder
5.	Der unbestimmte Artikel mit Verneinung, Singular:		
Nom.	kein Mann	keine Frau	kein Kind
Akk.	keine*n* Mann	keine Frau	kein Kind
6.	Der unbestimmte Artikel mit Verneinung, Plural:		
Nom. / Akk.	keine Männer	keine Frauen	keine Kinder

Beachten Sie: 1. Akkusativ und Nominativ sind meist gleich,
aber vergessen Sie nicht: **den** Mann, einen Mann, keinen **Mann.**

2. Die Substantive werden mit großen Anfangsbuchstaben geschrieben.

Die Bildung des Plurals

Es gibt folgende Gruppen *):

	Der Singular	Der Plural	Der Umlaut	Die Endung
1. Gruppe	der Schüler	die Schüler	—	—
2. Gruppe	der Bruder	die Br*ü*der	Umlaut	—
3. Gruppe	der Tisch	die Tisch*e*	—	e
4. Gruppe	der Sohn	die Söhn*e*	Umlaut	e
5. Gruppe	das Bild	die Bild*er*	—	er
6. Gruppe	das Buch	die Büch*er*	Umlaut	er
7. Gruppe	die Lampe	die Lampe*n*	—	n
8. Gruppe	das Ohr	die Ohr*en*	—	en
9. Gruppe	das Auto	die Auto*s*	—	s

Das Verbum (Das Zeitwort)

Die 3. Person Präsens (die Gegenwart), der Infinitiv (die Grundform, die Nennform):

der Vater schreib*t*	*er* schreib*t*	schreib*en*
die Mutter koch*t*	*sie* koch*t*	koch*en*
das Kind spiel*t*	*es* spiel*t*	spiel*en*
der Schüler antwort*et*	*er* antwort*et*	antwort*en*
das Mädchen arbeit*et*	*es* arbeit*et*	arbeit*en*

Übungen: 1. Bilden Sie den Akkusativ Singular (bestimmt und unbestimmt), z. B. der Vater — den Vater; ein Vater — einen Vater usw.: r Großvater, e Mutter, e Tochter, s Kind, s Mädchen, r Sohn, s Buch, e Tür, r Brief, e Karte, s Zimmer, r Bruder, e Schwester, s Radio, e Uhr, s Klavier, r Tisch, s Sofa, r Mann, e Frau.

---

*) Nach Weber: „Deutsch für Ausländer"; Gruppe 1—6 die starke, Gruppe 7 und 8 die schwache und gemischte Deklination (Seite 16), Gruppe 9 Fremdwörter auf o und andere Endungen: s Kino, s Radio, s Komma,, s Sofa.

2. Bilden Sie den Plural nach der bezeichneten Gruppe, z. B. der Vater — die Väter; — die Schwester — die Schwestern usw.: r Mann (6), e Frau (8), e Uhr (8), s Mädchen (1), e Karte (7),s Zimmer(1), r Großvater (2), s Buch (6), e Großmutter (2), r Brief (3), r Sohn (4), s Kind (5), e Tür (8), r Briefträger (1), e Mutter (2), s Paket (3), s Kino (9), e Zeitung (8).

3. Bilden Sie Nominative und Akkusative Singular der Substantive in Übung 2:

a) mit dem unbestimmten Artikel, z. B. ein Vater — einen Vater, eine Schwester — eine Schwester;

b) mit „kein", z. B. kein Vater — keinen Vater, keine Schwester — keine Schwester usw. (und so weiter).

4. Beantworten Sie folgende Fragen (Übungsstück: Die Familie): 1. Wer bringt einen Brief? 2. Wer liest den Brief? 3. Wer liest das Buch? 4. Was macht die Großmutter? 5. Was macht das Mädchen? 6. Was macht die Uhr? 7. Schreibt der kleine Bruder? 8. Liest die kleine Schwester? 9. Was macht der Großvater? 10. Was bringt der Briefträger? 11. Wer macht die Tür auf und zu? 12. Wer hat eine Brille und wer hat keine Brille?

5. Bilden Sie Sätze: 1. Die Mutter —. 2. Das Mädchen —. 3. Die kleine Schwester —. 4. Der kleine Bruder —. 5. Die Uhr —. 6. — klingelt und kopft. 7. — macht die Tür auf und zu. 8. — hört Radio. 9. — hat keine Brille. 10. — liest —. 11. — spielt Klavier. 12. — kocht.

6. Bilden Sie Fragen mit den Sätzen der Übung 5, in den Sätzen 1 bis 5: Was macht . . .? —, in den Sätzen 6 bis 12: Wer? — Beispiel: Satz 1: **Was** macht die Mutter? — Satz 6: **Wer** klingelt und klopft?

2. Verb und Hilfsverb

Präsens und Imperativ

Übungsstück: Der Unterricht

1. Das ist der Hörsaal. Die Tür ist noch zu. Die Studenten stehen in dem Flur (in dem Korridor). Der Lehrer kommt, er macht die Tür auf. Das Zimmer ist jetzt auf (offen).

2. Die Studenten hängen die Hüte und (die) Mäntel an die Haken (an die Wand). Der Lehrer steht vor dem Katheder; die Schüler sitzen auf den Stühlen oder auf den Bänken.

3. Der Lehrer und die Schüler sprechen:
Lehrer: Bitte, machen Sie das Buch auf, Seite 3: Die Familie!
Schüler: Ich finde das Stück nicht.
L.: Das erste Übungsstück, Seite 3: Die Familie! Nun lesen Sie laut und deutlich!

4. Sch.: Verzeihen Sie, ich verstehe das Wort „laut" nicht.
L.: Ich spreche jetzt sehr laut, ich spreche jetzt sehr leise — verstehen Sie „laut" und „leise"?
Sch.: Ja, ich verstehe, danke! Aber ich kann nicht gut sehen.
L.: Ja, es ist dunkel, machen Sie bitte Licht! Nun lesen Sie laut und deutlich! — — Gut! Wie ist Ihr Name? (Wie heißen Sie?)
Sch.: Mein Name ist . . . (Ich heiße . . .).

5. L.: Herr X., gehen Sie bitte an die Tafel! Schreiben Sie drei Infinitive an die Tafel! Hier ist die Kreide.
Sch.: Wie schreibe ich das Wort „sprechen?"
L.: Ich buchstabiere: s-p-r-e-c-h-e-n. Nun schreiben Sie! — — Schön, jetzt löschen Sie aus, und buchstabieren Sie die drei Infinitive ohne Buch (auswendig)! Richtig! Jetzt machen Sie die Hefte auf!

6. Sch.: Ich habe mein Heft vergessen!
L.: Nehmen Sie ein Blatt Papier! Ich diktiere jetzt einen Satz.
Sch.: Ich habe auch meinen Füller vergessen.
L.: Nehmen Sie einen Bleistift!
Sch.: Ich mache viele Fehler.
L.: Ich weiß, aber das schadet nicht! Schreiben Sie das Stück ab! Lesen Sie es auch oft zu Hause! Lernen Sie die neuen Sätze! Aller Anfang ist schwer. Wir müssen sehr fleißig und nicht faul sein.

Das Verb: Präsens und Imperativ

Beachten Sie: 1. Das Verb hat im Infinitiv die Endung „en" (oder „n").
2. Die Verben werden „schwach" oder „stark" konjugiert.

		schwach		stark	
Infinitiv:		frag-en	arbeit-en	trag-en	sprech-en
Das Präsens (Die Gegenwart):					
Singular:					
1. Person:	ich	frag-*e*	arbeit-*e*	trag-*e*	sprech-*e*
2. Person:	du	frag-*st*	arbeit-*est*	tr*ä*g-*st*	spr*i*ch-*st*
3. Person:	er / sie / es	frag-*t*	arbeit-*et*	tr*ä*g-*t*	spr*i*ch-*t*
Plural:					
1. Person:	wir	frag-*en*	arbeit-*en*	trag-*en*	sprech-*en*
2. Person:	ihr	frag-*t*	arbeit-*et*	trag-*t*	sprech-*t*
3. Person:	sie	frag-*en*	arbeit-*en*	trag-*en*	sprech-*en*
Der Imperativ (Der Befehl, die Befehlsform):					
Fragen Sie! Machen Sie (das Buch) auf! Sprechen Sie!					

Beachten Sie: 1. **Die schwachen Verben verändern den Vokal des Stammes nicht:** frag—, arbeit—.

2. **Die starken Verben verändern den Stammvokal:** trag—träg, sprech—sprich, **aber nur in der 2. und 3. Person Singular.**

3. **Die Endungen der schwachen und starken Konjugation sind im Präsens gleich.**

Das Hilfsverb: Präsens und Imperativ

Es gibt drei Hilfsverben: sein, haben, werden.

	Infinitiv	
sein	haben	werden
	Präsens	
ich bin	hab*e*	werd*e*
du bist	ha*st*	wir*st*
er / sie / es ist	ha*t*	wir*d*
wir sind	hab*en*	werd*en*
ihr seid	hab*t*	werd*et*
sie sind	hab*en*	werd*en*
	Imperativ	
seien Sie!	haben Sie!	werden Sie!

Übungen: 1. Bilden Sie den Infinitiv der Verben aus dem Übungsstück „Der Unterricht".

2. Konjugieren Sie das Präsens von: hören, schreiben, stehen, kommen, bringen, spielen, finden, hängen, verstehen, machen, arbeiten, antworten; ich habe kein Heft, ich habe keinen Füller, ich bin fleißig, ich werde krank, ich buchstabiere das Wort, ich wiederhole den Satz.

3. Bilden Sie die 1. und 3. Person Singular (und Plural) von: stehen, sein, haben, gehen, schreiben, spielen, fragen, buchstabieren, sitzen, tragen, kommen, arbeiten, finden, antworten, bringen, machen, sprechen, werden, lachen, weinen.

4. Was macht der Lehrer? Antwort: Der Lehrer schreibt. — Fragen Sie und antworten Sie ebenso: fragen, stehen, antworten, kommen, wiederholen, sitzen, sprechen laut, buchstabieren s Wort, diktieren r Satz, machen s Fenster auf, stehen an dem Katheder.

5. Was macht der Schüler? Antwort: Der Schüler lernt. — Fragen Sie und antworten Sie ebenso: schreiben, fragen, antworten, lachen, buchstabieren, sprechen leise, haben kein Buch, sitzen auf der Bank, verstehen das Wort nicht, stehen an der Tafel, machen die Hausarbeit.

6. Was sagt der Lehrer? Er sagt: Lesen Sie! Bilden Sie die Imperative von: 1. schreiben s Wort; 2. nehmen e Kreide; 3. arbeiten fleißig; 4. buchstabieren r Infinitiv; 5. wiederholen s Übungsstück; 6. sprechen laut und deutlich; 7. lernen die Wörter; 8. machen (ohne Art.) Licht; 9. wiederholen die Sätze; 10. sein fleißig.

7. Was sagt der Schüler? Er sagt: Ich lese das Stück „Der Unterricht". — Fragen und antworten Sie ebenso: 1. schreiben s Wort; 2. sehen e Tafel; 3. finden e Kreide; 4. machen e Tür auf; 5. machen s Fenster zu; 6. nehmen r Bleistift; 7. wiederholen r Satz; 8. buchstabieren s Wort; 9. fragen r Lehrer; 10. lesen r Satz.

8. Bilden Sie Verbformen mit der Verneinung (mit ich . . ., er . . ., wir . . .), z. B. ich verstehe nicht, ich frage nicht, ich komme nicht usw.; er versteht nicht, er fragt nicht usw.: lachen, weinen, arbeiten, kommen, bringen, sein, haben, gehen, tragen, schreiben, sprechen, finden, spielen, antworten, werden, wiederholen.

9. Was sagt der Schüler? Er sagt: Ich habe keinen Bleistift. Ebenso: r Fehler, e Kreide, s Buch, s Heft, e Feder, r Mantel, r Hut, s Blatt Papier, e Zeit, s Geld.

3. Adjektiv

Wortstellung

Übungsstück: Die Straße

1. Ich wohne in der Bismarckstraße. Das ist eine lange Straße. Viele Menschen gehen hin und her. Die beiden Gehwege sind schmal, aber der Fahrweg ist breit. Dort sehen wir viele Autos, Autobusse, Motorräder und Fahrräder. An der Straße stehen viele hohe Laternen. Sie leuchten des Abends sehr hell.

2. In der Mitte der Straße liegen vier Schienen. Dort fährt die Straßenbahn. Die Haltestelle ist an der Ecke, das ist sehr nah. Die Straßenbahn fährt schnell, die Eisenbahn fährt viel schneller als die Straßenbahn, aber die Autos, Motorräder und Autobusse fahren am schnellsten.

3. Nicht weit von meiner Wohnung ist der Schillerplatz. Das ist ein runder Platz. In der Mitte steht ein großer Springbrunnen. Auf dem Platz sehen wir grüne Bäume und bunte Blumen. Dort stehen auch Bänke für die Leute.

4. Die Häuser an dem Platz sind niedrig. Nur ein Haus ist sehr hoch, das Schiller-Theater. In den Häusern sind viele Geschäfte. Sie haben große Schaufenster. Dort liegen viele schöne Sachen. Die Leute gehen in die Geschäfte und kaufen die Sachen.

Das Adjektiv (Das Eigenschaftswort)

Singular

Wie ist?	Welcher, e, es?	Was für ein, e, ein?
Der Platz ist rund	*der* rund*e* Platz	*ein* rund*er* Platz
Die Straße ist lang	*die* lang*e* Straße	*eine* lang*e* Straße
Das Haus ist hoch	*das* hoh*e* Haus	*ein* hoh*es* Haus

Plural

Wie sind?	Welche?	Was für?
Die Plätze sind rund	*die* rund*en* Plätze	rund*e* Plätze
Die Straßen sind lang	*die* lang*en* Straßen	lang*e* Straßen
Die Häuser sind hoch	*die* hoh*en* Häuser	hoh*e* Häuser

Beachten Sie: 1. Das Adjektiv nach „ist" oder „sind" wird nicht verändert (ist ein Teil des Prädikats).

2. Das Adjektiv vor dem Substantiv wird verändert (ist ein Attribut).

Die Komparation (Die Steigerung)

1. Stufe Positiv	2. Stufe Komparativ	3. Stufe Superlativ
1 a) Die Eisenbahn ist (fährt)		
schnell	schnell-er	am schnell-st-en
b) der schnell-e	der schnell-er-e	der schnell-st-e Zug
2 a) Das Geschäft ist		
gut	bess-er	am bes-t-en
b) das gut-e	das bess-er-e	das bes-t-e Geschäft
3 a) Die Arbeit ist		
groß	größ-er	am größ-t-en
b) die groß-e	die größ-er-e	die größ-t-e Arbeit
4 a) Der Baum ist		
hoch	höh-er	am höch-st-en
b) der hoh-e	der höh-er-e	der höch-st-e Baum
5 a) Die Haltestelle ist		
nah	näh-er	am näch-st-en
b) die nah-e	die näh-er-e	die näch-st-e Haltestelle

Beachten Sie: 1. Die 2. Stufe hat die Endung -er, die 3. Stufe hat die Endung -st, aber t nach dem s-Laut, z. B. größ-t-e.

2. Die 2. und 3. Stufe haben oft Umlaut.

3. Alle drei Stufen haben die Adjektiv-Endung -e (Beispiele b), wenn sie mit dem Artikel vor dem Substantiv stehen (als Attribute).

Die Wortstellung

1. In dem Übungsstück „Die Straße" steht in allen Sätzen das Verb (oder Hilfsverb) an zweiter Stelle, z. B. ich **wohne** in der Bismarckstraße. Das **ist** eine lange Straße. Dort **sehen** wir viele Autos.

2. Die zweite „Stelle" bedeutet nicht das zweite „Wort", z. B. *In der Mitte der Straße* **liegen** vier Schienen. *Die Häuser an dem Platz* **sind** niedrig. *Nicht weit von meiner Wohnung* **ist** der Schillerplatz.

3. Bei den Fragesätzen steht das Verb (oder Hilfsverb) vor dem Subjekt, z. B.: *Wohnen Sie* in der Bismarckstraße? Wo *wohnt der Student* jetzt? *Ist die Straße* lang?

4. Vergleichen Sie auch Seite 35: Die Wortstellung!

Übungen: 1. Fragen und antworten Sie: Wie ist der Baum? Der Baum ist grün. — Wie sind die Bäume? Die Bäume sind grün.

Wie ist?			Wie sind?
Maskulinum:	Femininum:	Neutrum:	Plural:
1. Baum grün	Straße lang	Kind klein	Kinder klein
2. Ofen warm	Blume rot	Theater hoch	Häuser niedrig
3. Schüler fleißig	Mutter krank	Wort leicht	Wörter kurz
4. Autobus weit	Haltestelle nah	Blatt gelb	Geschäfte neu
5. Mann alt	Tafel groß	Buch dick	Tische lang
6. Platz rund	Uhr neu	Haus schön	Fenster hell

2. Fragen und antworten Sie: Welch*er* Baum? Der grün*e* Baum. — Welch*e* Straße? Die lang*e* Straße. — Welch*es* Kind? — Das klein*e* Kind. — Welch*e* Kinder? Die klein*en* Kinder.

Welcher, welche, welches?			Welche?
Maskulinum:	Femininum:	Neutrum:	Plural:
1. grün Baum	lang Straße	lieb Kind	klein Kinder
2. krank Vater	rot Blume	schwer Auto	grün Bäume
3. schnell Wagen	weit Haltestelle	gut Geschäft	schnell Wagen
4. kurz Bleistift	klein Uhr	jung Mädchen	schön Sachen
5. groß Haken	neu Brille	neu Buch	fleißig Mädchen
6. rund Tisch	schwarz Tinte	weiß Papier	gut Uhren
7. alt Hund	grau Tür	warm Feuer	groß Haken
8. braun Hut	leicht Arbeit	kalt Wasser	schwer Fragen
9. breit Fahrweg	hoch (!) Laterne	niedrig Haus	bunt Vögel

3. Fragen und antworten Sie: Was für ein Baum? Ein grün*er* Baum. — Was für ein*e* Straße? Ein*e* lang*e* Straße. — Was für ein Kind? Ein klein*es* Kind. — Was für Kinder? Klein*e* Kinder.

Was für ein, eine, ein?			Was für?
Maskulinum:	Femininum:	Neutrum:	Plural:
1. grün Baum	lang Straße	klein Kind	klein Kinder
2. schnell Brief	nah Haltestelle	gelb Blatt	leicht Sätze
3. alt Fehler	weiß Kreide	neu Heft	schwarz Hüte
4. klein Hörsaal	gut Feder	breit Zimmer	nah Häuser
5. braun Mantel	hell Wand	groß Stück	lang Schienen
6. blau Hut	schwarz Tafel	hell Licht	alt Fahrräder
7. lang Flur	rund Schiene	weiß Papier	hell Zimmer
8. schwer Satz	bunt Blume	alt Fahrrad	kurz Fragen
9. rund Platz	schön Uhr	schnell Auto	breit Straßen

4. Ergänzen Sie: 1. Der lang- Weg, ein lang- Weg, die lang- Wege, die Wege sind —. 2. Das grün- Blatt, ein grün- Blatt, die grün- Blätter, die Blätter sind —. 3. Die schön- Stadt, eine schön- Stadt, die schön- Städte, die Städte sind —. 4. Der rund- Platz, ein rund- Platz, die rund- Plätze, die Plätze sind —. 5. Die breit- Straße, eine breit- Straße, die breit- Straßen, die Straßen sind —. 6. Das groß-, schön- Theater, ein groß-, schön- Theater, die groß-, schön- Theater, die Theater sind — und —. 7. Die hoh- Laterne, eine hoh- Laterne, die hoh- Laternen, die Laternen sind — (!). 8. Das schön- Schaufenster, ein schön- Schaufenster, die schön- Schaufenster, die Schaufenster sind —. 9. Der kleine Hörsaal (Plural: Hörsäle). 10. Der schnelle Autobus (Plural: Autobusse).

5. Bilden Sie die drei Stufen der Steigerung, z. B. klein, kleiner, am kleinsten:

neu, fleißig, schön, lang (Umlaut), schnell, niedrig, schmal, bunt, dunkel, deutlich, laut, groß (U.), hell, kurz (U.), alt (U)., leicht, nah (!), gut (!), schlecht, hoch (!), breit (nach „t" und „d" im Superlativ meist: -est, z. B. [zum Beispiel]: weit-est-e).

6. Bilden Sie die 2. und 3. Stufe, z. B.: Die (eine) Straße ist lang, die (andere) Straße ist länger, die (dritte) Straße ist am längsten: 1. Der Mantel ist neu. 2. Die Tür ist breit. 3. Das Zimmer ist hell. 4. Die

Laterne ist hoch (!). 5. Der Name ist schwer. 6. Das Fenster ist schmal. 7. Der Hut ist alt (U.). 8. Das Auto ist niedrig. 9. Die Straßenbahn ist nah (!). 10. Das Haus ist groß (U.). 11. Die Uhr ist gut (!).

7. Bilden Sie die 2. und 3. Stufe mit dem Artikel, z. B.: Die weite Straße, die weitere Straße, die weit(e)ste Straße: 1. Das helle Licht. 2. Die neue Zeitung. 3. Der schöne Hut. 4. Der kleine Hörsaal. 5. Die gute (!) Uhr. 6. Das alte (U.) Haus. 7. Die kurze (U.) Frage. 8. Der lange (U.) Name. 9. Das große (U.) Theater. 10. Das gute (!) Buch.

8. Wie heißt das Gegenteil von gut? Das Gegenteil von gut heißt schlecht. Fragen und antworten Sie ebenso: niedrig, klein, schwer, kurz, faul, dunkel, schmal, weit, billig, langsam, deutlich, jung, neu, laut.

9. Beantworten Sie folgende Fragen (Übungsstück: Die Straße): 1. Wo wohnen Sie? 2. Ist Ihre Straße lang? Ist sie auch breit? 3. Was steht an der Straße? Wann leuchten sie? 4. Was liegt in der Mitte der Straße? 5. Ist die Haltestelle nah oder weit? 6. Was fährt schneller, die Eisenbahn oder das Auto? 7. Was sehen wir auf dem Schillerplatz? 8. Welches Haus ist am höchsten? 9. Wie sind die Schaufenster? 10. Wo sind viele schöne Sachen?

* **10.** Für spätere Wiederholungen: Welches Fragewort muß man brauchen? Beispiele: a) Das Kind ist lieb. Frage: Wie ist das Kind? Antwort: Es ist lieb. — b) Das liebe Kind (bestimmter Artikel, Singular). Frage: Welches Kind? Antwort: Das liebe (Kind). — c) Ein liebes Kind (unbestimmter Artikel, Singular). Frage: Was für ein Kind? Antwort: Ein liebes (Kind). — d) Liebe Kinder (der unbestimmte Artikel hat keine Pluralform). Frage: Was für Kinder? Antwort: Liebe (Kinder).

1. Die Stadt *ist* groß. 2. *Eine* spitze Feder. 3. Das Wetter *ist* schön. 4. *Alte* Bücher. 5. *Das* dunkle Bier. 6. *Eine* helle Lampe. 7. Der Bleistift *ist* lang. 8. *Die* jungen Vögel. 9. *Ein* kluger Junge. 10. *Die* rote Tinte. 11. *Ein* großes, neues Auto. 12. *Leichte* Antworten. 13. Die Tage *sind* kurz. 14. *Der* schwere Name. 15. *Ein* kleines Stück Papier.

4. Deklination der Substantive

Übungsstück: Der Körper des Menschen

1. Der Mensch hat einen Körper. Die drei Teile des Körpers heißen: der Kopf, der Rumpf und die Glieder. Der Kopf ist mit Haaren bedeckt. Die Farbe der Haare ist blond, braun, rot oder schwarz. Alte Menschen haben graue oder weiße Haare, oder sie haben keine Haare, sie sind kahl, oder: sie haben einen kahlen Kopf.

2. Das Gesicht ist rund oder länglich. Wir sehen mit den Augen und hören mit den Ohren; wir riechen mit der Nase, schmecken mit der Zunge und fühlen mit der Haut. Die Menschen essen mit dem Mund und beißen mit den Zähnen. Sie sprechen auch mit dem Mund und mit der Zunge. Viele Menschen haben künstliche Zähne.

3. Der Mensch hat zwei Arme und zwei Beine. An den Armen sind die Hände; an den Beinen sind die Füße. Die Hand hat fünf Finger und der Fuß (hat) fünf Zehen. Der Finger hat einen Nagel. Das ist der Nagel des Fingers oder der Fingernagel. Womit gehen wir? Wir gehen mit den Füßen. Womit schreiben wir? Wir schreiben mit der Hand. Das ist die Spitze des Fingers oder die Fingerspitze. Und die Fußspitze?

4. Die Tiere haben keine Arme und Hände. Nur der Affe hat Hände. Die andern Tiere haben vier Beine, die Vögel haben zwei und die Insekten sechs Beine. Die Vögel und die Insekten haben noch zwei oder vier Flügel. Die Menschen gehen, die Tiere laufen, die Vögel fliegen. Die Insekten fliegen auch, oder sie kriechen.

Die Deklination der Substantive (Die Beugung des Hauptworts)

Bei der Deklination unterscheidet man vier Fälle:

Nominativ (Wer-Fall) = der erste Fall
antwortet auf die Frage: *wer* oder *was?*

Genitiv (Wes-Fall) = der zweite Fall
antwortet auf die Frage: *wessen?*

Dativ (Wem-Fall) = der dritte Fall
antwortet auf die Frage: *wem?*

Akkusativ (Wen-Fall) = der vierte Fall
antwortet auf die Frage: *wen* oder *was?*

Die Substantive werden s t a r k, s c h w a c h oder g e m i s c h t dekliniert.

Übersicht über die Deklination der Substantive:

	stark	schwach	gemischt
		männlich	
Sg. N	a) *der* Stuhl	b) *der* Mensch	c) *der* Staat
G	*des* Stuhl*es*	*des* Mensch*en*	*des* Staat*es*
D	*dem* Stuhl*(e)*	*dem* Mensch*en*	*dem* Staat*(e)*
A	*den* Stuhl	*den* Mensch*en*	*den* Staat
Pl. N	*die* Stühl*e*	*die* Mensch*en*	*die* Staat*en*
G	*der* Stühl*e*	*der* Mensch*en*	*der* Staat*en*
D	*den* Stühl*en*	*den* Mensch*en*	*den* Staat*en*
A	*die* Stühl*e*	*die* Mensch*en*	*die* Staat*en*
		weiblich	
Sg. N	d) *die* Hand	e) *die* Frau	
G	*der* Hand	*der* Frau	
D	*der* Hand	*der* Frau	
A	*die* Hand	*die* Frau	
Pl. N	*die* Händ*e*	*die* Frau*en*	
G	*der* Händ*e*	*der* Frau*en*	
D	*den* Händ*en*	*den* Frau*en*	
A	*die* Händ*e*	*die* Frau*en*	
		sächlich	
Sg. N	f) *das* Haus		g) *das* Ohr
G	*des* Haus*es*		*des* Ohr*es*
D	*dem* Haus*(e)*		*dem* Ohr*(e)*
A	*das* Haus		*das* Ohr
Pl. N	*die* Häus*er*		*die* Ohr*en*
G	*der* Häus*er*		*der* Ohr*en*
D	*den* Häus*ern*		*den* Ohr*en*
A	*die* Häus*er*		*die* Ohr*en*

Beachten Sie folgende Regeln:

1. Das -e im Dativ Singular der männlichen und sächlichen Substantive kann fehlen.

2. Die weiblichen Wörter haben im Singular keine Endungen.

3. In allen Pluralen sind die Nominative, Genitive und Akkusative immer gleich; die Dative haben -en oder -n.

4. Wenn der Genitiv Singular oder der Nominativ Plural -en (-n) hat, dann bleibt die Endung -en (-n) in allen folgenden Fällen.

5. Substantive mit Umlaut sind stark (aus: a, o, u, au wird ä, ö, ü, äu).

6. Sächliche Substantive haben im Genitiv Singular niemals -en (-n), sondern immer -es (-s); sie werden immer s t a r k oder g e - m i s c h t dekliniert.

Übungen: 1. Deklinieren Sie nach den bezeichneten Deklinationsgruppen (S. 16) folgende Substantive: r Fuß (a), r Teil (a), r Platz (a), r Kopf (a), r Student (b), r Affe (b, Gen. Affen), r Herr (b, Gen. Herrn, Plur. Herren), r Deutsche (b), r Schmerz (c), e Wand (d), e Bank (d), e Nacht (d), e Zeitung (e), e Zunge (e), e Brille (e), s Buch (f), s Kind (f), s Blatt (f), s Gesicht (f), s Wort (f), s Auge (g), s Bett (g).

2. Bilden Sie von den Substantiven in Übung 1:

a) alle Genitive Singular, z. B. des Fußes, des Teiles usw.;

b) alle Genitive Plural, z. B. der Füße, der Teile usw.;

c) alle Dative Singular, z. B. dem Fuß, dem Teil usw.;

d) alle Akkusative Singular, z. B. den Fuß, den Teil usw.

3. Bilden Sie den Plural von folgenden Substantiven (die Ziffern bezeichnen die Pluralgruppen S. 5), z. B. der Schüler — die Schüler usw.: r Schüler (1), e Nase (7), s Auge (7), s Mädchen (1), r Fuß (4), r Finger (1), r Teil (3), r Körper (1), e Zunge (7), s Glied (5), r Arm (3), e Farbe (7), e Schiene (7), r Student (8), r Vogel (2).

4. Bilden Sie von den Substantiven in Nummer 3 den Dativ Singular und Plural, z. B. dem Schüler — den Schülern usw.

5. Weitere Übungen in Verbindung mit Präpositionen S. 19 und 20.

6. Beantworten Sie folgende Fragen (Übungsstück: Der Körper des Menschen): 1. Wieviel Teile hat der Körper? 2. Wie heißen die Teile? 3. Wie sind die Haare? 4. Wer hat graue oder weiße Haare? 5. Wie ist das Gesicht? 6. Womit sehen wir? 7. Womit hören die Menschen? 8. Womit essen und sprechen wir? 9. Wer hat Hände? 10. Wieviel Finger hat die Hand? 11. Wer hat Flügel? 12. Wie heißt der Nagel des Fingers?

5. Präpositionen

Übungsstück: Der Hörsaal

1. Der Hörsaal hat einen Fußboden, eine Decke und vier Wände. In einer Wand sind die Fenster. Durch die Fenster kommen das Licht und die frische Luft in das Zimmer. In der andern Wand ist die Tür.

2. Auf dem Fußboden stehen viele Tische und Stühle oder Bänke. Die Studenten sitzen auf den Bänken oder auf den Stühlen.

Der Lehrer sitzt nicht auf der Bank, er sitzt auf dem Stuhl. Er steht auch vor der Tafel oder zwischen der Tafel und dem Katheder; er geht auch an das Fenster.

3. An der Wand bei dem Katheder steht (oder hängt) eine große schwarze Tafel. Darauf (auf die Tafel) schreibt der Lehrer oder der Student die neuen Wörter. Sie schreiben mit der Kreide. Dort ist auch ein nasser Schwamm oder ein nasser Lappen. Damit (mit dem Schwamm und mit dem Lappen) kann man die Wörter auslöschen.

4. Auf den Tischen liegen die Bücher und Hefte der Studenten. Sie lesen in den Büchern und schreiben die Wörter und Sätze in die Hefte. Sie schreiben mit dem Füller, dem Kugelschreiber oder mit dem Bleistift.

Der Lehrer schreibt nicht in das Heft, er schreibt die Wörter und Sätze mit Kreide an die Tafel. Die Studenten sehen nach der Tafel und lesen die neuen Wörter; sie schreiben sie in die Hefte.

5. An den Wänden hängen viele Bilder. Der Lehrer hängt ein neues Bild an die Wand. Das ist ein schönes, buntes Bild mit hohen Häusern, mit einem großen Bahnhof, mit vielen Wagen und Menschen. Die Studenten lernen neue Wörter; sie machen zu Hause mit diesen Wörtern neue Sätze.

Nach dem Unterricht stecken alle die Bücher in die Mappen und gehen oder fahren nach Hause.

Die Präpositionen (Die Verhältniswörter)

1. aus, bei, mit, nach, seit, von, zu	**immer Dativ**
2. durch, für, gegen, ohne, um	**immer Akkusativ**
3. an, auf, hinter, in, neben, über, unter, vor, zwischen	**wo? Dativ** **wohin? Akkusativ**

Wo sitzt der Schüler? Er sitzt *auf der* Bank (Dativ).
Wohin geht der Schüler? Er geht *an die* Tafel (Akkusativ).

Wo? — Dativ!	**Wohin? — Akkusativ!**
Wo steht der Stuhl?	Wohin stellt der Lehrer den Stuhl?
Wo liegt das Buch?	Wohin legt er das Buch?
Wo hängt der Hut?	Wohin hängt er den Hut?
Wo sitzt das Kind?	Wohin setzt die Mutter das Kind?

Beachten Sie:					
an dem	verkürzt:	*am*	an das	verkürzt:	*ans*
in dem	„	*im*	in das	„	*ins*
zu dem	„	*zum*	auf das	„	*aufs*
bei dem	„	*beim*	für das	„	*fürs*
von dem	„	*vom*	um das	„	*ums*

Übungen: 1. Verbinden Sie die Präpositionen mit den Substantiven (Singular und Plural), die Buchstaben bedeuten die Deklinations-Gruppen (S. 16):

a) durch, aus: s Blatt (f), s Buch (f), r Hörsaal (Pl.: Hörsäle, a), r Brief (a), s Haus (f), e Tür (e), r Schrank (a), e Karte (e), s Auge (g), e Wand (d);

b) für, bei: e Bank (d), r Student (b), r Junge (b), e Uhr (e), r Mensch (b), s Bild (f), r Arm (a, ohne Umlaut), r Affe (b);

c) gegen, von: r Mann (f), e Tür (e), r Hut (a), r Student (b), e Straße (e), s Kind (f), e Straßenbahn (e), r Sohn (a);

d) ohne, mit: s Paket (a), s Buch (f), e Brille (e), s Wort (f), e Blume (e), s Heft (a), s Auge (g), s Fahrrad (f);

e) um, nach: s Haus (f), r Platz (a), r Baum (a), e Blume (e), e Laterne (e), s Ohr (g), s Bein (a), r Kopf (a).

2. Verbinden Sie die folgenden Präpositionen mit den Substantiven auf die Fragen „wo" und „wohin", z. B. an der Wand — an die Wand:

a) an, auf: s Haus, r Kopf, s Bein, s Auto, e Laterne, r Platz, e Wand, e Blume, e Nase, e Schiene, r Baum;

b) vor, hinter: r Schrank, r Tisch, e Tür, s Bild, e Wand, s Haus, e Laterne, e Straßenbahn, s Katheder, e Haltestelle, r Platz, s Auto;

c) in: r Mund, e Nase, r Kopf, s Heft, e Hand, s Auge, s Gesicht, r Arm, r Autobus;

d) neben, über, unter: r Tisch, r Schrank, e Tür, e Bank, r Platz, s Haus, s Buch;

e) zwischen: r Tisch — e Bank; e Wand — e Tafel; e Tür — s Fenster; s Auto — r Autobus; Bruder—Schwester; Sohn—Tochter; — Plurale: Blätter, Finger, Zähne, Augen, Hefte, Haare, Sachen, Bücher, Zeitungen, Fenster, Häuser, Bäume.

3. Ergänzen Sie bei den Präpositionen die fehlenden Artikel in den folgenden Sätzen:

1. Ich komme aus — r Hörsaal. 2. Du gehst in — r Hörsaal. 3. Wir sind in — (!) r Hörsaal. 4. Vor — s Fenster steht ein Stuhl. 5. Neben — s Katheder bei — e Tafel steht der Lehrer. 6. Auf — s Bild an — e Wand sehen wir ein Haus. 7. Aus — s Fenster sieht ein Mann auf — e Straße. 8. Durch — e Tür tritt — e Frau in — s Zimmer. 9. Hinter — e Frau steht ein Kind; es spielt mit — r Ball. 10. Unter — s Fenster blühen bunte Blumen. 11. Der Student legt die Bücher auf — r Tisch. 12. Die Schüler hängen die Hüte und Mäntel an — r Haken.

4. Bilden Sie die Fragesätze (wo? oder wohin?) aus folgenden Sätzen, z. B.: a) Die Studenten sitzen auf den Bänken — Frage: Wo sitzen sie? — b) Die Studenten gehen in die Universität — Frage: Wohin gehen sie?

1. Die Tafel steht an der Wand. 2. Die Studenten hängen die Hüte und Mäntel an die Haken. 3. Der Lehrer schreibt die Wörter an die Tafel. 4. Die Studenten gehen in den Hörsaal. 5. Der Schüler steht vor der Bank. 6. Der Lehrer legt die Bücher auf den Tisch. 7. Die Tür ist neben dem Fenster. 8. Der Hut hängt über dem Mantel. 9. Der Lehrer hängt das Bild neben (über, an) die Tafel. 10. Hinter dem Tisch stehen noch zwei Bilder. 11. Der Lehrer schreibt an die Tafel. 12. Die Studenten schreiben in ihre Hefte.

5. Beantworten Sie folgende Fragen (Übungsstück: Der Hörsaal): 1. Wo sind die Fenster? 2. Was kommt durch die Fenster in das Zimmer? 3. Wo sitzen die Studenten? 4. Wohin geht der Lehrer? 5. Wo steht der Lehrer? 6. Wo liegen die Bücher? 7. Wohin schreiben die Studenten die Wörter? 8. Wohin schreibt sie der Lehrer? 9. Womit schreibt der Lehrer? 10. Womit schreiben die Studenten? 11. Wo hängen die Bilder? 12. Wohin stecken die Studenten nach dem Unterricht die Hefte und die Bücher?

6. Zahl, Zeit, Maße

Übungsstück: Wie die Zeit vergeht!

1. Die Sekunden fliegen, die Minuten eilen, die Stunden vergehen, — schnell ist der ganze Tag vorbei.

Aber — jede Minute hat 60 Sekunden, jede Stunde (hat) 60 Minuten, also hat die Stunde 60 mal 60, das sind 3600 Sekunden, und der Tag hat 24 mal so viel. Das Jahr aber mit seinen 365 Tagen — das gibt eine sehr große Zahl!

2. Ja, wie schnell ist der Tag vorbei, besonders wenn man viel Arbeit (viel zu tun) hat! War nicht gestern Sonntag? Nein, schon vor drei Tagen! Bald ist wieder Sonnabend, das ist der schönste Tag der ganzen Woche.

Die sechs Wochentage (der Montag, Dienstag, Mittwoch, Donnerstag, Freitag und Sonnabend oder Samstag) heißen Werktage, da arbeiten wir, jeder an seiner Arbeit (an seinem Werk). Der eine ist im Büro, der andere (ist) in der Fabrik, der dritte (ist) im Laboratorium, der vierte arbeitet draußen in der freien Natur. Welcher Tag ist heute? Welcher Tag war gestern? Und vorgestern? Welcher Tag ist morgen? Und übermorgen?

3. Wie schnell sind auch vier Wochen vorbei, und dann kommt schon wieder ein neuer Monat. Die Monate heißen: (der) Januar, Februar, März, April, Mai, Juni, Juli, August, September, Oktober, November und Dezember. Wir haben jetzt den Monat . . ., wie heißt der nächste Monat? Wie heißt der vorige?

4. Die Monate haben 30 oder 31 Tage, nur der Februar hat 28 oder — alle vier Jahre — 29 Tage. Wie heißt der erste Monat des Jahres? Wieviel Tage hat der letzte Monat des Jahres? Der wievielte (welches Datum) ist heute? Der wievielte war gestern? Der wievielte ist übermorgen?

5. Auch die Monate vergehen schnell; am schnellsten aber vergeht die Zeit, wenn wir Ferien oder Urlaub haben. Manche Menschen nehmen im Winter Urlaub. Sie fahren in die Berge und treiben Wintersport. Das ist schön, aber ich liebe den Winter nicht.

6. Denn von den vier Jahreszeiten ist der Sommer am schönsten. Die Sonne scheint, die Tage sind lang und warm, draußen ist es herrlich. Darum haben die meisten Menschen die Ferien (oder den Urlaub) im Sommer. Sie fahren an die See oder in die Berge.

7. Manchmal ist auch der Herbst schön mit viel Sonne, mit warmen Tagen, bunten Farben und herrlichen Früchten. Doch das ist nicht ganz sicher, und niemand weiß das Wetter vorher.

8. Jede Jahreszeit dauert drei Monate. Der Frühling beginnt am 21. (einundzwanzigsten) März, der Sommer am 21. Juni. Dann kommt der Herbst; er fängt am 23. September an und der Winter am 21. Dezember.

9. Aber wie spät ist es? (Wieviel ist die Uhr?) Der Unterricht ist schon zu Ende. Wie schnell die Zeit vergeht! Ich muß mich beeilen; denn heute will ich zu meinem Freunde fahren.

10. Wann muß ich aus meiner Wohnung gehen? Ich will um halb fünf bei ihm sein. Der Zug fährt fast anderthalb ($1^1/_2$) Stunden, also muß ich spätestens gegen 3 Uhr fahren. Der Zug geht dreiviertel drei oder 2 Uhr 45, wie die Bahnbeamten sagen. Also muß ich zwischen viertel und halb drei (2 Uhr 15 und 2^{30}) aus dem Hause gehen.

Die Zahlen von 1 bis 1000:

	der, die, das	ein
1 eins	1. *erste*	
2 zwei	2. zwei*te*	1/2 *halb*
3 drei	3. *dritte*	1/3 *drittel*
4 vier	4. vier*te*	1/4 *viertel*
5 fünf	5. fünf*te*	
6 sechs		
7 sieben		
8 acht	(8. ach)	(1/8 ach)
9 neun		
10 zehn		
11 elf		
12 zwölf	—*te*	—*tel*
13 dreizehn		
14 vierzehn		
15 fünfzehn, funfzehn		
16 sechzehn		
17 siebzehn		
18 achtzehn		
19 neunzehn		
20 zwanzig	20. zwanzig*ste*	1/20 zwanzig*stel*
21 einundzwanzig		
22 zweiundzwanzig		
23 dreiundzwanzig		
34 vierunddreißig		
45 fünfundvierzig		
56 sechsundfünfzig	—*ste*	—*stel*
67 siebenundsechzig		
78 achtundsiebzig		
89 neunundachtzig		
91 einundneunzig		
100 hundert		
1000 tausend		

325 drei hundert fünf und zwanzig

4 + 7 = 11   4 und 7 ist 11

4 plus 7 gleich 11

$11 - 5 = 6$	11 weniger 5 ist 6 11 minus 5 gleich 6
$8 \cdot 5 = 40$	8 mal 5 ist 40 (gleich)
$35 : 7 = 5$	35 (geteilt) durch 7 ist 5
$5^2 = 25$	5 hoch 2 ist 25 5 (im, zum) Quadrat ist 25
$\sqrt{16} = 4$	Quadratwurzel aus 16 ist 4 zweite Wurzel aus 16 ist 4
$\sqrt[3]{27} = 3$	Kubikwurzel aus 27 ist 3 dritte Wurzel aus 27 ist 3

Die Uhr

Wie spät ist *es? Wieviel Uhr* (welche Zeit) ist es? *Wieviel* ist die Uhr?

(Es ist) 3 (Uhr)		
(ein) viertel 4 (Uhr)	= 3^{15}	= 3 Uhr 15
halb 4 (Uhr)	= 3^{30}	= 3 Uhr 30
dreiviertel 4 (Uhr)	= 3^{45}	= 3 Uhr 45
10 Minuten nach 4 (Uhr)	= 4^{10}	= 4 Uhr 10
20 Minuten vor 5 (Uhr)	= 4^{40}	= 4 Uhr 40

Die Tageszeiten: Wann?

der Morgen	am Morgen	des Morgens, morgens
der Vormittag	am Vormittag	des Vormittags, vormittags
der Mittag	am Mittag	des Mittags, mittags
der Nachmittag	am Nachmittag	des Nachmittags, nachmittags
der Abend	am Abend	des Abends, abends
die Nacht	*in der* Nacht	*des* Nachts, nachts

vorgestern morgen (früh)	vorgestern	morgen (früh), vormittag, mittag, nachmittag, abend, nacht
gestern morgen (früh)	gestern	
heute morgen (früh)	heute	
morgen früh	morgen	
übermorgen früh	übermorgen	

Übungen: 1. a) Lesen Sie die Zahlen: 87, 101, 163, 202, 295, 321, 377, 418, 486, 598;

b) 636, 643, 704, 759, 810, 825, 901, 942, 999, 1000.

c) Wieviel ist 3 + 6, 8 + 7, 13 + 11, 24 + 8, 35 + 12?

d) 78 + 3, 110 + 25, 275 + 15, 383 + 17?

e) Wieviel ist 13 — 4, 21 — 6, 37 — 8, 65 — 15, 97 — 10?

f) 124 — 12, 188 — 16, 245 — 33, 390 — 40?

g) Wieviel ist 7 · 3, 6 · 9, 13 · 2, 25 · 3, 120 · 4?

h) Wieviel ist 50 : 10, 75 : 5, 120 : 3, 150 : 15?

2. Beantworten Sie folgende Fragen: 1. Welcher Tag ist heute? 2. Welcher Tag ist morgen (übermorgen)? 3. Welcher Tag war gestern (vorgestern)? 4. Der wievielte (welches Datum) ist heute? Heute ist der . . .; welches Datum ist übermorgen? 5. Welches Datum ist nach drei Monaten? 6. Der wievielte war vor drei Monaten? 7. Welche Jahreszeit ist jetzt? 8. Welche Jahreszeit kommt nachher (dann)? 9. Welche Jahreszeit war vorher? 10. Welche Jahreszeit ist am schönsten? 11. Wie spät ist es jetzt? 12. Wann fährt der Zug? 13. Wann haben Sie Ferien (Urlaub)? 14. Wir leben im 20. Jahrhundert; welches Jahrhundert war vorher? Welches kommt nachher? 15. In welchem Jahrhundert entdeckte Kolumbus Amerika? 16. In welchem Jahrhundert war die große französische Revolution?

3. Das Kilogramm (kg), das Gramm (g), das Pfund, der Zentner. 1 kg = 1000 g, 1 Pfund = 500 g, 1 Zentner = 50 kg, ein Doppelzentner = 100 kg. 1. Wieviel wiegen Sie (wie schwer sind Sie)? Ich wiege . . . 2. Wieviel wiegt der Junge? (35 kg). 3. Wie schwer ist der große, dicke Mann? (155 kg). 4. Wieviel wiegt das Paket? 5. Wie schwer ist Ihr Koffer? 6. Wieviel wiegt der Brief?

4. Das (der) Kilometer (km), das (der) Meter (m), das (der) Zentimeter (cm), das (der) Millimeter (mm). 1 km = 1000 m, 1 m = 100 cm, 1 cm = 10 mm.

1. Wie lang ist die Bank? 2. Wie breit ist das Zimmer? 3. Wie hoch ist das Zimmer? 4. Wie groß ist der Schüler? (1,40 m). 5. Wie groß sind Sie? 6. Wie hoch ist das Haus? (20 m). 7. Wie breit ist die Straße? 8. Wie hoch ist der Flieger? (300—400 m). 9. Wie hoch sind die

Wolken (1500 m). 10. Wie lang ist die längste Brücke der Welt (120 km, in Florida).

5. Wie alt sind Sie? Ich bin 25 Jahre alt. 1. Wie alt ist der Großvater? 2. Wie alt ist der Vater? 3. Wie alt ist das älteste Kind? 4. Wie alt ist das jüngste Kind? 5. Wie alt sind die jüngsten Schulkinder? (6 Jahre). 6. Wie alt sind die ältesten Schüler? (19 Jahre). 7. Wie alt war Goethe bei seinem Tode (1749—1832)? 8. Wie alt war Schiller bei seinem Tode (1759—1805)? 9. Wie alt war Mozart bei seinem Tode (1756—1791)? 10. Wer ist von ihnen am jüngsten gestorben?

6. Beantworten Sie folgende Fragen: 1. Wieviel Ziffern stehen auf der Uhr? 2. Wieviel Räder hat ein Wagen, ein Auto, eine Straßenbahn, ein Fahrrad? 3. Wieviel Stunden hat der Tag? 4. Wieviel Tage hat das Jahr? 5. Wie heißen die Wochentage? 6. Wie heißen die Monate? 7. Wie heißen die Jahreszeiten? 8. Wie schwer ist der Brief? 9. Wieviel Hände hat der Mensch? 10. Wieviel Beine hat der Vogel? Und das Insekt? 11. Wieviel Finger hat der Mensch? Und das Pferd? 12. Wieviel Fenster hat der Hörsaal? Und wieviel Türen?

7. Vorgestern, gestern, heute, morgen, übermorgen, — verbinden Sie jedes Wort mit:

a) morgen (früh), b) vormittag, c) mittag, d) nachmittag, e) abend, f) nacht.

Beispiel: Vorgestern morgen (oder: vorgestern früh), gestern morgen (oder: gestern früh), heute morgen (oder: heute früh), morgen früh, übermorgen früh.

Lernen Sie diese Verbindungen auswendig!

8. Zur Wiederholung: Welches Fragewort ist nötig? 1. — spät ist es? 2. — ist die Uhr? 3. — Jahreszeit haben wir jetzt? 4. — Tag ist heute? 5. — fährt der Zug? 6. — Monat ist jetzt? 7. — Datum haben wir heute? 8. — haben wir Ferien? 9. — alt sind Sie? 10. — wiegen Sie? 11. In —m Jahrhundert leben wir? 12. — beginnt und — endet der Unterricht? 13. — hoch ist der Baum? (15 m). 14. — Höhe hat die Wolke? (300 m). 15. — weit ist Potsdam von Berlin? (26 km). 16. — lang ist die Donau? (2850 km). 17. — Tage hat der Januar? 18. — geht bei uns im Sommer die Sonne auf, und — geht sie unter? 19. — Sekunden hat eine Stunde? 20. — Tag ist morgen?

7. Pronomen

Ubungsstück: Im Gasthaus (Im Restaurant)

1. Es ist Mittag. Ich habe lange nichts gegessen und getrunken, ich bin jetzt hungrig und durstig. Ich gehe in ein Restaurant. Viele Leute sitzen an den Tischen und warten auf das Essen. Ich suche mir einen Platz, hänge Hut und Mantel an den Haken und setze mich.

2. Vor mir liegt die Speisekarte. Ich lese sie genau, dann rufe ich den Kellner.

„Herr Ober, bringen Sie mir zuerst eine Suppe!" sage ich zu ihm. Er geht in die Küche und holt sie. Er hat es sehr eilig; er muß viele Gäste bedienen. Bald ist er wieder da. Nun bestelle ich Kalbsbraten mit gemischtem Gemüse und eine Nachspeise.

„Wünschen Sie etwas zu trinken?" fragt mich der Kellner. „Haben Sie dunkles (Bier)?" — „Ja, ein kleines oder (ein) großes?" — „Ein großes, bitte!"

3. Plötzlich sagt eine Stimme hinter mir: „Guten Appetit!" Ich sehe mich um. Es ist ein alter Bekannter, ein Studienfreund von mir. Ich begrüße ihn erfreut: „Wie lange haben wir uns nicht gesehen! Bitte, nimm Platz an meinem Tisch! Wie geht es dir? Was machst du in Berlin?" So haben wir viel zu fragen und zu erzählen. Bei einer Flasche Wein und einer guten Zigarre vergeht die Zeit sehr schnell.

4. Schließlich rufe ich den Kellner: „Herr Ober, ich möchte zahlen!" Er schreibt die Rechnung, und ich lege einen Fünfzigmarkschein auf den Tisch: „Können Sie (mir auf 50 Mark) herausgeben?" „Ja, gern." Dann stehen wir auf und verlassen das Restaurant.

5. Ich gehe mit dem Freunde noch in ein Café. Dort sitzen wir gemütlich, trinken eine Tasse Kaffee, hören Musik und plaudern noch lange. „Entschuldige bitte", sagt er endlich, „aber ich muß jetzt fort. Mein Zug fährt um sechs. Vorher will ich ins Hotel. Die Koffer sind noch dort."

6. Ich begleite meinen Freund bis zur Haltestelle. Wir nehmen herzlich Abschied. „Grüß bitte deine Frau und die Kinder! Bleib gesund! Alles Gute! Auf baldiges Wiedersehen!" ruft mein Freund, dann fährt der Autobus ab. Ich gehe zu Fuß nach Hause. Schade, daß er so schnell fort mußte! Wann werden wir uns wiedersehen?

Das Pronomen (Das Fürwort)

A. Das Personalpronomen (Das persönliche Fürwort)

Nominativ	ich	du	er	sie	es	wir	ihr	sie	Sie
Genitiv	meiner	deiner	seiner	ihrer	seiner	unser	euer	ihrer	Ihrer
Dativ	mir	dir	ihm	ihr	ihm	uns	euch	ihnen	Ihnen
Akkusativ	mich	dich	ihn	sie	es	uns	euch	sie	Sie

B. Das Possessivpronomen (Das besitzanzeigende Fürwort)

männlich	mein	dein	sein	ihr	sein	unser	euer	ihr	Ihr
weiblich	meine	deine	seine	ihre	seine	unsere	eure	ihre	Ihre
sächlich	mein	dein	sein	ihr	sein	unser	euer	ihr	Ihr

C. Das Reflexivpronomen (Das rückbezügliche Fürwort)

1. Dativ	2. Akkusativ:
ich kaufe *mir* ein Buch	ich freue *mich*
du kaufst *dir* ein Buch	du freust *dich*
er (sie, es) kauft *sich* ein Buch	er (sie, es) freut *sich*
wir kaufen *uns* ein Buch	wir freuen *uns*
ihr kauft *euch* ein Buch	ihr freut *euch*
sie kaufen *sich* ein Buch	sie freuen *sich*

Beachten Sie: 1. und 2. Person (Sing. und Plur.): Reflexivpronomen = Personalpronomen;
3. Person (Sing. und Plur.): Reflexivpronomen im Dativ und Akkusativ: ***sich.***

Übungen: 1. Lernen Sie die Deklination des Personalpronomens:

a) nach den Personen: ich, meiner, mir, mich; — du, deiner, dir, dich usw.

b) nach den Fällen: alle Dative: mir, dir, ihm usw.; — alle Akkusative: mich, dich usw.

2. Lernen Sie das Possessivpronomen:

a) nach den Personen: mein, meine, mein; — dein, deine, dein usw.;

b) nach dem Geschlecht: mein, dein, sein usw.; — meine, deine, seine usw.

3. Lernen Sie die Personalpronomen mit Präpositionen:

a) bei mir, bei dir, bei ihm usw.; — mit mir, mit dir usw.; — von mir, von dir usw.; — zu mir, zu dir usw.; — nach mir usw.

b) durch mich, durch dich, durch ihn usw.; — für mich, für dich usw.; — ohne mich, ohne dich usw.; — gegen mich usw.; — um mich usw.

4. Verbinden Sie Verben mit dem Personal- und Possessivpronomen:

a) 1. er ruft mich, er ruft dich usw.; 2. er schreibt mir, er schreibt dir usw.; 3. er sieht mich; 4. er grüßt mich; 5. er hilft mir; 6. er antwortet mir; 7. er liebt mich; 8. er gefällt mir; 9. er holt mich; 10. er dankt mir.

b) ich suche meinen Hut, du suchst deinen Hut, er sucht seinen Hut, wir suchen unsern Hut, ihr sucht euren Hut, sie suchen ihren Hut. Ebenso: 1. ich rufe meinen Bruder; 2. ich finde meinen Platz nicht; 3. ich trage meinen Koffer; 4. ich gehe in meine Wohnung; 5. ich bitte meinen Freund; 6. ich lese meine Zeitung; 7. ich danke meinem Arzt; 8. ich antworte meinem Vater; 9. ich gehorche meinen Eltern; 10. ich liebe meine Freunde.

5. Bilden Sie von 4b, 1—10 neue Sätze mit: er, du, sie (Sing.), wir, sie (Plur.), z. B. er ruft seinen Bruder, er findet seinen Platz nicht usw.; — du rufst deinen Bruder, du findest deinen Platz nicht usw.

6. Verbinden Sie das Reflexivpronomen mit Verben, z. B. ich schade mir, du schadest dir usw.; — ich freue mich, du freust dich usw.; lesen Sie folgende Sätze auch mit: er, du, wir, sie:

1. Ich rasiere mich. 2. Ich beeile mich. 3. Ich fürchte mich nicht. 4. Ich schade mir nicht, ich nütze mir. 5. Ich helfe mir allein. 6. Ich setze mich an den Tisch. 7. Ich lege mich aufs Sofa. 8. Ich kaufe mir Zigaretten. 9. Ich bestelle mir eine Tasse Kaffee. 10. Ich fühle mich glücklich. 11. Ich denke mir das sehr schön. 12. Ich wasche mich mit kaltem Wasser. 13. Ich irre mich bestimmt nicht. 14. Ich beeile mich, so sehr ich kann. 15. Ich mißtraue mir und meiner Kraft.

7. Beantworten Sie folgende Fragen (Übungsstück: Im Restaurant):

1. Was suche ich mir zuerst im Restaurant? (Platz). 2. Was liegt vor mir auf dem Tisch? (Speisekarte). 3. Was bringt mir der Kellner zuerst? 4. Was bestelle ich mir dann? 5. Wer sitzt hinter mir? (ein alter

Bekannter). 6. Wohin setzt er sich? (an meinen Tisch). 7. Wohin gehen wir nach dem Essen? 8. Was machen wir dort? 9. Wann fährt sein Zug? 10. Wo sind seine Koffer? (Hotel). 11. Was will er tun? (Koffer holen). 12. Wohin begleite ich meinen Freund? (zu seiner Haltestelle).

8. Imperfekt

Übungsstück: Im Theater

1. Ein Ausländer erzählt:
In meiner Heimat war ich oft im Theater, aber hier in Deutschland gehe ich sehr selten ins Theater. Ich kann noch nicht genug Deutsch.

2. Im Winter besuchte ich mehrmals das Schauspielhaus und sah dort einige klassische Stücke. Sie waren ziemlich leicht für mich. Ich kenne den Inhalt gut. In der Schule lasen wir mehrere Dramen von Lessing, Schiller und Gerhart Hauptmann.

3. Die modernen Theaterstücke sind für mich sehr schwer. Mit einem deutschen Freund war ich vor einigen Monaten im „Deutschen Theater" und sah ein neues Lustspiel; aber ich verstand wenig. Die Schauspieler sprachen zu schnell, und ich kannte damals sehr viele Wörter der Umgangssprache noch nicht. Ich bemerkte aber, daß die Schauspieler sehr gut spielten. Nach jedem Akt klatschten die Zuschauer Beifall.

4. In der Pause gingen wir im Wandelgang (Foyer) hin und her (auf und ab), unterhielten uns über das Stück und wollten auch das Publikum beobachten. Wir sahen viele Damen in schönen Kleidern.

5. Als es klingelte, gingen wir wieder auf unsere Plätze im Parkett. Schnell füllte sich der Zuschauerraum, und dann ging der Vorhang auf. Die Scheinwerfer strahlten (warfen) ihr helles Licht auf die Bühne. Am Ende des letzten Aufzuges mußten die Schauspieler immer wieder erscheinen. Die Aufführung war ein großer Erfolg.

6. Nach der Vorstellung gingen wir zur Garderobe. Wir gaben der Garderobenfrau unsere Garderobenmarke, und sie gab uns unsere Sachen. Dann fuhren wir mit der Untergrundbahn (U-Bahn) nach Hause.

Das Imperfekt (Die Dauer in der Vergangenheit)

Beachten Sie: Die Verben werden entweder schwach oder stark konjugiert. Bei den schwachen Verben bleibt der Vokal der Stammsilbe unverändert.

Konjugation der schwachen Verben

Infinitiv:		leb-*en*		red-*en*		arbeit-*en*
Präsens:	ich	leb-*e*	ich	red-*e*	ich	arbeit-*e*
Imperfekt:	ich	leb-*t-e*	ich	red-*et-e*	ich	arbeit-*et-e*
	du	leb-*t-est*	du	red-*et-est*	du	arbeit-*et-est*
	er	leb-*t-e*	er	red-*et-e*	er	arbeit-*et-e*
	wir	leb-*t-en*	wir	red-*et-en*	wir	arbeit-*et-en*
	ihr	leb-*t-et*	ihr	red-*et-et*	ihr	arbeit-*et-et*
	sie	leb-*t-en*	sie	red-*et-en*	sie	arbeit-*et-en*

Beachten Sie: Das Imperfekt hat sehr ähnliche Endungen wie das Präsens, aber mit eingeschobenem t (oder et, wenn die Stammsilbe auf d oder t endet); die 1. und 3. Person sind gleich, und zwar im Singular und im Plural.

Konjugation der starken Verben

Infinitiv:		g*e*b-en	k*o*mm-en	tr*a*g-en	h*a*lt-e
Präsens:	ich	g*e*b-e	k*o*mm-e	tr*a*g-e	h*a*lt-e
Imperfekt:	ich	g*a*b	k*a*m	tr*u*g	h*ie*lt
	du	g*a*b-st	k*a*m-st	tr*u*g-st	h*ie*lt-(e)st
	er	g*a*b	k*a*m	tr*u*g	h*ie*lt
	wir	g*a*b-en	k*a*m-en	tr*u*g-en	h*ie*lt-en
	ihr	g*a*b-t	k*a*m-t	tr*u*g-t	h*ie*lt-et
	sie	g*a*b-en	k*a*m-en	tr*u*g-en	h*ie*lt-en

Beachten Sie: Die 1. und 3. Person des Singulars haben im Imperfekt keine Endung; die übrigen Personen haben die Endungen des Präsens. Die 1. und 3. Person sind gleich und zwar im Singular und im Plural.

Übungen: 1. Konjugieren Sie das Imperfekt der schwachen Verben: fragen, sagen, bauen, kaufen, lernen, malen, hören, antworten, besuchen, spielen, klatschen, füllen, zeigen.

2. Setzen Sie das schwache Verb in folgenden Sätzen in das Imperfekt (auch mit er ..., wir ..., du ...): 1. Ich stelle den Schirm in die Ecke. 2. Ich lege das Buch auf den Tisch. 3. Ich setze den Hut auf den Kopf. 4. Ich stecke das Geld in die Tasche. 5. Ich klebe die Marke auf den Brief. 6. Ich suche mein Buch. 7. Ich öffne die Tür. 8. Ich kaufe ein Paar Handschuhe. 9. Ich höre die Musik. 10. Ich arbeite täglich acht Stunden. 11. Ich führe das Kind aus dem Zimmer. 12. Ich zähle die Blätter des Heftes. 13. Ich reise heute (!) nach München. 14. Ich weine nicht, ich lache.

3. Konjugieren Sie das Imperfekt der folgenden starken Verben: lesen (las), sehen (sah), geben (gab), helfen (half), singen (sang), finden (fand), bleiben (blieb), schlafen (schlief), laufen (lief), ziehen (zog), fahren (fuhr), gehen (ging), stehen (stand), verstehen (verstand), schreiben (schrieb), rufen (rief), sprechen (sprach).

4. Bilden Sie Verbformen des Imperfekts von Übung **3** mit ich ..., wir ..., du ..., z. B. ich las, ich sah usw.; — wir lasen, wir sahen usw.

5. Setzen Sie folgende Sätze in das Imperfekt, auch mit: ich ..., er ..., wir ..., ihr ..., z. B.: Du kamst schnell nach Hause. Du halfst ... Du schliefst ... usw.:

1. Du kommst schnell nach Hause. 2. Du hilfst dem alten Mann auf der Straße. 3. Du schläfst sehr lange. 4. Du gehst zu Fuß ins Theater. 5. Du fährst mit dem Auto an die Ostsee. 6. Du rufst den Hund ins Haus. 7. Du stehst an der Ecke. 8. Du läufst über die Straße. 9. Du gibst ihm das Buch. 10. Du verstehst kein Wort. 11. Du siehst aus dem Fenster. 12. Du liest einen deutschen Roman. 13. Du schreibst einen langen Brief. 14. Du bleibst den ganzen Tag zu Hause.

6. Beantworten Sie folgende Fragen im Präsens (Übungsstück: Im Theater):

1. Wohin gehe ich oft? (Theater). 2. Wohin bringe ich meinen Mantel und Hut? (Garderobe). 3. Was sehe ich im „Schauspielhaus"? (klassisches Stück). 4. Wie sind diese Dramen? (leicht). 5. Was sehe ich im „Deutschen Theater"? (neues Lustspiel). 6. Wie sprechen die Schauspieler? 7. Wie spielen die Schauspieler? 8. Was machen die

Zuschauer? (klatschen Beifall). 9. Wen sehen wir in der Pause? (s Publikum, Damen). 10. Wohin gehen wir nach der Vorstellung? (Garderobe). 11. Was gibt uns die Garderobefrau? 12. Wie fahren wir nach Hause? (e U-Bahn).

7. Bilden Sie Fragen und Antworten von Übung **6** im Imperfekt, z. B.: Wohin ging ich oft? Ich ging oft ins Theater usw.; — Imperfekt von „bringen": brachte (Satz 2) und von „sein": waren (Satz 4).

9. Perfekt

Übungsstück: Der Bahnhof

1. Es ist Sonnabend früh. Ich will am Wochenende mit meinem Freunde eine Fahrt nach Hamburg machen. Plötzlich klingelt das Telefon; mein Freund ruft mich an: „Bist du fertig zur Reise? Hast du den Koffer gepackt? Hoffentlich hast du auch den Führer von (der Stadt) Hamburg nicht vergessen! Unser Zug fährt um 8 Uhr; beeile dich, es ist höchste Zeit!" Ich antworte ihm: „Ich komme so schnell wie möglich."

2. Ich habe noch nicht gefrühstückt; denn ich habe zu lange geschlafen. Meine Wirtin hat mich zu spät geweckt. Ich habe mich nur schnell gewaschen, rasiert, gekämmt und angezogen.

3. Jetzt ist es 20 Minuten vor 8 Uhr. Ich habe keine Zeit zu verlieren. Ich ergreife den Koffer, laufe auf die Straße und nehme ein Auto. „Bitte schnell, Bahnhof Zoo*)", sage ich zu dem Fahrer. 5 Minuten vor 8 bin ich auf dem Bahnhof.

4. Mein Freund wartet schon in der Vorhalle auf mich: „Schnell, schnell! Ich habe schon am Schalter die Fahrkarten gelöst und die neusten Zeitungen gekauft." Ein Gepäckträger hat meinen Koffer zum Zuge getragen und wartet dort auf uns.

5. Wir eilen auf den Bahnsteig. An der Sperre locht der Beamte unsere Fahrkarten, und dann stehen wir vor dem D-Zug. Der Gepäckträger zeigt uns ein leeres Abteil erster Klasse und bekommt sein

*) Bahnhof Zoo, d. h. Bahnhof am Zoologischen Garten in Berlin.

Geld. Wir sind gerade im Wagen, da gibt der Beamte das Abfahrtzeichen; der Zug setzt sich in Bewegung.

6. Der Gepäckträger hat für uns zwei Eckplätze am Fenster belegt. Mein Freund setzt sich auf seinen Platz und macht es sich bequem. Ich aber habe noch nichts gegessen und getrunken. So gehe ich zunächst in den Speisewagen und frühstücke. Dann kehre ich in mein Abteil zurück, setze mich meinem Freund gegenüber und schließe müde die Augen.

7. Plötzlich erwache ich erstaunt. Mein Freund lacht und sagt: „Du hast wirklich gut geschlafen. Wir sind drei Stunden gefahren, und du hast nichts gesehen. Ich habe unterdessen die Zeitung gelesen und den Führer von Hamburg studiert. Nimm deinen Koffer, gleich müssen wir aussteigen!"

Das Perfekt (Die Vollendung in der Gegenwart)

1. Ich packe den Koffer
   Ich packte den Koffer
   Ich habe den Koffer *gepackt* = *ge—t:* Partizip — schwach
2. Ich studiere den Führer
   Ich studierte den Führer
   Ich habe den Führer studier*t* = *—t:* Partizip ohne „*ge*"
3. Ich lese das Buch
   Ich las das Buch
   Ich habe das Buch *gelesen:* = *ge—en:* Partizip — stark
4. Ich fahre nach Hamburg
   Ich fuhr nach Hamburg
   Ich *bin* nach Hamburg *ge*fahr*en* = Partizip — stark, aber mit „bin"

Das Partizip des Perfekts (Das Mittelwort der Vergangenheit)

schwach		stark		ohne *ge*	
wecken	*geweckt*	fahren	*ge*fahr*en*	studieren	studier*t*
kaufen	*gekauft*	trinken	*ge*trunk*en*	rasieren	rasier*t*
kämmen	*gekämmt*	ziehen	*ge*zog*en*	probieren	probier*t*
arbeiten	*ge*arbeit*et*	essen	*ge*gess*en*	radieren	radier*t*

Beachten Sie: 1. Das Präsens und das Imperfekt bildet man ohne Hilfsverb, das Perfekt (bildet man) mit dem Präsens von „haben“ (ich habe) und dem Partizip.

2. Intransitive Verben, die eine Fortbewegung von einem Ort bezeichnen, bilden das Perfekt mit dem Präsens von „sein“ (ich bin).

Die Stammformen

Zur Bildung der Verbformen (Konjugation) muß der Ausländer die Stammformen der Verben kennen. Es gibt drei Stammformen: Infinitiv, Imperfekt und Partizip (des Perfekts).

	Infinitiv	Imperfekt	Partizip
das schwache Verb	sagen	sagte	gesagt
	machen	machte	gemacht
	zeigen	zeigte	gezeigt
	warten	wartete	gewartet
	antworten	antwortete	geantwortet
	studieren	studierte	studiert
das starke Verb	gehen	ging	(bin) gegangen
	fahren	fuhr	(bin) gefahren
	schlafen	schlief	geschlafen
	stehen	stand	gestanden
	kommen	kam	(bin) gekommen
	nehmen	nahm	genommen
	essen	aß	gegessen

Die Wortstellung[1])

Wenn das Prädikat aus zwei Teilen besteht (z. B. Hilfsverb mit Partizip), dann steht das Hilfsverb an der zweiten Stelle; der andere Teil des Prädikats steht an letzter Stelle. So ist es z. B. beim Perfekt (und Futur, vgl. S. 37, 3): Meine Wirtin h a t mich zu spät g e w e c k t. Ich h a b e schon am Schalter die Fahrkarten g e l ö s t und die neuesten Zeitungen g e k a u f t. W i r s i n d drei Stunden g e f a h r e n.

---

1) Vergleichen Sie S. 11: Die Wortstellung.

Übungen: 1. Bilden Sie die Stammformen:

a) schwache Verben: machen, packen, legen, eilen, antworten, frühstücken, wecken, klingeln, rasieren, kämmen, sagen, warten, lösen, kaufen, lochen, zeigen, wachen.

b) starke Verben: waschen (u, a) [1]), tragen (u, a) [1]), sehen (a, e) [1]), rufen (ie, u), fahren (u, a), essen (a, gegessen), geben (a, e), schreiben (ie, ie), trinken (a, u), werfen (a, o), sprechen (a, o), laufen (ie, au), singen (a, u), liegen (a, e), schließen (o, o), springen (a, u).

2. Bilden Sie das Perfekt mit „haben" (ich . . ., er . . ., sie . . .) von: sagen, packen, schreiben (ie, ie), sehen (a, e), sprechen (a, o), arbeiten, antworten, kochen, lesen (a, e), diktieren, wiederholen, trinken (a, u), geben (a, e), helfen (a, o), fragen, kaufen, rufen (ie, u), lieben, radieren.

3. Bilden Sie das Perfekt mit „sein" (ich . . ., er . . ., sie . . .) von folgenden Verben:
fahren (u, a), kommen (a, o), gehen (i, a), laufen (ie, au), reisen, springen (a, u), steigen (ie, ie), fallen (ie, a), fliegen (o, o), schwimmen (a, o), folgen, eilen.

4. Bilden Sie Sätze aus folgenden Wörtern im Präsens, im Imperfekt, im Perfekt:

1. Freund kaufen Fahrkarte. 2. Auto fahren (u, a) zu Bahnhof. 3. Reisende lesen (a, e) Zeitung. 4. Leute gehen (i, a) in Theater. 5. Kinder steigen (ie, ie) in Straßenbahn. 6. Bruder warten auf mich. 7. Junger Mann springen (a, u) in Autobus. 8. Student studieren (ohne Artikel!) Medizin. 9. Junge laufen (ie, au) über (wohin?) Straße. 10. Urlauber reisen in Berge. 11. Student sprechen (a, o) mit Lehrer. 12. Ausländer schicken s Telegramm.

5. Beantworten Sie folgende Fragen (Übungsstück: Der Bahnhof):

1. Wohin reise ich? 2. Wann stehe ich auf? (zu spät). 3. Warum stehe ich zu spät auf? (Die Wirtin . . .). 4. Habe ich Zeit zu frühstücken? 5. Wie fahre ich zum Bahnhof? 6. Wo wartet mein Freund auf mich? (e Vorhalle). 7. Wer kauft die Fahrkarten? 8. Was macht der Gepäckträger?

---

[1]) waschen (u, a) = waschen, wusch, gewaschen; — tragen (u, a) = tragen, trug, getragen; — sehen (a, e) = sehen, sah, gesehen usw.

9. Wohin gehe ich? (r Speisewagen). 10. Was mache ich dort? 11. Wie lange fahren wir? 12. Was mache ich in dieser Zeit? (schlafen). 13. Was macht mein Freund?

6. Setzen Sie Fragen und Antworten der Übung 5 in das Imperfekt, z. B.: Wohin reiste ich? Ich reiste nach Hamburg usw.

7. Setzen Sie Fragen und Antworten der Übung 5 in das Perfekt, z. B.: Wohin bin (!) ich gereist? Ich bin nach Hamburg gereist usw. In Satz 2 und 3 heißt das Partizip: aufgestanden, in Satz 4: gehabt.

10. Hilfsverb

Futur

Übungsstück: Das Wetter

1. Wie ist das Wetter heute? Das Wetter ist heute sehr schön und wird jetzt alle Tage (täglich, jeden Tag) schöner. Der Himmel ist ohne Wolken. Wir haben warmes Wetter; die Straßen sind trocken und sauber. Wir haben jetzt fast 25 Grad in der Sonne.

2. Wie war das Wetter vor drei Monaten? Vor drei Monaten war das Wetter schlecht und wurde alle Tage schlechter. Der Himmel war voll Wolken. Wir hatten kaltes Wetter, und die Straßen waren naß und schmutzig. Wir hatten damals nur wenige Grade über Null.

3. Wie wird das Wetter im Juli sein? Im Juli wird es wahrscheinlich sehr heiß sein und täglich heißer werden. Der Himmel wird ohne Wolken und die Straßen werden trocken und staubig sein. Wir werden über 25 Grad im Schatten haben.

4. In Deutschland weht der Wind meist von Westen oder Osten, ziemlich selten von Norden oder Süden.

Wenn der Wind von Westen oder Nordwesten kommt, haben wir meist Regenwetter und im Winter oft Schnee. Im Sommer ist es dann nicht sehr warm, sondern fast kühl, und im Winter ist es nicht sehr kalt, sondern meist mild. Denn die Westwinde kommen über den Ozean zu uns und bringen Wolken und milde, feuchte Luft. Das Klima des Ozeans, das Seeklima, herrscht dann auch bei uns.

5. Bei Ostwind aber ist der Himmel heiter (ohne Wolken), und die Luft ist trocken. Dann fallen keine Niederschläge (kein Regen und kein Schnee). Wenn der Wind lange von Osten weht, bringt er uns ein Wetter, wie es im Innern Rußlands und in Sibirien gewöhnlich ist. Im Sommer ist es dann bei uns trocken und heiß mit einer Temperatur von 25 bis 30 Grad Wärme; im Winter ist es auch trocken, aber sehr kalt mit 10 und mehr Grad Frost. In Mitteleuropa herrscht dann das Landklima oder Kontinentalklima.

6. Wenn der Nordwind weht, wird es kühler, die Temperatur sinkt. Wenn aber der Südwind weht, wird es jedesmal wärmer, die Temperatur steigt. Meist dreht sich der Wind über Süden nach Westen, und dann fallen wieder Niederschläge, meist Regen und im Winter manchmal Schnee.

Konjugation der Hilfsverben

Infinitiv:	sein	haben	werden
Präsens:	ich bin du bist er (sie, es) ist wir sind ihr seid sie sind	ich habe du hast er (sie, es) hat wir haben ihr habt sie haben	ich werde du wirst er (sie, es) wird wir werden ihr werdet sie werden
Imperfekt:	ich war du warst er (sie, es) war wir waren ihr wart sie waren	ich hatte du hattest er (sie, es) hatte wir hatten ihr hattet sie hatten	ich wurde du wurdest er (sie, es) wurde wir wurden ihr wurdet sie wurden
Perfekt:	ich bin gewesen du bist gewesen er ist gewesen wir sind gewesen ihr seid gewesen sie sind gewesen	ich habe gehabt du hast gehabt er hat gehabt wir haben gehabt ihr habt gehabt sie haben gehabt	ich bin geworden du bist geworden er ist geworden wir sind geworden ihr seid geworden sie sind geworden
Futur:	ich werde sein du wirst sein er wird sein wir werden sein ihr werdet sein sie werden sein	ich werde haben du wirst haben er wird haben wir werden haben ihr werdet haben sie werden haben	ich werde werden du wirst werden er wird werden wir werden werden ihr werdet werden sie werden werden

Stammformen der Hilfsverben:

sein — war — (bin) gewesen
haben — hatte — (habe) gehabt
werden — wurde — (bin) geworden.

Das Futur (Die Zukunft)

ich werde gehen	ebenso: ich werde sein
du wirst gehen	ich werde haben
er wird gehen	ich werde werden
wir werden gehen	ich werde kommen
ihr werdet gehen	ich werde lesen
sie werden gehen	ich werde arbeiten

Beachten Sie: Das Futur wird mit dem Präsens des Hilfszeitworts w e r d e n und dem I n f i n i t i v gebildet.

Übungen: 1. Beachten Sie den Unterschied:

1. Das Wetter ist schlecht — das Wetter wird schlecht (schlechter). 2. Die Tage sind schön — die Tage werden schön (schöner). 3. Es ist dunkel — es wird dunkel (dunkler). 4. Es ist kalt — es wird kalt (kälter). 5. Die Tage sind lang — die Tage werden lang (länger). 6. Das Kind ist müde — das Kind wird müde (immer müder).

2. Konjugieren Sie in den 4 Zeiten:

a) ich bin müde; ich bin hungrig; ich bin arm; ich bin froh; ich bin unglücklich; ich bin zufrieden; ich bin krank; ich bin ärgerlich.

b) ich habe Zeit; ich habe kein Geld; ich habe keine Lust; ich habe großen Hunger; ich habe Urlaub; ich habe Zahnschmerzen; ich habe Fieber; ich habe es eilig.

c) ich werde blaß; ich werde müde; ich werde gesund; ich werde traurig; ich werde lustig; ich werde immer älter; ich werde jetzt fleißiger.

3. Bilden Sie von Übung 2a, b und c Sätze mit „er" in den vier Zeiten, z. B.: er ist müde — er war müde — er ist müde gewesen — er wird müde sein usw.

4. Bilden Sie von Übung 1 Sätze mit „sein" und „werden" in den vier Zeiten, z. B.: das Wetter ist schlecht — das Wetter wird schlecht;

— das Wetter war schlecht — das Wetter wurde schlecht; — das Wetter ist schlecht gewesen — das Wetter ist schlecht geworden usw.

5. Bilden Sie die vier Zeiten mit „ich . . ., er . . ., sie . . ." von folgenden Verben, z. B.: ich liebe, ich liebte, ich habe geliebt, ich werde lieben; — er liebt, er liebte, er hat geliebt usw.: lesen (a, e), leben, rufen (ie, u), kaufen, studieren, fahren (u, a), gehen (i, a), warten, werden, kommen (a, o), haben, arbeiten, nehmen (a, o), sein.

6. Bilden Sie Sätze im Imperfekt, Perfekt und Futur (auch mit du . . ., er . . ., sie . . .) von:

1. Ich lese die Zeitung. 2. Ich schlafe acht Stunden. 3. Ich trage keine Handschuhe. 4. Ich sage kein Wort. 5. Ich mache die Hausarbeit. 6. Ich gebe keinen Pfennig. 7. Ich gehe nach Hause. 8. Ich halte mein Wort. 9. Ich sitze ganz still. 10. Ich freue mich auf den Urlaub.

7. Beantworten Sie folgende Fragen (Übungsstück: Das Wetter):

1. Wie ist das Wetter heute? (Was für Wetter ist heute?) 2. Wie ist der Himmel? 3. Wie sind die Straßen? 4. Wieviel Grad sind heute in der Sonne? 5. Wieviel Grad sind im Juli im Schatten? 6. Wie sind die Straßen im Sommer? 7. Was für Wetter haben wir bei Westwind im Sommer? Und im Winter? 8. Was für Wetter haben wir, wenn der Wind von Osten kommt (weht)? 9. Wie ist es dann im Sommer? Und wie im Winter? 10. Wo herrscht das Seeklima? Und wo das Landklima?

8. Lesen Sie die Teile 4—6 des Übungsstücks „Das Wetter" im Imperfekt und Futur; beginnen Sie: Wenn der Wind von Westen oder Nordwesten kam, hatten wir usw. oder: Wenn der Wind von Nordwesten kommen wird, dann werden wir . . . haben usw. (Stammformen: bringen, brachte, gebracht; fallen (ie, a), kommen (a, o), stehen (a, a), sinken (a, u), steigen (ie, ie), die anderen Verben sind schwach).

11. Untrennbare und trennbare Verben

Übungsstück: Mein Tagewerk

1. Morgens um 7 Uhr klingelt der Wecker. Ich erwache und stehe schnell auf. Ich mache Licht und gehe ins Badezimmer; ich wasche

mich und putze mir die Zähne. Dann rasiere ich mich, kämme mich und ziehe mich an. Unterdessen bringt mir meine Wirtin den Morgenkaffee in mein Zimmer. Ich frühstücke und lese die Zeitung; aber es ist nicht gemütlich, denn ich habe keine Ruhe.

2. Um halb neun fahre ich nach der Universität; dort lerne ich im Kursus für Ausländer Deutsch. Ich benutze die Straßenbahn. Nach kurzer Fahrt steige ich aus. Von der Haltestelle gehe ich noch ein paar Minuten zu Fuß und bin bald im Hörsaal. Ein wenig später tritt der Lehrer ein. Zwei Stunden arbeiten wir fleißig. Ich höre aufmerksam zu, gebe Antworten und stelle Fragen. Wie schnell die Zeit vergeht! Schon ist der Unterricht zu Ende. Dann fahre ich wieder nach Hause und erledige bald meine Hausaufgabe.

3. Am Nachmittag mache ich verschiedene Besorgungen oder gehe spazieren. Manchmal besuche ich auch ein Museum oder gehe durch die Straßen und sehe mir die Schaufenster an. Da kommt mein Landsmann. Ich gehe mit ihm in ein Café.

4. Abends bleibe ich oft zu Hause. Ich schreibe dann Briefe an meine Verwandten und Bekannten in der Heimat und arbeite noch etwas. Ich unterhalte mich auch mit Radio oder Fernsehen, oder ich lese ein leichtes deutsches Buch. Manchmal gehe ich aus; dann besuche ich mit meinen Freunden ein Kino oder ein Theater. Um 11 Uhr komme ich meist (meistens) nach Hause. Nun ist es aber die höchste Zeit, denn morgen habe ich wieder viel zu tun. Ich ziehe mich aus, lege mich ins Bett und schlafe schnell ein.

Untrennbare und trennbare Verben

a) untrennbar:

ich *be*suche	das Theater
ich *be*suchte	das Theater
ich habe	das Theater *be*-sucht, Partizip ohne „ge"
ich werde	das Theater *be*-suchen
Imperativ:	*Be*suchen Sie das Theater!

b) trennbar:

ich höre	aufmerksam *zu*
ich hörte	aufmerksam *zu*
ich habe	aufmerksam *zu*-ge-hört, Partizip mit „ge"
ich werde	aufmerksam *zu*hören
Imperativ:	Hören Sie aufmerksam *zu!*

Beachten Sie: 1. Die untrennbaren Verben bilden das Partizip o h n e „ge“, z. B. besúcht, erwácht.

2. Die trennbaren Verben bilden das Partizip m i t „ge“; dieses „ge“ steht zwischen der Vorsilbe und dem Verb, z. B. aúfgestanden, ángezogen.

3. Die trennbaren Verben stellen beim Präsens, Imperfekt und Imperativ die Vorsilbe an das Ende des Satzes, z. B. ich höre zu, ich hörte zu, hören Sie zu!

4. Die Vorsilben der untrennbaren Verben sind nicht betont, die Vorsilben der trennbaren Verben sind betont, z. B. besúchen, zúhören.

Stammformen
d e r u n t r e n n b a r e n u n d t r e n n b a r e n V e r b e n

a) untrennbar:

besúchen:	(ich besúche),	besúchte,	(habe) besúcht
erwáchen:	(ich erwáche),	erwáchte,	(bin) erwácht
erlédigen:	(ich erlédige),	erlédigte,	(habe) erlédigt
besíchtigen:	(ich besíchtige),	besíchtigte,	(habe) besíchtigt

b) trennbar:

aúfstehen:	(ich stehe aúf),	stand aúf,	(bin) aúfgestanden
ánziehen:	(ich ziehe án),	zog án,	(habe) ángezogen
ábfahren:	(ich fahre áb),	fuhr áb,	(bin) ábgefahren
eínsteigen:	(ich steige eín),	stieg eín,	(bin) eíngestiegen
eínschlafen:	(ich schlafe eín),	schlief eín,	(bin) eíngeschlafen
zúhören:	(ich höre zú),	hörte zú,	(habe) zúgehört

Übungen: 1. Bilden Sie die Stammformen von folgenden Verben, z. B. einsteigen, stieg ein, (bin) eingestiegen usw.:

a) untrennbare Verben: erwachen (bin), besichtigen, benutzen, besuchen, erwärmen, verstehen (a, a), wiederholen, befinden (a, u), vergehen (i, a, bin), begrüßen, erledigen, verlieren (o, o), erzählen.

b) trennbare Verben: aussteigen (ie, ie, bin), aufmachen, aufstehen (a, a, bin), aufwachen (bin), einschlafen (ie, a, bin), anziehen (o, o), ausziehen (o, o), eintreten (a, e, bin), anrufen (ie, u), anschreiben (ie, ie), auslöschen, anhängen, aufsetzen, zuhören, ausgehen (i, a, bin).

2. Konjugieren Sie das Präsens, Imperfekt und Perfekt von den Verben der Übung 1 b.

3. Bilden Sie die 3. Person Präsens, Imperfekt und Perfekt von denselben Verben 1 b, z. B. er steigt aus, er macht auf usw.; — er stieg aus, er machte auf usw.; — er ist (!) ausgestiegen, er hat aufgemacht usw.

4. Bilden Sie den Imperativ von den Verben der Übung 1 b, z. B. Steigen Sie aus! Machen Sie auf! usw.

5. Beantworten Sie folgende Fragen (Übungsstück: Mein Tagewerk).

1. Wann klingelt der Wecker? 2. Was mache ich dann? 3. Was bringt meine Wirtin? 4. Wohin fahre ich? 5. Was benutze ich? 6. Wohin gehe ich dann? 7. Wie lange arbeiten wir? 8. Was mache ich am Nachmittag? 9. Wohin gehe ich des Abends? 10. Wann gehe ich meistens schlafen? 11. Was mache ich des Abends zu Hause? 12. Warum gehe ich früh schlafen?

6. Bilden Sie (als Vorübung zu Übung 7) von den Verben des Übungsstücks „Mein Tagewerk" das Imperfekt und Perfekt (bringen, brachte, gebracht; bleiben (ie, ie, bin), waschen (u, a); — klingeln, putzen, kämmen, frühstücken usw. sind schwache Verben.

7. Lesen Sie das Übungsstück: „Mein Tagewerk" a) im Imperfekt und b) im Perfekt, z. B.: Morgens um 7 Uhr klingelte der Wecker. Ich erwachte usw. Beachten Sie das Perfekt: „haben" oder „sein"?

8. Bilden Sie Sätze im Präsens: 1. Vater um 7 Uhr aufstehen. 2. Arzt Kranke besuchen. 3. Mutter Tür aufmachen. 4. Lehrer Tafel benutzen. 5. Zug pünktlich abfahren. 6. Schüler Arbeit erledigen. 7. Student aufmerksam zuhören. 8. Langschläfer mittags erwachen. 9. Flieger aus s Flugzeug aussteigen. 10. Studentin Zimmer ansehen. 11. Kind früh einschlafen. 12. Gelehrte viele Sprachen erlernen.

9. Bilden Sie dieselben Sätze auch im Imperfekt, Perfekt und Futur.

12. Passiv

Übungsstück: Handwerke und Berufe

1. Mein Anzug ist alt; ich muß einen neuen haben. Ich gehe zum Schneider und lasse mir einen neuen Anzug machen. Der Schneider nimmt (mir) Maß. Er näht den Anzug — oder: der Anzug wird von dem

Schneider genäht. Der Schneider braucht Schuhe; sie werden von dem Schuhmacher (Schuster) gemacht und ausgebessert — oder: der Schuhmacher macht sie und bessert sie aus.

2. Der Schuhmacher benutzt Hammer und Zange; dieses Handwerkzeug wird von dem Schmied angefertigt (hergestellt) — oder: der Schmied fertigt es an (stellt dieses Handwerkzeug her). Der Schmied arbeitet in einer Schmiede, das ist seine Werkstatt; sie wird von dem Maurer gebaut — oder: der Maurer baut sie.

3. Der Maurer will essen; das Brot wird von dem Bäcker gebacken und von ihm oder dem Kaufmann verkauft — oder: der Bäcker bäckt das Brot, und er oder der Kaufmann verkauft es. Der Bäcker will nicht ohne Fleisch leben; die Tiere (die Rinder, Kälber und Schweine) werden von dem Bauer aufgezogen und von dem Fleischer (Schlächter, Metzger) geschlachtet — oder: der Bauer zieht die Tiere auf, und der Fleischer schlachtet sie.

4. Der Bauer hat Kinder; diese werden von dem Lehrer unterrichtet — oder: der Lehrer unterrichtet die Kinder. Der Lehrer muß einen neuen Anzug haben usw. (und so weiter). Die Geschichte fängt jetzt wieder von vorn an!

So gibt es viele Berufe; alle sind nötig im Leben, und jeder Mensch muß dem andern mit seiner Arbeit helfen.

Das Aktiv (Die Tatform)

Das Passiv (Die Leideform), Präsens

Aktiv: Der Schneider näht den Anzug.
Passiv: Der Anzug *wird* von dem Schneider *genäht*.

Aktiv:	Passiv:
die Eltern lieben mich	ich *werde* von den Eltern *geliebt*
die Eltern lieben dich	du *wirst* von den Eltern *geliebt*
die Eltern lieben ihn (sie, es)	er (sie, es) *wird* von den Eltern *geliebt*
die Eltern lieben uns	wir *werden* von den Eltern *geliebt*
die Eltern lieben euch	ihr *werdet* von den Eltern *geliebt*
die Eltern lieben sie	sie *werden* von den Eltern *geliebt*

Beachten Sie: 1. Verben, die ein Objekt (eine Ergänzung) im Akkusativ haben (oder haben können), heißen transitive Verben.

2. Die transitiven Verben bilden ein Passiv.

Wie verwandelt man den aktiven Satz in die Passivform?

Aktiv:	Passiv:
Der Schneider näht den Anzug.	Der Anzug wird von dem Schneider genäht.
a) Das Subjekt wird .... „der Schneider"	Objekt mit der Präposition „von": „von dem Schneider"
b) Das aktive Verb erhält .... „näht"	die Passivform: „wird genäht"
c) Das Objekt im Akkusativ wird .. „den Anzug"	das Subjekt: „der Anzug"

Übungen: 1. Konjugieren Sie das Präsens des Passivs von folgenden Verben: rufen (ie, u), loben, lieben, brauchen, sehen (a, e), unterrichten, wecken, verstehen (a, a), retten, halten (ie, a), finden (a, u), aufziehen (o, o, trennbar), suchen, fortfahren (u, a, trennbar), tragen (u, a), mitnehmen (a, o, trennbar).

2. Bilden Sie von den Verben in Übung 1 nebeneinander Futur Aktiv und Präsens Passiv, z. B.: ich werde rufen — ich werde gerufen, du wirst rufen — du wirst gerufen usw.

3. Bilden Sie von den Verben in Übung 1 Formen des Aktivs und Passivs nebeneinander mit „er ..., ihr ...", z. B. er ruft — er wird gerufen, er lobt — er wird gelobt usw.

4. Bilden Sie von folgenden Verben die Formen der 3. Person des Aktivs und Passivs nach diesem Beispiel: Man baut es — es wird gebaut, man ißt es — es wird gegessen. Ebenso im Plural: Man baut sie — sie werden gebaut usw.:

bauen, essen (a, e), suchen, verkaufen, schlachten, trinken (a, u), verfertigen, herstellen (trennbar), benutzen, nähen, rufen (ie, u), ausbessern (trennbar), finden (a, u), waschen (u, a), schreiben (ie, ie).

5. Verwandeln Sie folgende Sätze aus dem Aktiv ins Passiv, z. B.: Der Lehrer unterrichtet den Schüler — der Schüler wird von dem Lehrer unterrichtet.

1. Der Kellner bringt ein Glas Bier (brachte, gebracht). 2. Der Baumeister baut ein neues Theater. 3. Der Kaufmann verkauft Kleider, Hüte und Handschuhe. 4. Die Mutter näht ein neues Kleid. 5. Der Vater setzt den Hut auf. 6. Der Handwerker beendet die Arbeit. 7. Der Schneider braucht Nadel und Schere. 8. Die Wirtin bringt mir den Morgenkaffee. 9. Die Fremden besuchen das Museum. 10. Ich vergesse die Hausaufgaben nicht. 11. Der Dichter schreibt viele schöne Gedichte. 12. Ich mache das Licht aus. 13. Ich lerne die Wörter und Sätze. 14. Ich lese die neue Übung.

6. Bilden Sie Fragen von den Sätzen der Übung 5 und zwar: a) nach dem Subjekt „wer?" und b) nach dem Objekt „was?" — Beispiel: a) Frage: Wer bringt ein Glas Bier? Antwort: Der Kellner. b) Frage: Was bringt der Kellner? Antwort: Ein Glas Bier usw.

7. Beantworten Sie folgende Fragen (Übungsstück: Handwerke und Berufe): 1. Wer braucht einen neuen Anzug? (Lehrer). 2. Wer näht ihn? 3. Was braucht der Schneider? (Schuhe). 4. Wer macht die Schuhe? 5. Was braucht der Schuster? 6. Wer macht sein Handwerkzeug? 7. Wo macht er es? 8. Wer baut die Werkstatt? 9. Was ißt der Maurer? (Brot). 10. Wo kauft er das Brot? 11. Was braucht der Bäcker? (Fleisch). 12. Wo kauft er es? 13. Wer zieht die Tiere auf? 14. Warum braucht der Bauer den Lehrer? (Er hat . . .). 15. Warum gibt es viele Berufe? (Jeder Mensch . . .).

II. Teil

Grammatik und Übungen

A. Das Verb

§ 1. Überblick über die Konjugation

Indikativ (Wirklichkeitsform)

3 Stammformen	schwach	stark	gemischt
Infinitiv	frag*en*	schlag*en*	bring*en*
Imperfekt	frag*te*	schl*u*g	br*a*ch*te*
Partizip des Perfekts	*ge*frag*t*	*ge*schlag*en*	*ge*br*a*ch*t*

Aktiv (Tatform) **Passiv (Leideform)**

Präsens (Gegenwart)				
ich frag*e*	schlag*e*	bring*e*	ich werde	gefrag*t*
du frag*st*	schl*ä*g*st*	bring*st*	du wirst	geschlag*en*
er frag*t*	schl*ä*g*t*	bring*t*	er wird	gebrach*t*
wir frag*en*	schlag*en*	bring*en*	wir werden	
ihr frag*t*	schlag*t*	bring*t*	ihr werdet	
sie frag*en*	schlag*en*	bring*en*	sie werden	
Imperfekt (Dauer in der Vergangenheit)				
ich frag*te*	schlug	brach*te*	ich wurde	gebrach*t*
du frag*test*	schlug*st*	brach*test*	du wurdest	gefrag*t*
er frag*te*	schlug	brach*te*	er wurde	geschlag*en*
wir frag*ten*	schlug*en*	brach*ten*	wir wurden	
ihr frag*tet*	schlug*t*	brach*tet*	ihr wurdet	
sie frag*ten*	schlug*en*	brach*ten*	sie wurden	

Aktiv		Passiv	
Perfekt (Vollendung in der Gegenwart)			
ich habe	gefrag*t*	ich bin	gefrag*t worden*
du hast	geschlag*en*	du bist	geschlag*en worden*
er hat	gebrach*t*	er ist	gebrach*t worden*
wir haben		wir sind	
ihr habt		ihr seid	
sie haben		sie sind	
(ich bin gegangen usw.) [1]			
Plusquamperfekt (Vollendung in der Vergangenheit)			
ich hatte	gefrag*t*	ich war	gefrag*t worden*
du hattest	geschlag*en*	du warst	geschlag*en worden*
er hatte	gebrach*t*	er war	gebrach*t worden*
wir hatten		wir waren	
ihr hattet		ihr wart	
sie hatten		sie waren	
(ich war gegangen usw.)			
Futur I (Dauer in der Zukunft)			
ich werde	frag*en*	ich werde	gefrag*t werden*
du wirst	schlag*en*	du wirst	geschlag*en werden*
er wird	bring*en*	er wird	gebrach*t werden*
wir werden		wir werden	
ihr werdet		ihr werdet	
sie werden		sie werden	
Futur II (Vollendung in der Zukunft) [2]			
ich werde	gefrag*t haben*	ich werde	gefrag*t worden sein*
	geschlag*en haben*		geschlag*en worden sein*
	gebrach*t haben*		gebrach*t worden sein*
(ich werde gegangen sein usw.)			

[1]) Über die Bildung des aktiven Perfekts und Plusquamperfekts (Futurs II) mit „ich bin" (ich bin gegangen usw.) siehe § 22.

[2]) Das zweite Futur mit seiner langen Form ist wenig gebräuchlich; es wird meist durch das Perfekt ersetzt.

Aktiv	Passiv
Infinitiv (Grundform)	
1. Gegenwart:	
frag*en*, schlag*en*, bring*en*	*gefragt werden*, geschlag*en* *werden*, gebrach*t* *werden*
2. Vergangenheit:	
gefrag*t* *haben*, geschlag*en* *haben*, gebrach*t* *haben*	gefrag*t* worden *sein*, geschlag*en* worden *sein*, gebrach*t* worden *sein*
Partizip (Mittelwort)	
1. Gegenwart: frag*end*, schlag*end* bring*end*[1])	
2. Vergangenheit: —	*gefragt*, *geschlagen*, *gebracht*[1])

Imperativ (Befehlsform)

2. Pers. Sing.:	frag*e*!	schlag![2])	bring![2])
2. Pers. Plur.:	frag*t*!	schlag*t*!	bring*t*!
Höflichkeitsform:	frag*en Sie*!	schlag*en Sie*!	bring*en Sie*!

Vorbemerkung

zur Einübung der folgenden Paragraphen sowie aller neuen Verben[3])

Bilden Sie, soweit der Sinn eines Satzes es gestattet, Satzreihen nach folgenden Beispielen (beachten Sie die Wortstellung!):

a) Satzreihen im Aktiv: Der Maler malt das Bild — der Maler malte das Bild — der Maler hat das Bild gemalt — der Maler wird das Bild malen — der Maler will das Bild malen (modales Hilfsverb ohne „zu", § 24 a) — der Maler vergißt (versucht, beabsichtigt, fängt an, braucht nicht usw.), das Bild zu malen (nach einem Verb: Infinitiv mit „zu", § 78).

b) Satzreihen im Passiv: Das Bild wird von dem Maler gemalt — das Bild wurde von dem Maler gemalt — das Bild ist von dem Maler gemalt worden — das Bild wird von dem Maler gemalt werden.

---

1) Übungen zur Bildung und Anwendung des Partizips vgl. Adjektiv, Übung 136—139.

2) Viele starke und gemischte Verben haben im Imperativ auch das „e" der schwachen Verben: schlage! bringe!

3) Zur Einübung und Wiederholung des Verbs für Fortgeschrittene s. § 17 und 18; das reflexive Verb s. § 45.

c) Unterscheiden Sie Futur I Aktiv und Präsens Passiv: Der Maler wird das Bild malen — das Bild wird von dem Maler gemalt.

d) Satzreihen mit Verneinung im Aktiv und Passiv: Der Maler malt das Bild nicht — der Maler malte das Bild nicht — der Maler hat das Bild nicht gemalt usw. — Passiv: Das Bild wird von dem Maler nicht gemalt — das Bild wurde von dem Maler nicht gemalt usw. oder: Das Bild wird nicht von dem Maler gemalt — das Bild wurde nicht usw.

e) Satzreihen der Frageform im Aktiv und Passiv: Malt der Maler das Bild? — Passiv: Wird das Bild von dem Maler gemalt? (in allen Zeiten).

f) Satzreihen der Frageform mit Verneinung im Aktiv und Passiv: Malt der Maler das Bild nicht? — Passiv: Wird das Bild nicht von dem Maler gemalt? (in allen Zeiten).

g) Die drei Formen des Imperativs (mit Verneinung): Male das Bild (nicht)! Malt das Bild (nicht)! Malen Sie das Bild (nicht)!

§ 2. Die schwachen Verben

Übung 1: Bilden Sie a) das Imperfekt, Perfekt, Futur, b) Satzreihen (vgl. Vorbemerkung a, b, d, e S. 51): 1. Ich schicke den Brief. 2. Du stellst die Bücher in den Schrank. 3. Er zeigt das Bild. 4. Sie kocht die Suppe. 5. Es (das Kind) sucht den Ball. 6. Wir fragen den Lehrer. 7. Ihr steckt den Brief in den Briefkasten. 8. Sie (die Polizisten) schützen die Stadt. 9. Er photographiert das Schiff. 10. Wir kaufen zwei Postkarten.

Übung 2: Bilden Sie Satzreihen im Aktiv und Passiv: 1. Der Hirt führt die Schafe in den Wald. 2. Die Schülerin lernt die Aufgabe. 3. Der Baumeister baut das Haus. 4. Das Mädchen heizt den Ofen. 5. Der Käufer kauft die Waren. 6. Der Arzt heilt die Wunde. 7. Die Kinder lieben die Eltern. 8. Der Verkäufer legt die Waren auf den Tisch. 9. Der Friseur rasiert den Herrn. 10. Der Lehrer buchstabiert das Wort.

* **Übung 3:** Zur späteren Wiederholung: Setzen Sie folgende Sätze ins Passiv, ohne die Zeit zu verändern: 1. Manche Völker feiern den 1. Mai als den „Tag der Arbeit". 2. Die Einwanderer gründeten eine neue Stadt. 3. Schon oft haben mutige Männer das eigene Leben für die Fortschritte der Wissenschaft geopfert. 4. Im Jahre 1885 und 1886 bauten Daimler und Benz die ersten Autos. 5. Hoffentlich wird die Polizei den Mörder bald fassen. 6. Die Menschen werden immer ihre großen Helden verehren. 7. Die Hygiene besiegte viele Krankheiten, welche die Menschen früher quälten. 8. Um 1455 hat Gutenberg die ersten Bibeln mit Hilfe seiner neuen Erfindung gedruckt. 9. Manche Krankheiten werden die Ärzte vielleicht niemals heilen. 10. Die Ent-

decker der Bakterien haben den Kampf gegen viele Krankheiten mit Erfolg geführt. 11. Wissenschaft und Technik ermöglichen die künstliche Herstellung des Goldes. 12. Das schreckliche Erdbeben zerstörte die halbe Stadt. 13. Werden die Schüler die Aufgaben ordentlich machen? 14. Professor Müller wird den Vortrag halten und neue Lichtbilder zeigen.

§ 3 — 18. Die wichtigsten starken Verben

(nach Gruppen geordnet)

§ 3—7. Erste Gruppe (Imperfekt: a)

§ 3

e, i, ie		a	e
1. s*e*hen	er sieht (sieh!)	s*a*h	hat ges*e*hen
2. *e*ssen	er ißt (iß!)	*a*ß	hat geg*e*ssen
3. b*i*tten	er bittet	b*a*t	hat geb*e*ten
4. s*i*tzen	er sitzt	s*a*ß	hat ges*e*ssen
5. l*ie*gen	er liegt	l*a*g	hat gel*e*gen

Ebenso wie 1: geben (er gibt), geschehen (ist), lesen

wie 2: fressen, messen, vergessen, treten (er tritt — ist, hat)

Übung 4: Lesen Sie folgende Sätze a) in der dritten Person Singular Präsens, auch im Imperfekt und Perfekt; b) bilden Sie Satzreihen (vgl. Vorbemerkung S. 51 a, b, d, e): 1. Ich lese die Zeitung. 2. Ich sehe die Flieger. 3. Ich gebe dem Kellner das Trinkgeld. 4. Ich vergesse meine Schlüssel. 5. Ich bitte den Freund um Hilfe. 6. Ich messe das Fieber mit dem Thermometer. 7. Ich esse den Apfel. 8. Ich sitze im Flugzeug. 9. Ich trete in das Zimmer. 10. Ich liege auf dem Sofa.

Übung 5: a) Lesen Sie die Sätze in der 3. Person Singular Präsens, Imperfekt und Perfekt; b) bilden Sie Satzreihen im Aktiv und (Satz

1—7) auch im Passiv: 1. Die Schüler sehen das neue Bild. 2. Die Jungen essen das Frühstück. 3. Die Ausländer lesen die deutsche Zeitung. 4. Die Gäste vergessen die Regenschirme. 5. Die Wölfe fressen die Schafe. 6. Die Kinder bitten die Eltern um das Bilderbuch. 7. Die Verkäuferinnen geben den Käufern die gekauften Waren. 8. Die Leute treten auf die Straße. 9. Die Damen sitzen auf dem Sofa. 10. Viele Unfälle geschehen täglich.

§ 4

e, o		a	o
1. bef*e*hlen	er befiehlt (befiehl!)	bef*a*hl	hat bef*o*hlen
2. spr*e*chen	er spricht (sprich!)	spr*a*ch	hat gespr*o*chen
3. st*e*rben	er stirbt (stirb!)	st*a*rb	ist gest*o*rben
4. n*e*hmen	er nimmt (nimm!)	n*a*hm	hat gen*o*mmen
5. k*o*mmen	er kommt	k*a*m	ist gek*o*mmen

Ebenso wie 1: empfehlen, stehlen, gebären

wie 3: gelten, helfen, schelten, verderben (hat, ist), werfen

wie 2: brechen (hat, ist), erschrecken (erschrak, ist), treffen (traf)

Übung 6: Bilden Sie Präs., Imperf., Perfekt, Fut. I des Aktivs mit „du . . ., er . . ., wir . . ." von folgenden Sätzen: 1. Ich spreche etwas Deutsch. 2. Ich treffe einen Bekannten auf der Straße. 3. Ich helfe dem Kranken. 4. Ich nehme das Buch vom Tisch. 5. Ich werfe den Stein ins Wasser. 6. Ich steche mich mit der Nadel. 7. Ich sterbe vor Heimweh. 8. Ich komme zu spät. 9. Ich befehle nicht gern, ich bitte lieber. 10. Ich empfehle dem Schüler ein gutes Buch.

Übung 7: Setzen Sie folgende Sätze ins Imperfekt und Perfekt: 1. Der Jäger befiehlt, der Hund gehorcht. 2. Der Taschendieb stiehlt die Uhr. 3. Das furchtsame Mädchen erschrickt leicht. 4. Die Jungen helfen der Mutter im Garten. 5. Bei einem (dem) Eisenbahn-Unglück sterben viele Menschen an ihren Verletzungen. 6. Schlechte Beispiele verderben gute Sitten. 7. Der kleine Bruder zerbricht alle Spielsachen. 8. Das Kind wirft den Ball in das Wasser. 9. Mein Paß gilt zwei Jahre. 10. Die Mutter schilt das ungezogene Kind.

§ 5

i		a	o
beg*i*nnen	er beginn*t*	beg*a*nn	hat beg*o*nnen

Ebenso: gewinnen — schwimmen (ist)
rinnen (ist) — sinnen
spinnen

Übung 8: Bilden Sie die fünf Zeiten des Aktivs (auch mit „er ..., ihr ...") von: 1. Ich schwimme im See. 2. Ich beginne die Arbeit. 3. Ich gewinne im Lotto. 4. Ich spinne die Wolle.

Übung 9: Setzen Sie folgende Sätze ins Imperfekt und Perfekt: 1. Die Spinne spinnt einen langen Faden. 2. Die Vorlesungen in der Universität beginnen ein Viertel nach 9 Uhr. 3. Das Blut rinnt durch die Adern. 4. Der berühmte Boxer gewinnt den Kampf. 5. Der Junge schwimmt zehn Meter unter Wasser. 6. Die Feinde sinnen auf eine neue List.

§ 6

i		a	u
b*i*nden	er bindet	b*a*nd	hat geb*u*nden

Ebenso:			
	finden	gelingen (ist)	singen
	sinken (ist)	ringen	springen (ist)
	trinken	klingen	zwingen

Übung 10: a) Lesen Sie die Sätze im Imperfekt und Perfekt; b) bilden Sie Satzreihen von: 1. Ich finde eine Brieftasche. 2. Du trinkst den Wein. 3. Er bindet die Krawatte. 4. Wir singen ein Lied. 5. Ihr zwingt das Kind zu lernen. 6. Sie ringen mit dem Schicksal. 7. Sie (die Frau) sinkt in Ohnmacht. 8. Es (das Kind) springt von der Bank auf die Erde. 9. Sie (die Musik) klingt schön. 10. Es gelingt nicht alles so, wie der Mensch hofft.

Übung 11: a) Setzen Sie folgende Sätze ins Imperfekt und Perfekt; b) bilden Sie Satzreihen (Satz 10 ohne Futur): 1. Der Reisende findet kein Hotel. 2. Am Abend sinkt die Sonne unter den Horizont. 3. Die Sängerin singt wie eine Nachtigall. 4. Die Glocken klingen laut. 5. Die Ringkämpfer ringen miteinander. 6. Der Hund springt über den Stock. 7. Die Müdigkeit zwingt die Menschen zu schlafen. 8. Der Flug über den Ozean gelingt oft; manchmal mißlingt er. 9. Das Kind ertrinkt beim Baden. 10. Dr. Rudolf Diesel erfindet 1893 einen neuen Motor.

§ 7. Wiederholung

zur Übung der Verbformen in § 1—6

Übung 12: Bilden Sie von folgenden Verben (§ 3—6) im Aktiv: a) die Stammformen; — b) die 3. Person Singular Präsens; — c) dasselbe vom Imperfekt; — d) bilden Sie die drei Imperative, z. B.: Sprich! Sprecht! Sprechen Sie! —; e) bilden Sie Reihen (S. 51 a) in den 5 Zeiten (ich . . ., er . . ., wir . . .): geben, schwimmen, singen, nehmen, werfen, messen, kommen, stehlen, stechen, helfen, spinnen, binden, treffen, essen, springen.

Übung 13: Zur Wiederholung der Verbformen in § 1—6: Wie Übung 12: stellen, treten, lernen, lesen, vergessen, trinken, bitten, finden, legen, sehen, sprechen, lieben, leben, sterben, gewinnen, kommen, lachen, weinen, nehmen, geben.

§ 8—11. Zweite Gruppe (Imperfekt: i, ie)

§ 8

ei		i	i
1. gr*ei*fen	er greift	gr*i*ff	hat gegr*i*ffen
2. l*ei*den	er leidet	l*i*tt	hat gel*i*tten
3. b*ei*ßen	er beißt	b*i*ß	hat geb*i*ssen
4. str*ei*chen	er streicht	str*i*ch	hat gestr*i*chen

Ebenso wie 1:	kneifen	wie 2:	schneiden
	pfeifen	wie 3:	reißen (hat, ist)
	gleiten (ist)	wie 4:	gleichen
	reiten (ist)		schleichen (ist)
	streiten		weichen (ist)

Ubung 14: a) Lesen Sie die Sätze im Imperfekt und Perfekt; b) bilden Sie Satzreihen im Aktiv: 1. Ich leide oft an Kopfschmerzen. 2. Du reitest auf dem Esel. 3. Er pfeift ein Lied. 4. Sie schneidet die Seide mit der Schere. 5. Es (das Kind) reißt ein Blatt aus dem Buch. 6. Wir schleichen aus dem Hause. 7. Ihr greift in die Tasche. 8. Sie (die Kinder) gleichen dem Vater im Charakter. 9. Er beißt in das Brot. 10. Sie (die beiden Boxer) weichen keinen Schritt.

Ubung 15: a) Lesen Sie die Sätze im Imperfekt und Perfekt; b) bilden Sie Satzreihen im Aktiv und (Satz 1—6) im Passiv: 1. Der Hund beißt den Fremden. 2. Der Schneider schneidet den Stoff. 3. Der Maler streicht das Haus. 4. Der Junge kneift seine Schwester. 5. Der Polizist greift den Dieb. 6. Der Schüler begreift die Regel nicht. 7. Ein Ei gleicht dem andern. 8. Die Katze schleicht in die Küche. 9. Der kleine Junge reitet auf dem Stock des Vaters. 10. Bruder und Schwester streiten sich oft wie Hund und Katze.

§ 9

ei		ie	ie
1. schr*ei*ben	er schreibt	schr*ie*b	hat geschr*ie*ben
2. schr*ei*en	er schreit	schr*ie*	hat geschr*ie*(e)n

Ebenso wie 1:	bleiben (ist)	
	reiben	scheinen
	treiben	schweigen
	meiden	steigen (ist)
	scheiden (hat, ist)	leihen
	weisen	verzeihen

Ubung 16: a) Lesen Sie die Sätze im Imperfekt und Perfekt; b) bilden Sie Satzreihen: 1. Ich schreibe eine Postkarte. 2. Er reibt sich die

Hände. 3. Du weist uns den Weg. 4. Sie treiben die Hühner aus dem Garten. 5. Ihr leiht uns viele Bücher. 6. Sie steigt in die Straßenbahn. 7. Du bleibst zu Hause. 8. Wir schweigen im Theater. 9. Sie (die Jungen) schreien und lärmen auf der Straße. 10. Er verzeiht ihm nichts, sie verzeiht ihm alles.

Übung 17: Bilden Sie von folgenden Sätzen das Imperfekt, Perfekt und Futur I: 1. Das kranke Kind schreit in der Nacht. 2. Die Sonne scheint hell und warm. 3. Die Uhr bleibt stehen. 4. Der Richter scheidet die Ehe. 5. Der Polizist weist uns den Weg nach dem Theater. 6. Die Reisenden steigen aus dem Zug. 7. Der Dichter schreibt einen neuen Roman. 8. Der Kranke meidet die kalte Luft. 9. Der Student leiht sich von dem Freunde zwanzig Mark. 10. Die Temperatur steigt.

§ 10

a, o, au, ä, u, ei		ie, i		a, o, au, u, ei
1. f*a*llen	er fällt	f*ie*l	ist	gef*a*llen
2. f*a*ngen	er fängt	f*i*ng	hat	gef*a*ngen
3. st*o*ßen	er stößt	st*ie*ß	hat	gest*o*ßen
4. l*au*fen	er läuft	l*ie*f	ist	gel*au*fen
5. h*ä*ngen	er hängt	h*i*ng	hat	geh*a*ngen
6. r*u*fen	er ruft	r*ie*f	hat	ger*u*fen
7. h*ei*ßen	er heißt	h*ie*ß	hat	geh*ei*ßen

Ebenso wie 1: halten, schlafen, braten, raten, blasen, lassen

wie 4: hauen (Imperf.: hieb)

Übung 18: a) Lesen Sie die Sätze auch mit „er . . ., ihr . . ." im Präsens, Imperfekt und Perfekt; b) bilden Sie Satzreihen (du . . ., er . . ., ihr . . .): 1. Ich fange den Fisch. 2. Ich stoße mich am Tisch. 3. Ich rufe den Kellner. 4. Ich rate das Rätsel. 5. Ich halte mein Versprechen. 6. Ich laufe in die Apotheke. 7. Ich lasse den Hund aus dem Zimmer in den Garten. 8. Ich schlafe sehr fest. 9. Ich falle auf der Treppe. 10. Ich blase in das Feuer.

Übung 19: Bilden Sie das Imperfekt und Perfekt von folgenden Sätzen: 1. Der Kurs des Geldes fällt und steigt. 2. Ich rate dem Schüler, täglich eine schriftliche Arbeit zu machen. 3. Die Wagen halten bei rotem Licht auf der Straße. 4. Manche Tiere schlafen während des ganzen Winters. 5. Der Jäger ruft die Hunde. 6. Der Musiker bläst die Flöte. 7. Der Spieler stößt den Ball mit dem Fuß. 8. Der Hase läuft in den Wald. 9. Die Glocke hängt im Turm. 10. Wie heißt das neue Theater?

§ 11. Wiederholung

zur Übung der Verbformen in § 1—10

Übung 20: Bilden Sie von folgenden Verben aus § 7—10 im Aktiv: a) die Stammformen; — b) die 3. Person Singular des Präsens; — c) dasselbe vom Imperfekt! — d) bilden Sie Reihen in den 5 Zeiten (ich . . ., er . . ., ihr . . .): leiden, stoßen, reiben, schreien, schlafen, streiten, braten, reißen, treiben, scheinen, beißen, leihen, heißen, gleichen, fangen, rufen.

Übung 21: Zur Wiederholung der Verbformen aus § 1—10. Wie Übung 20: bauen, fallen, streichen, halten, schützen, stecken, fressen, sinken, schweigen, schlafen, spielen, beginnen, erschrecken, hängen, greifen, nehmen, reiten, liegen, legen.

§ 12—14. Dritte Gruppe (Imperfekt: o, u)

§ 12

ie		o		o
1. fl*ie*gen	er fliegt	fl*o*g	ist	gefl*o*gen
2. fl*ie*ßen	er fließt	fl*o*ß	ist	gefl*o*ssen
3. z*ie*hen	er zieht	z*o*g	hat, ist	gez*o*gen

Ebenso wie 1: biegen
verbieten
fliehen (ist)
frieren
schieben
verlieren
wiegen

wie 2: gießen
schießen
schließen
kriechen (ist)
riechen

Übung 22: a) Lesen Sie die Sätze im Imperfekt und Perfekt; b) bilden Sie Satzreihen: 1. Ich ziehe den Wagen. 2. Du schiebst den Wagen. 3. Er schließt das Buch. 4. Sie gießt Wasser in die Schüssel. 5. Es (das Kind) biegt den Deckel des Buches. 6. Wir wiegen die Butter. 7. Ihr schießt einen Hirsch. 8. Sie verbieten den Eintritt. 9. Du verlierst deine Taschenuhr. 10. Ich rieche den Braten.

Übung 23: Bilden Sie das Imperfekt und Perfekt von folgenden Sätzen: 1. Das Flugzeug fliegt über den Ozean. 2. Die Einwohner fliehen aus der brennenden Stadt. 3. Der Fluß fließt durch ein fruchtbares Tal. 4. Der Kellner gießt den Rotwein in das Glas. 5. Die Schlange kriecht über den Stein. 6. Im Winter frieren Menschen und Tiere. 7. Der Postbeamte wiegt das Paket; es wiegt 5 Kilo. 8. Der Vater schiebt das Sofa an die Wand. 9. Die Reisenden schließen Türen und Fenster. 10. Der Student zieht in eine andere Wohnung.

§ 13

e, ö, ü, au		o	o
1. h*e*ben	er hebt	h*o*b	hat geh*o*ben
2. f*e*chten	er ficht (ficht!)	f*o*cht	hat gef*o*chten
3. schw*ö*ren	er schwört	schw*o*r	hat geschw*o*ren
4. l*ü*gen	er lügt	l*o*g	hat gel*o*gen
5. s*au*gen	er saugt	s*o*g	hat ges*o*gen

Ebenso wie 2: flechten
quellen (ist)
schmelzen (ist, hat)
schwellen (ist)

wie 4: betrügen

wie 5: saufen (Imperfekt: soff)

Übung 24: a) Lesen Sie die Sätze mit „er ..., du ..., ihr ..." im Präsens, Imperfekt, Perfekt; b) bilden Sie Satzreihen (du ..., er ..., sie [Plur.] ...): 1. Ich hebe den Koffer auf die Schulter. 2. Ich schwöre den Eid. 3. Ich flechte den Kranz. 4. Ich belüge sie nicht. 5. Ich betrüge niemand. 6. Ich fechte mit dem Florett. 7. Ich lüge nicht, ich spreche die Wahrheit. 8. Ich sauge das Gift aus der Wunde.

Übung 25: Bilden Sie das Imperfekt und Perfekt von folgenden Sätzen: 1. Die Fechter fechten mit dem Degen. 2. Das Wasser quillt aus der Erde. 3. Die kranke Hand schwillt. 4. Im Frühling schmilzt der Schnee auf den Bergen. 5. Manche Mädchen flechten sich die Haare. 6. Das durstige Pferd säuft. 7. Ein gutes Kind lügt nicht. 8. Die Pumpe saugt das Wasser aus der Erde. 9. Der Kran hebt das Auto aus dem Schiff. 10. Der Mann schwört ewige Treue.

§ 14

a		u		a
1. gr*a*ben	er gräbt	gr*u*b	hat	gegr*a*ben
2. sch*a*ffen	er schafft	sch*u*f	hat	gesch*a*ffen

Ebenso wie 1:	fahren (ist, hat)	tragen	backen (buk,
	laden	wachsen (ist)	auch: „backte")
	schlagen	waschen	

Übung 26: a) Lesen Sie die Sätze mit „er ..., wir ..." im Präsens, Imperfekt und Perfekt; b) bilden Sie Satzreihen (er ..., ihr ...): 1. Ich grabe im Garten ein Loch für den Baum. 2. Ich trage das schwere Paket. 3. Ich schlage das Kind nicht. 4. Ich fahre den Freund zum Bahnhof. 5. Ich lade den Revolver. 6. Ich schaffe ein Kunstwerk. 7. Ich wasche die Handschuhe mit Wasser und Seife. 8. Ich backe eine Torte.

Übung 27: Bilden Sie das Imperfekt und Perfekt: 1. Die Arbeiter graben ein Grab auf dem Friedhof. 2. Die Waschfrau wäscht die Wäsche. 3. Das Herz des Kranken schlägt unruhig. 4. Der geduldige Mensch trägt sein Schicksal. 5. Im Frühling wachsen die Pflanzen schnell. 6. Die Arbeiter laden die Kohlen in das Schiff. 7. Der Bäcker bäckt Brot und Kuchen. 8. Der Dichter schafft neue, herrliche Werke.

§ 15. Gemischte und unregelmäßige Verben

a)	1. br*e*nnen	er brennt	br*a*nnte	hat gebr*a*nnt
	2. s*e*nden	er sendet	s*a*ndte (sendete)	hat ges*a*ndt (gesendet)

Ebenso wie 1: kennen wie 2: wenden
nennen
rennen (ist)

Ubung 28: a) Lesen Sie die Sätze im Imperfekt und Perfekt; b) bilden Sie Satzreihen: 1. Ich wende mich um. 2. Kennst du diesen Ausländer? 3. Er rennt so schnell wie möglich nach Hause. 4. Sie (die Lampe) brennt dunkel. 5. Wir nennen dem Fremden ein gutes Hotel. 6. Sie senden euch viele Grüße.

Ubung 29: Bilden Sie das Imperfekt und Perfekt von folgenden Sätzen: 1. Die ganze Fabrik brennt. 2. Der Ausländer kennt Deutschland wenig. 3. Der Vogel wendet den Kopf nach allen Seiten. 4. Die Kinder rennen auf dem Sportplatz hin und her. 5. Der Fabrikant sendet einen Katalog zur Ansicht. 6. Sehr hohe Häuser nennen wir Wolkenkratzer.

b)

1. br*i*ngen	er bringt	br*a*chte	hat	gebr*a*cht
2. d*e*nken	er denkt	d*a*chte	hat	ged*a*cht
3. w*i*ssen	er weiß	w*u*ßte	hat	gew*u*ßt
4. st*e*hen	er steht	st*a*nd	hat	gest*a*nden
5. g*e*hen	er geht	g*i*ng	ist	geg*a*ngen
6. t*u*n	er tut	t*a*t	hat	get*a*n

Ubung 30: Lesen Sie die Sätze im Imperfekt und Perfekt; b) bilden Sie mit Satz 1—6 Satzreihen: 1. Ich tue, was ich denke. 2. Du bringst eine gute Nachricht. 3. Wir stehen vor dem Schaufenster. 4. Ihr wißt mehr, als ihr sagt. 5. Sie gehen schon um 10 Uhr schlafen. 6. Meine Uhr bleibt täglich eine Minute nach. 7. Ich weiß, daß ich nichts weiß.

Ubung 31: a) Lesen Sie die Sätze im Imperfekt und Perfekt; b) bilden Sie Satzreihen: 1. Der Briefträger bringt täglich die Post. 2. Der Greis denkt an seine Jugend. 3. Ich weiß die Straße und Hausnummer nicht mehr. 4. Der Kranke geht täglich eine Stunde spazieren. 5. Am Morgen stehen wir sehr früh auf. 6. Der Beamte tut seine Pflicht.

c)

1. mahlen	er mahlt	mahlt*e*	hat	gemahl*en*
2. salzen	er salzt	salzt*e*	hat	gesalz*en*
3. spalten	er spaltet	spaltet*e*	hat	gespalt*en*

Übung 32: Bilden Sie a) das Imperfekt und Perfekt; b) bilden Sie Satzreihen: 1. Der Müller mahlt das Mehl. 2. Die Köchin salzt die Suppe. 3. Der Waldarbeiter spaltet den Baumstamm.

§ 16. Wiederholung

zur Übung der Verbformen in § 1—15

(Vgl. Alphabetisches Verzeichnis der starken Verben, S. 268)

Übung 33: Bilden Sie von folgenden Verben (aus § 12—15) im Aktiv: a) die Stammformen; — b) die 3. Person Singular des Präsens; — c) dasselbe vom Imperfekt; — d) bilden Sie Reihen in den 5 Zeiten (ich ..., er ..., ihr ...): tun, riechen, waschen, brennen, fliegen, denken, heben, mahlen, saugen, laden, fahren, fließen, backen, lügen, gehen, bringen.

Übung 34: Wiederholung der Verbformen aus § 1—15; wie Übung 33: liegen, weinen, schießen, schelten, senden, wachsen, lassen, fangen, hängen, pfeifen, kennen, führen, fahren, wissen, biegen, fallen, bleiben, finden, helfen, vergessen.

Übung 35: Wiederholung des Passivs: Bilden Sie a) die Stammform, b) Reihen im Passiv von folgenden Verben (ich ..., er ..., sie [Plur.] ...): suchen, schlagen, sehen, treiben, schieben, fragen, tragen, halten, vergessen, waschen, malen, ziehen, schneiden, heben, treten, rufen.

§ 17. Zusammenstellung einiger ähnlich klingender Verben

Übung 36: Unterscheiden Sie folgende Verben nach ihrer Konjugation und Bedeutung; bilden Sie a) die Stammformen, b) Reihen mit „ich ..., er ..., ihr ...", c) kurze Sätze, z. B.: Ich bringe die Zeitung. Ich breche mein Versprechen nicht usw.: *
bringen — brechen; bieten — bitten — beten — betteln; denken — danken; können — kennen — kennenlernen.

Übung 37: Welches von den obigen Verben werden Sie bei den folgenden Sätzen einfügen? Bilden Sie auch das Imperfekt und Perfekt! *
1. In dieser Stadt stehen keine Bettler an den Straßenecken, hier — niemand. 2. Alle alten Menschen — gern an die Vergangenheit. 3. Das

Leben — dem Menschen viele Möglichkeiten, damit er sich sein Glück schafft. 4. Das Kind — die Mutter um Süßigkeiten; die Mutter gibt sie ihm, und das Kind — ihr dafür. 5. Drei Sprichwörter von der Not: Not — Eisen; Not lehrt —; Not — kein Gebot. 6. Dieser gute Mensch hilft, wann und wo er —, auch wenn ihn niemand darum —. 7. Man muß einen Menschen erst allmählich —, bevor man ihn richtig —. 8. Man — die Menschen, die uns helfen können; aber — uns die Menschen die erbetene Hilfe nicht, so kann man nicht bei ihnen darum —. 9. Ich — dem Freunde die geborgten Bücher rechtzeitig zurück; ich — mein Wort nicht. 10. Ich —, es ist meine Pflicht, daß ich jedem Menschen für jede Freundlichkeit —.

* **Übung 38:** Wie Übung 36: verbergen — verborgen — sich verbürgen; stehlen — stellen; wiegen — wagen — sich bewegen; leiden — leiten; betrügen — betrüben.

* **Übung 39:** Wie Übung 37: 1. Ich — nicht gern meine Bücher; oft bekommt man sie nicht zurück. 2. Was die Diebe —, das — sie an versteckten Orten. 3. Der Kaufmann — sich für die Güte seiner Waren; ich glaube, daß er uns nicht —. 4. Wer nicht —, der nicht gewinnt, sagt ein Sprichwort. 5. Silber und Kupfer — den elektrischen Strom besser als Eisen. 6. Im Herbst und Frühling — viele Menschen an gefährlichen Erkältungen. 7. Böse Kinder — ihre Eltern. 8. Wieviel Kilo — dieses Paket? Ich habe es noch nicht —; aber mehr als 5 Kilo wird es nicht —. 9. Die Kinder sehen nicht nach dem, was still steht, aber sie sehen nach allem, was —.

* **Übung 40:** Wie Übung 36: fahren — führen; fallen — fällen — fehlen — fühlen — füllen; fliehen — fliegen — pflücken — pflügen; reißen — reisen.

* **Übung 41:** Bilden Sie Sätze wie in Übung 37: 1. Zirkusdiener — sechs Elefanten in Zirkus. 2. Gärtner — reife Äpfel, sonst — sie herunter. 3. Im Frühling — Bauer seine Felder. 4. Kranker — im Hals ein stechender Schmerz. 5. Auf unserm Eßtisch — Messer und Gabeln. 6. Tiere im Wald — vor Menschen. 7. Ich — mein Füller mit Tinte. 8. In Ferien — Kinder an See oder in Berge. 9. Unruhige Pferde — an Ketten. 10. Waldarbeiter — den Baum; er — mit großem Lärm auf Erde.

* **Übung 42:** Unterscheiden Sie folgende Verben nach ihrer Konjugation und Bedeutung; bilden Sie a) die Stammformen, b) Reihen mit

„ich . . ., er . . ., sie (Plur.) . . .", c) kurze Sätze: schleifen (wie § 8, 1) — schleifen (-te)[1]; ausweichen (§ 8, 4) — aufweichen (-te); verbleichen (wie § 8, 4) — erbleichen (-te); wiegen (§ 12, 1) — wiegen (-te); bewegen (wie § 13, 1) — bewegen (-te); schaffen (§ 14, 2) — schaffen (-te); mahlen (§ 15 c) — malen (-te).

Übung 43: Bilden Sie das Imperfekt und Perfekt von folgenden Sätzen: 1. Ich schleife die stumpfe Rasierklinge. 2. Der Fuchs schleift den toten Hasen nach sich. 3. Der Fußgänger weicht dem Wagen aus. 4. Viel Regen weicht die Wege auf. 5. In großer Angst erbleicht der Mensch. 6. Bunte Farben verbleichen in der Sonne. 7. Der Schularzt wiegt alle Kinder bei der Untersuchung mit der Waage. 8. Die Mutter wiegt das Kind in der Wiege. 9. Der Dynamo bewegt die Maschine. 10. Der Richter bewegt den Verbrecher zum Geständnis der Tat. 11. Der faule Schüler schafft die Arbeit zur Prüfung nicht. 12. Der große Künstler schafft neue Kunstwerke. 13. Die zerbrochene Mühle mahlt nicht mehr. 14. Der Maler malt schöne Städtebilder von den alten Städten Rothenburg, Dinkelsbühl und Nördlingen in Bayern (ausweichen, erbleichen, verbleichen: Perfekt mit „sein"). *

§ 18. Für spätere Wiederholungen des Verbs

(Vgl. Alphabetisches Verzeichnis der starken Verben, S. 268)

Übung 44: Bilden Sie von folgenden Verben: a) die Stammformen; b) die 3. Person Singular des Präsens; c) die 3. Person Singular des Imperfekts; d) die 1. Person Singular des Perfekts. *

A. befehlen — fehlen — empfehlen — wählen — stehlen;
brechen — rächen — stechen — schwächen;
fechten — flechten;
geben — streben — heben — weben — leben — schweben;
gehen — geschehen — wehen — sehen — stehen — flehen — nähen;
halten — falten — (ein-)schalten — schelten — verwalten — spalten;
bitten — beten — bieten — baden — biegen — betteln.

B. lassen — fassen — hassen — messen;
laufen — kaufen — saufen — taufen;

[1]) „(te) bezeichnet das schwache Verb: schleifen, schleifte, geschleift.

leiten — begleiten — streiten — gleiten;
nehmen — sich schämen — lähmen;
scheiden — schneiden — beneiden — meiden — weiden;
scheinen — weinen;
schelten — melden — gelten.

C. schieben — lieben — betrüben;
schlafen — strafen;
schlagen — klagen — tragen — sagen — fragen — jagen;
schweigen — neigen — steigen — zeigen;
schwimmen — bestimmen — glimmen;
schwören — hören — stören;
senden — verschwenden — wenden — beenden.

D. sitzen — schwitzen — stützen;
stehen — stellen — stehlen;
erben — (er-)werben — sterben — verderben;
strecken — erschrecken — bedecken — necken — erwecken — lecken;
waschen — naschen — überraschen;
weichen — erweichen — reichen — streichen — bleichen — erbleichen;
weisen — preisen — reisen — speisen — beißen.

* **Ubung 45:** Bilden Sie mit diesen Verben kurze Sätze, aus denen ihre Bedeutung und Anwendung klar hervorgeht, z. B.: Der Meister befiehlt. Der Schüler fehlt in der Schule usw.

§ 19—21. Untrennbare und trennbare Verben

Vgl. die Übersicht: Vorstufe, 11. Untrennbare und trennbare Verben (S. 41).

1. untrennbar:

Der Schüler *vergißt* die neuen Wörter.
Der Schüler hat die neuen Wörter *vergessen.*
Der Schüler will die neuen Wörter nicht *vergessen.*
Der Schüler fürchtet, die neuen Wörter *zu vergessen.*

2. trennbar:

Der Schüler *schreibt* die neuen Wörter *auf.*
Der Schüler hat die neuen Wörter *aufgeschrieben.*
Der Schüler muß die neuen Wörter *aufschreiben.*
Der Schüler vergißt, die neuen Wörter *aufzuschreiben.*

§ 19. Untrennbare Verben

Verben mit den Vorsilben be-, ent-, emp-, er-, ge-, miß-, ver-, zer-, wider- (ohne „e") sind untrennbar. Diese Vorsilben sind immer unbetont und nicht mehr selbständig; vgl. auch die Bildung der Verben mit Vorsilben, § 92.

Übung 46: Bilden Sie die Stammformen, z. B. betrügen — betróg — betrógen — von folgenden Verben: begleíten, entstéhen, empfángen, erlaúben, gefállen, mißhándeln, vergéssen, zerreíßen, widerspréchen.

Übung 47: Bilden Sie a) Imperfekt und Perfekt, b) Satzreihen: 1. Ich begleite den Freund zum Bahnhof. 2. Du empfängst den Gast an der Tür. 3. Er (der Arzt) verbietet das Rauchen. 4. Sie (die Studentin) verkauft die alten Bücher. 5. Wir beantworten bei der Prüfung jede Frage. 6. Ihr zerreißt das neue Bilderbuch. 7. Sie widersprechen der Mutter. 8. Er (der Fahrer) gewinnt das Autorennen. 9. Du erlaubst den Kindern alles. 10. Es entsteht ein Unglück.

§ 20. Trennbare Verben

1. Verben mit einer Präposition oder einem Adverb als Vorsilbe sind trennbar. Diese Vorsilbe ist betont.
2. In Nebensätzen, wo die Personalform (der konjugierte Teil) des Verbs an das Ende des Satzes tritt (§ 62), wird die Vorsilbe nicht getrennt, z. B.: Wenn ich die Wörter aufschreibe, aufschrieb, aufgeschrieben habe (hatte), aufschreiben werde (§ 62, 2).

Übung 48: Bilden Sie die Stammformen, z. B. ábreisen — reiste áb — ábgereist — von folgenden Verben: ábfahren, ánkommen, aúfschreiben beístehen, eíntreten, fórtfahren, míttteilen, vórsagen, zurückkehren, hinaúsgehen, hinúntersteigen, aússprechen.

Übung 49: Bilden Sie a) Imperfekt, Perfekt und Futur, b) Satzreihen: 1. Ich stehe täglich um 7 Uhr auf. 2. Du fährst am Abend fort. 3. Er setzt den Hut auf. 4. Sie zieht die Handschuhe an. 5. Wir knöpfen den Mantel zu. 6. Ihr kehrt bald in die Heimat zurück. 7. Sie treten in das Haus ein. 8. Er steigt die Treppe hinunter. 9. Ich steige die Treppe hinauf. 10. Die Leute steigen auf dem Bahnhof ein und aus.

Ubung 50: Bilden Sie Sätze im Präsens, Imperfekt und Perfekt: 1. Knabe, Schuhe, anziehen. 2. Dame, Hut, aufsetzen. 3. Gärtner, Blumen, begießen. 4. Fremder, Stadt, sich verlaufen. 5. Herr, Zigarette, fortwerfen. 6. Mann, Geld, vertrinken. 7. Sturm, Baum, umwerfen. 8. Kaufmann, Geld, verlieren. 9. Mädchen, Teller, zerbrechen. 10. Kind, Tür, zuschlagen.

Ubung 51: Ebenso: 1. Lehrer, Wort, anschreiben. 2. Ausländer, Heimat, zurückkehren. 3. Bild, Käufer (Dativ), gefallen. 4. Kellner, Geld, einstecken. 5. Unterricht, um 9 Uhr, anfangen, um 13 Uhr, aufhören. 6. Kolumbus, Amerika, entdecken. 7. Daimler und Benz, Automobil, erfinden. 8. Minister, am Abend, abreisen. 9. Tochter, Mutter, erwarten. 10. Schüler, Wort, schlecht aussprechen.

Ubung 52: Bilden Sie Sätze im Präsens, Imperfekt und Perfekt: 1. Mann, Klub, eintreten. 2. Konzert, pünktlich anfangen. 3. Student, Zeit, verschlafen. 4. Altes Haus, leicht einfallen. 5. Schiff, im Sturm, untergehen. 6. Fremder, Kurort, häufig besuchen. 7. Blitz, in Baum, einschlagen. 8. Gewitter, am Abend, noch einmal anfangen. 9. Regen, in der Nacht, aufhören. 10. Robert Koch, 1882, den Tuberkelbazillus, und 1883, den Cholerabazillus, entdecken.

Ubung 53: Ebenso: 1. Vorstellung, nicht pünktlich, anfangen, spät aufhören. 2. Unterricht, am Feiertag, ausfallen. 3. Gast, Mittagessen und Glas Bier, bestellen. 4. Ausländer, langsames Sprechen, gut verstehen. 5. Meine Uhr, eine Viertelstunde, nachgehen. 6. Kaufmann, neue Firma, eröffnen. 7. Unser Zug, eine Stunde, zu spät, ankommen. 8. Frau, in Straßenbahn, einsteigen. 9. Mann, aus Autobus, aussteigen. 10. Reisende, in Leipzig, umsteigen.

* § 21. Verben, die trennbar und untrennbar sind

1. Der Schüler *wiederhólt* das Gedicht.
   Der Schüler *hat* das Gedicht *wiederhólt.*
2. Der Hund *holt* den Stein *wíeder.*
   Der Hund *hat* den Stein *wíedergeholt.*

1. Die Vorsilben durch-, über-, unter-, um- und wieder- sind trennbar oder untrennbar.

2. Die Verben haben eine doppelte Betonung und Bedeutung:
wiederholen (untrennbar) = noch einmal machen
wíederholen (trennbar) = zurückholen

3. Für die Verben dieser Gruppe, die in den Übungen 54 und 55 verwendet sind, gelten folgende Regeln:

A. Wenn die ursprüngliche (primäre), echte Bedeutung des einfachen Verbs auch in dem zusammengesetzten Verb bewahrt ist, hat dieses die Betonung auf der Vorsilbe und ist trennbar, z. B. wíederholen: Der Hund holt den Stein *wíeder*.

B. Wenn aber das zusammengesetzte Verb eine neue (sekundäre), bildliche (figürliche) Bedeutung bekommen hat, liegt der Ton auf dem Verb, und es ist untrennbar, z. B. wiederhólen: Der Schüler wiederhólt das Gedicht, d. h. hier ist nicht ein richtiges, konkretes „Holen" oder „Bringen" gemeint, sondern ein nochmaliges geistiges Heraus-„holen".

C. Folgende drei Formen sind möglich:

a) Der Fährmann setzt den Wanderer über den Fluß: einfaches Verb „setzen" mit Präposition.

b) Der Fährmann setzt den Wanderer (über den Fluß) über: trennbares Verb „übersetzen", wobei „über den Fluß" entbehrlich ist.

c) Der Professor übersétzt das Buch aus dem Spanischen ins Deutsche: untrennbares Verb.

Übung 54: Bilden Sie Sätze unter Beachtung der obigen Regeln aus folgenden Wörtern, auch im Imperfekt und Perfekt: 1. Junge, Stock, dúrchbrechen. 2. Sonne, Nebel, durchbréchen. 3. Schiff, Wellen, durchschneiden. 4. Mutter, Apfel, dúrchschneiden. 5. Wir, Segelboot, ganze Insel, umfáhren. 6. Radfahrer, kleiner Junge, úmfahren. 7. Vater, Sohn, beim Studium, unterhálten. 8. Kellner, Glas, beim Eingießen, únterhalten. 9. Leute, auf dem Fest, sich gut unterhálten. 10. Wasser, beim Regen, durch Dach, dúrchlaufen. 11. Gerücht, ganze Stadt, durchláufen. 12. Mutter, für Gäste, Kinder und sich, úmkleiden. 13. Bunte Tücher und Tannengrün, Säulen, Laternen und Tribünen, zum Fest, umkleíden. *

✱ **Übung 55:** Wie vorher: 1. Kassierer, Geld, unterschlagen. 2. Auto, Baum, umfahren. 3. D-Zug,[1]) durch kleine Städte, durchfahren und nicht anhalten. 4. Das Volk, Dichter, mit Zeichen des Dankes, überhäufen. 5. Lehrer, Ausrede des Schülers, durchschauen. 6. Schiff im Sturm, nach drei Minuten, untergehen. 7. Minister, Gesetz, unterschreiben. 8. Räuber, Auto, in der Nacht, überfallen. 9. Hund, verlorene Geldtasche, wiederbringen. 10. Kinder, vor Müdigkeit, fast umfallen. 11. Architekt, Bauplan, lange, sich überlegen. 12. Lehrer, schweres Wort, durch Erklärungen, umschreiben. 13. Student, Doktorarbeit, umarbeiten und umschreiben.

§ 22. Bildung der zusammengesetzten Zeiten mit „haben" oder „sein"

1. a) Der Diener *hat* die Tür geschlossen.
   b) Das Kind *hat* gut geschlafen.
   c) Die Diebe *haben sich* ins Schlafzimmer geschlichen.

2. a) Der Reiter *ist* in den Wald geritten.
   b) Das Kind *ist* erst spät eingeschlafen.

1. Die meisten deutschen Verben bilden Perfekt, Plusquamperfekt (Futur II) des Aktivs mit dem Hilfszeitwort „haben", und zwar im besonderen:

a) alle transitiven Verben:
essen, trinken, bauen, treffen, heben, schlagen usw.;

b) alle intransitiven Verben, welche nicht eine Fortbewegung von oder nach einem Ort oder nicht eine Veränderung des Zustandes bezeichnen:
stehen, sitzen,[2]) liegen, hängen, schlafen, wachen, hungern, dursten, helfen, gehorchen usw., auch: anfangen, beginnen, aufhören, enden, beenden, tanzen; Ausnahmen: sein, bleiben;

c) alle reflexiven Verben:
sich bewegen, sich waschen, sich anziehen, sich freuen, sich fürchten, sich setzen, sich legen, sich stellen usw.

[1]) D-Zug = ein Schnellzug, der Wagen mit Durchgang hat.

[2]) In Süddeutschland, Österreich und der Schweiz sagt man auch: Ich **bin** gestanden, ich **bin** gesessen.

2. Das Hilfszeitwort „sein" gebraucht man:

a) bei intransitiven Verben, die eine Fortbewegung von oder nach einem Ort bezeichnen:
z. B. gehen, kommen, laufen, springen, reiten, schwimmen, fallen usw.; — aufstehen, ankommen, abreisen, einsteigen, aussteigen, zurückkehren, umziehen, vorbeigehen, vorbeifahren usw.

b) bei intransitiven Verben, die eine Veränderung des Zustandes bezeichnen:
z. B. wachsen, sterben, entstehen, vergehen, verwelken, einschlafen, aufwachen, verhungern, ertrinken, umkommen, erröten, erbleichen, erkranken, erscheinen, verschwinden usw.

Übung 56: Sein oder haben? Bilden Sie das Perfekt (Plusquamperfekt) von folgenden Verben: sterben, sich bewegen, einsteigen, fragen, bleiben (!), hungern, verhungern, liegen, schlafen, einschlafen, sein (!), wachen, aufwachen, umziehen, sich umziehen, haben, trinken, ertrinken, blühen, aufblühen, stehen, aufstehen, werden, enden, beenden, sitzen, sich setzen, tanzen (!), anfangen(!), aufhören (!).

Übung 57: Bilden Sie das Perfekt (Plusquamperfekt) in folgenden Sätzen: 1. Der Uhrmacher zieht die Uhr auf. 2. Die Sonne geht im Westen unter. 3. Im Herbst verblühen die Blumen; die Blätter vertrocknen und fallen ab. 4. Der Gast nimmt den Hut ab und zieht den Mantel aus. 5. Die Kinder schlafen früh am Abend ein und wachen früh am Morgen auf. 6. Liebig begründet 1840 die Bodenchemie; die Landwirtschaft blühte seitdem auf. 7. Der Mann rasiert sich, wäscht sich und zieht sich an. 8. Der Student macht mit seinen Freunden einen Ausflug; sie fahren in den Wald. 9. Die Studentin unternimmt eine Ferienreise und bleibt vier Wochen an der Ostsee. 10. Der alte Herr stößt mit dem Fuß an die Bordschwelle und fällt hin. 11. Der Lehrer geht an die Tafel, nimmt die Kreide und schreibt das neue Wort an. 12. Das Rotkäppchen trifft im Walde den Wolf; das Mädchen begegnet im Walde dem Wolf.

Übung 58: Bilden Sie das Perfekt (Plusquamperfekt) in folgenden Sätzen: 1. Die Freunde segeln in den Hafen. 2. Die Dame steigt an der Haltestelle aus. 3. Am Abend erhebt sich an der Küste ein starker Wind. 4. Der Arbeiter tritt müde in das Zimmer. 5. Der Fußballspieler stößt den Ball mit der Fußspitze. 6. Der Verkehrspolizist hebt den Arm. 7. Der Bergsteiger stürzt in die Tiefe. 8. Die Gesellschaft tanzt bis in den frühen Morgen. 9. Die Ente taucht den Kopf in das Wasser. 10. Der Taucher taucht bis auf den Grund des Sees. 11. Die Schüler eilen schnell nach Hause. 12. Die Leute beeilen sich, um vor (dem) Ladenschluß alles einzukaufen.

Übung 59: Bilden Sie das Perfekt (Plusquamperfekt) in folgenden Sätzen: 1. Die Schlangen kriechen unter den Stein. 2. Bei schwülem Wetter entsteht ein Gewitter. 3. Der Bauer erwacht beim Aufgang der Sonne. 4. Die Tanne bleibt (im) Sommer und Winter grün. 5. Die Sterne erblassen am Morgen. 6. Die Gäste erkranken nach dem Essen der Pilze. 7. Die Feuerwehr löscht das Feuer in der Fabrik. 8. Der Sturm reißt den Wanderer in die Tiefe. 9. Der Strick reißt, und der Sack fällt herunter. 10. Der Fahrer schiebt das Auto auf die Straße.

Übung 60: Bilden Sie Sätze (Präsens, Imperfekt, Perfekt): 1. Bettler, im Winter, hungern; Bettler, verhungern. 2. Leute, im Stadtpark, spazieren gehen; sich auf die Bank setzen. 3. Lehrer, am Tisch, stehen; Schüler, aufstehen. 4. Kranker, in der Nacht schlafen; spät einschlafen. 5. Kranker, früh aufwachen; Mutter, die ganze Nacht, am Bett des Kranken, wachen. 6. Durstiger Vogel, Wasser, trinken; Seemann, im Ozean, ertrinken. 7. Menschen, im Winter, frieren; Vögel, in großer Kälte, erfrieren. 8. Professor, im Herbst, nach Afrika, abreisen; ganz Nordafrika bereisen.

Übung 61: Ergänzen Sie: 1. Der Dampfer — von Hamburg abgefahren, er — den Hafen von Plymouth angelaufen; nur wenige Reisende — hier das Schiff verlassen, aber viele neue — eingestiegen. 2. Auf dem offenen Meere — ein großer Sturm ausgebrochen; die Wellen — haushoch gestiegen und — das Deck überschwemmt. 3. Die Reisenden — in den Kajüten geblieben; viele waren seekrank. Nur die Seeleute — auf Deck erschienen. 4. Der Riesendampfer aber — seinen Kurs unerschütterlich verfolgt. 5. Endlich — auf dem Meere wieder Ruhe eingetreten. 6. Das fröhliche Leben auf Deck — wieder begonnen. 7. Die Reisenden — Sport getrieben, — getanzt oder — spazieren gegangen. 8. So — die Zeit der Überfahrt schnell vergangen. 9. Das Schiff — in New York angekommen; die Reisenden — ihren Fuß wieder auf festes Land gesetzt. 10. Die Reisegesellschaft — auseinander geeilt und — sich in alle Winde zerstreut.

Übung 62: Setzen Sie in das Perfekt: 1. Im März erblühen die ersten Blumen. 2. Die Blättchen kommen hervor, die Knospen bilden sich und öffnen sich bald. 3. Alle Pflanzen wachsen. 4. Die meisten Obstbäume blühen im April oder Mai. 5. Die Tage werden länger und wärmer. 6. Die Menschen verlassen nun die dunklen Stuben; sie gehen in die Gärten und auf die Felder. 7. Sie vergessen die Sorgen des Winters und fassen neuen Mut. 8. Am Ende des Frühlings fallen die Blüten ab, die jungen Früchte werden schnell größer. 9. In der Sonne des Sommers reifen auch die Körner in den Ähren. 10. Der Landmann schneidet das Getreide mit der Sense. 11. Die Halme sinken zu Boden. 12. Große Wagen fahren auf das Feld und bringen das Korn in die Scheune. 13. Schließlich wandert das Korn vom Bauer zum Müller. 14. Im Herbstwind drehen sich die Flügel der Windmühle. 15. Die Pflanzen sterben langsam. 16. Die Blätter an den Bäumen verwelken, sie fallen zur Erde und vertrocknen. 17. Zuletzt vergehen sie auf dem nassen Boden. 18. Im Winter schläft die Natur, sie erwacht erst wieder im Frühling zu neuem Leben.

Übung 63: Folgende Verben können intransitiv (mit „sein") oder transitiv (mit „haben") gebraucht werden. Bilden Sie das Perfekt: * 1. Ich fahre im Auto nach dem Bahnhof. Der Gepäckträger fährt meinen Koffer nach dem Hafen. 2. Treulose Menschen brechen ihr Wort. Der Ast bricht unter der Last von Früchten. 3. Die Wärme verdirbt das Fleisch. Die Milch verdirbt in der Wärme. 4. Die Verletzung heilt schnell. Der Arzt heilt die Wunde. 5. Die Brücke stürzt bei dem Sturm in den Fluß. Der Sturm stürzt den Felsen in die Tiefe. 6. Das Pferd zieht den Wagen. Der Student zieht in die Nähe der Universität.

§ 23—25. Die modalen Hilfsverben

§ 23. Die Formen

Infinitiv	Präsens	Imperfekt	Perfekt
können	ich kann wir können	konnte	habe gekonnt
dürfen	ich darf wir dürfen	durfte	habe gedurft
mögen	ich mag wir mögen (ich möchte)	mochte	habe gemocht
müssen	ich muß wir müssen	mußte	habe gemußt
wollen	ich will wir wollen	wollte	habe gewollt
sollen	ich soll wir sollen	sollte	habe gesollt

§ 24. Die Verwendung der modalen Hilfsverben

a) Mein Freund *kann* gut Klavier *spielen.* Er *muß* jeden Tag fleißig *üben.* Er *will* ein Konzert *geben.* Ich *lasse* den Studenten eine Übersetzung *machen.* Ich *sehe* die Mutter am Fenster *sitzen.* Ich *höre* den Freund draußen *sprechen.* Ich *helfe* dir den Brief *übersetzen.* Ich *lerne* jetzt *schwimmen.* Ich *gehe* heute *rudern.*

Die modalen Hilfsverben ebenso wie l a s s e n , s e h e n , h ö r e n , h e l f e n , l e r n e n , g e h e n werden mit dem Infinitiv ohne „zu" verbunden.

b) Der Kranke *hat* die Reise nicht *machen dürfen.* Der Lehrer *hatte* den Fehler nicht *finden können.* Der Mann hat sich die Haare *schneiden lassen.* Ich *habe* den Gärtner im Garten *arbeiten sehen.* Ich hatte den Vater draußen *sprechen hören.* Ich *habe* der Schwester den Koffer *tragen helfen.*

In Verbindung mit einem Infinitiv bilden die modalen Hilfsverben sowie l a s s e n , s e h e n , h ö r e n , h e l f e n das Perfekt und Plusquamperfekt nicht mit dem Partizip, sondern mit dem Infinitiv. Es folgen also zwei Infinitive auf die Personalform des Hilfszeitwortes „haben".

Übung 64: Setzen Sie in das Perfekt und Futur: 1. Der Fuchs sieht an dem Hause schöne Trauben hängen. 2. Er will die Früchte haben. 3. Er kann die Weintrauben nicht erreichen. 4. Er muß auf den Genuß verzichten. 5. Im Abteil für Nichtraucher darf man nicht rauchen. 6. Die Raucher müssen in das Abteil für „Raucher" steigen. 7. Sie sollen die Nichtraucher nicht mit dem Tabakrauch belästigen. 8. Der Hund hört Schritte kommen. 9. Er bellt und will seinen Herrn warnen. 10. Der Fremde kann das Haus nicht betreten. 11. Er läßt die Türglocke ertönen. 12. Der Herr muß den Hund wegjagen und den Fremden hereinlassen. 13. Das kleine Kind ist hilflos und lernt erst allmählich trinken und essen. 14. Es lernt auch sitzen, stehen und gehen. 15. Es hört die Mutter sprechen und lernt sie verstehen und endlich selbst sprechen. 16. Es sieht die Geschwister spielen; mit der Zeit lernt es auch selbst spielen und sich beschäftigen.

Übung 65: Ergänzen und setzen Sie in das Perfekt und Plusquamperfekt: 1. Er hört den Freund vor der Tür —. 2. Wir lassen die Waren ins Haus —. 3. Der Reisende sieht den Zug in den Bahnhof —. 4. Er soll den Freund vom Bahnhof —. 5. Der Staat will ein neues Theater —. 6. Die Bürger sollen neue Steuern —. 7. Die Bank muß den

Wechsel —. 8. Der Straßenbahn-Führer darf während der Fahrt nicht —. 9. Der Kranke mag keine Bücher —. 10. Der Ausländer kann das europäische Klima nicht —. 11. Der Sohn hilft dem Vater —. 12. In den Ferien will ich jeden Tag —.

Übung 66: Beantworten Sie die Fragen, und setzen Sie dann die Antworten in das Imperfekt und Perfekt: 1. Was darf man in der Kirche nicht machen? 2. Was mögen die Deutschen gern trinken? 3. Was muß jeder Fremde nach der Ankunft tun? 4. Was will der Fremdenführer den Besuchern zeigen? 5. Wo sollen Sie Ihren Freund erwarten? 6. Wo dürfen die Autos nicht schnell fahren? 7. Wer läßt die Eisenbahnen bauen? 8. Wann hört man die Nachtigall singen? 9. Wie lange müssen Sie jeden Tag arbeiten? 10. Wo lassen Sie Ihre Anzüge machen?

§ 25. Die Bedeutung der modalen Hilfsverben

1. Ich kann, d. h. von Natur oder durch Erlernen und Üben, physisch oder psychisch:

A. Hauptbedeutung: *Der Ausländer kann den Brief nicht lesen,* d. h. er versteht die Sprache nicht, oder er ist zu müde, zu aufgeregt; der Brief ist zu undeutlich, zu unklar oder zu langweilig geschrieben; es ist zu dunkel.

B. Nebenbedeutung: *Bei uns kann man mit einem Fahrschein der Straßenbahn einmal umsteigen,* d. h. es ist erlaubt, es ist möglich, man darf.

2. Ich darf, d. h. ich habe die Erlaubnis, es ist mir gestattet, es ist mir von keinem Menschen und durch kein Gesetz verboten:

A. Hauptbedeutung: *Jeder darf die Volksbücherei benutzen,* d. h. es ist erlaubt, gestattet; darf man hier rauchen?

B. Nebenbedeutung: a) *Darf ich Ihnen meinen Platz anbieten? Wieviel Meter Stoff darf ich Ihnen geben?* (höfliche Wendung der Verkäuferin).

b) Der Konjunktiv des Imperfekts „dürfte" bezeichnet oft eine Vermutung in höflicher Form: Du dürftest im Irrtum sein. Er dürfte recht haben. Es dürfte bald Mitternacht sein.

3. Ich mag, d. h. ich wünsche es, liebe es, tue es gern, es erscheint mir auch möglich:

A. Hauptbedeutung: *Er mag gern Eis, sie mag lieber Schokolade, aber ich mag Marzipan am liebsten* (essen), d. h. ich wünsche es mir, ich liebe es.

B. Nebenbedeutung: a) *Ich möchte gern ein Buch über die Philosophie des 19. Jahrhunderts,* d. h. ich wünsche es; gewöhnliche höfliche Wendung beim Einkauf.

b) *Möchtest du mich morgen besuchen?* — Ich möchte schon, ich *wollte* (!) dich sogar schon gestern besuchen, aber ich kann leider nicht, weil ich jetzt keine Zeit habe.

c) *Sie mag 20 Jahre alt sein,* d. h. es ist möglich.

d) *Er mag gehen, wohin er will,* d. h. er darf, er kann und soll gehen.

Beachten Sie: *Ich möchte* ist eine höfliche Wendung für *ich will,* die häufig gebraucht wird; dagegen ist *ich mag* selten. Als Imperfekt zu diesem „möchte" in den höflichen Wendungen (a und b) wird „wollte" gebraucht, s. Beispiel b).

4. Ich will, d. h. es ist mein freier Wille, meine Absicht:

A. Hauptbedeutung: *Ich will eine Reise durch Deutschland machen,* d. h. es ist mein Wille, ich habe die feste Absicht.

B. Nebenbedeutung: *Das Mädchen will das Geld verloren haben,* d. h. sie behauptet es, sie gibt vor, aber ist es auch wahr?

5. Ich muß, d. h. es besteht die unbedingte Notwendigkeit nach Natur oder Gesetz, ich habe keine Wahl:

A. Hauptbedeutung: a) *Alle Menschen müssen sterben,* d. h. es besteht eine Notwendigkeit, die Natur und ihre Gesetze machen keine Ausnahme.

b) *Ich muß heute abend einen Brief schreiben,* d. h. es besteht eine moralische, innere Notwendigkeit, also nicht als Folge eines Gebots oder Befehls. Beachten Sie: Die Verneinung heißt für a) und b) meist: *„nicht brauchen zu"*: Ich *brauche* heute abend keinen Brief *zu* schreiben, aber du mußt an deine Mutter schreiben.

B. Nebenbedeutung: *Dieser Mann muß sehr krank sein,* d. h. ich glaube es, es scheint mir so nach seinem Aussehen und Verhalten (logische Notwendigkeit).

6. Ich soll, d. h. es besteht ein fremder Wunsch, ein Gebot oder Befehl und daher eine moralische Pflicht und Notwendigkeit, doch habe ich die freie Wahl:

A. H a u p t b e d e u t u n g : *Du sollst jetzt deine Pflicht tun und fleißig arbeiten,* d. h. jemand gebietet oder befiehlt es dir als eine moralische Notwendigkeit.

B. N e b e n b e d e u t u n g : *Der Minister soll schwer krank sein,* d. h. man sagt, man glaubt, es steht in der Zeitung, ist also eine Vermutung, eine Befürchtung.

Übung 67: Ergänzen Sie die fehlenden modalen Hilfsverben nach ihrer Hauptbedeutung: 1. Wer nicht schwimmen —, — nicht in die Abteilung für Schwimmer gehen; er — bei den Nichtschwimmern bleiben. 2. Kinder sind oft nicht vorsichtig; sie sehen ihre Freunde dort spielen und schwimmen und — auch dorthin gehen. 3. Ihre Eltern sagen ihnen, sie — es nicht tun; aber sie — nicht gehorchen. 4. Ein gutes Kind — aber immer gehorchen, sonst — es leicht in die größte Gefahr kommen. 5. Mein Vater schreibt mir, ich — sofort meine Doktorprüfung machen. 6. Aber meine Lehrer sagen, ich — mich jetzt noch nicht zur Prüfung melden. 7. Ich fühle selbst, ich — sie jetzt noch nicht bestehen. 8. Ich — noch ein halbes Jahr warten. 9. In diesen Monaten — ich tüchtig arbeiten, auch wenn ich manchmal lieber bummeln —. 10. Nach einem halben Jahr — ich die Prüfung versuchen.

Übung 68: Gebrauchen Sie die modalen Hilfsverben in folgenden Sätzen: 1. Es ist eine Notwendigkeit, daß man die Kinder mit Liebe erzieht. 2. Man glaubt, daß er immer kränklich gewesen ist. 3. Die innere Stimme sagt, daß der Mensch jedem zu helfen hat, der in Not ist. 4. Den kleinen Kindern ist es verboten, allein über die Straße zu gehen. 5. Man fürchtet, daß die Kugel des Räubers den Polizisten schwer verwundet hat. 6. Jeder hat die Möglichkeit, in diesem Garten spazieren zu gehen. 7. Jeder hat die Erlaubnis, in diesem Garten spazieren zu gehen. 8. Jeder hat den Wunsch, in diesem Garten spazieren zu gehen. 9. Jeder hat die Pflicht, zum Nutzen seiner Gesundheit recht oft in diesem Garten spazieren zu gehen. 10. Der Dieb behauptete, den Ring auf der Straße gefunden zu haben. 11. Ich sage im Warenhaus: „Ich — ein Paar Handschuhe (haben)." 12. Die Verkäuferin fragt: „— es Stoff- oder Lederhandschuhe, schwarze oder farbige sein?" *

Übung 69: Gebrauchen Sie die modalen Verben in folgenden Sätzen: 1. Der Student hatte die Absicht, sein Examen zu machen. 2. Er war gezwungen, bis in die Nacht zu arbeiten. 3. Er war nicht imstande, die Arbeit in der kurzen Zeit zu schaffen. 4. Es war nötig, die Prüfung aufzuschieben. 5. Man sagt, daß er krank geworden sei. 6. Es wurde * ihm erlaubt (er bekam die Erlaubnis), einen Kurort aufzusuchen. 7. Seine Freunde wünschten, daß er ihnen von dort oft schreibe. 8. Nach einiger Zeit hatte er die Kraft, seine Arbeit wieder aufzunehmen. 9. Er hatte die Absicht, nach seinem Examen ins Ausland zu reisen. 10. Er liebte es nicht, seine Reisen allein zu machen. 11. Er wünschte, daß einer von seinen Freunden ihn begleitete. 12. Ich vermute, es wird sich bald ein Reisebegleiter finden.

* **Übung 70:** Wie vorher. 1. Ich liebe es nicht, nach dem Essen zu rauchen. 2. Es ist verboten, in den Theatern zu rauchen. 3. Der Dieb behauptet, das Geld gefunden zu haben. 4. Ich habe Lust, eine weite Reise zu machen. 5. Es ist mir nicht möglich, dir das Geld zu leihen. 6. Dem Hausdiener wird befohlen, das Pferd zu füttern. 7. Die Straße ist ziemlich naß; ich glaube sicher, daß es in der Nacht geregnet hat. 8. Ich hörte, daß in Süddeutschland ein Erdbeben gewesen sei. 9. Ich habe keine Zeit, mit meinem Freunde ins Theater zu gehen. 10. Es ist möglich (ganz gewiß), daß das Wetter jetzt besser wird.

§ 26—32. Die Rektion der Verben

§ 26. Verben mit dem Akkusativ

1. Der Junge *ißt den* Apfel.
2. Der Schüler *legt das* Buch auf den Tisch.
3. Die Soldaten *durch*ziehen *die* Stadt.
4. *Es freut mich,* daß du kommst.

a) **Verben, denen ein Akkusativobjekt folgt oder folgen kann, sind transitiv; alle übrigen sind intransitiv.**

b) **Alle transitiven Verben können das (persönliche) Passiv bilden, z. B.:** Der Apfel wird von dem Jungen gegessen. Das Buch wird von dem Schüler auf den Tisch gelegt (vgl. Vorstufe S. 45, Passiv).

c) Zu den transitiven Verben gehören:

1. D i e m e i s t e n V e r b e n d e s M a c h e n s : machen, verfertigen, herstellen, bauen, brauen, backen, braten, bereiten, schaffen, essen, trinken, schreiben, lesen usw.

2. D i e f a k t i t i v e n V e r b e n : stellen, setzen, legen, hängen, fällen, tränken usw.

3. Verben mit den (immer unbetonten) Vorsilben be-, er-, ver-, zer- und alle untrennbaren Verben mit den (ebenfalls unbetonten) Vorsilben durch-, hinter-, über-, unter-, um- (vgl. § 21): beschreiben, beweisen, erschießen, erreichen, verlieren, verschenken, zerreißen, zerstören, durchbrechen, durchleuchten, hintergehen, hinterlegen, übersetzen, übertreten, untersuchen, unternehmen, umgehen, umstellen usw.;

Ausnahmen: ich *be*gegne *dem* Freunde; das Essen ist *mir* nicht *be*kommen; ich *ver*traue *dem* Kinde; ich *ver*schweige, *ver*zeihe *ihm* etwas; ich *er*widere *dem* Redner.

4. Viele unpersönliche Verben: es gibt, es freut mich, es ärgert mich, es langweilt mich, es wundert mich, es betrübt mich usw.

Übung 71: Beantworten Sie folgende Fragen: 1. Was trinken Sie gern? 2. Wen tadelt der Lehrer? 3. Was schreibt der Dichter? 4. Wen grüßt der Student? 5. Was hängt der Lehrer an die Wand? 6. Wen sucht das Kind? 7. Wen prüft der Professor? 8. Was baut der Baumeister? 9. Was brät die Köchin? 10. Wen ruft der Schupo?*) (Radfahrer). 11. Was bringt der Kellner? 12. Wen lieben die Eltern?

1. Verben des Machens und Tuns:

Übung 72: Bilden Sie Sätze im Aktiv und Passiv mit folgenden Verben: 1. machen (Schlosser — Schlüssel); 2. brauen (Brauer — Bier); 3. verfertigen (Tischler — Möbel); 4. bauen (Baumeister — Haus); 5. schaffen (Künstler — neues Kunstwerk); 6. bereiten (Köchin — Abendessen); 7. backen (Bäcker — Kuchen); 8. kochen (Mädchen — Huhn mit Reis); 9. braten (Hausfrau — Schnitzel); 10. essen (Gast — Fleisch und Gemüse); 11. fressen (Pferd — Hafer); 12. trinken (Student — Glas Bier).

Übung 73: Bilden Sie in gleicher Weise Sätze im Aktiv und Passiv: 1. Wasser, Mühlrad, bewegen. 2. Junge, Stein, in Fenster, werfen. 3. Tischler, Nagel, in Brett, schlagen. 4. Kran, Lokomotive, in Schiff, heben. 5. Mädchen, Ball, mit Hand, fangen. 6. Schutzpolizei, Bürger, Tag und Nacht, schützen, vor Verbrecher. 7. Reisender, Fahrkarte, in allen Taschen, suchen. 8. Professor, Kandidat, in den Kenntnissen der deutschen Sprache, prüfen. 9. Richter, Angeklagter, vernehmen. 10. Mutter, Kind, nach Hause, rufen.

---

*) Schupo, Verkürzung aus Schutz-Polizist.

2. Faktive Verben:

1. **Diese Verben bezeichnen — ihrer Benennung entsprechend — ebenfalls eine Handlung des Machens.**
2. **Sie sind immer schwach und haben stets ein intransitives starkes Verbum als Gegenverb; dieses Gegenverb bezeichnet einen Zustand, genauer gesagt, das Ergebnis derjenigen Handlung, die das faktitive Verb ausdrückt:**

Beispiele:

a) Ich stelle das Glas auf den Tisch,
ich stellte das Glas auf den Tisch,
ich habe das Glas auf den Tisch gestellt:
schwaches Verb, transitiv; Akkusativobjekt.

b) Das Glas steht auf dem Tisch,
das Glas stand auf dem Tisch,
das Glas hat auf dem Tisch gestanden:
starkes Verb, intransitiv: kein Akkusativobjekt.

a) Faktitive Verben (das Machen)			b) Intransitive Verben (der Zustand oder das Ergebnis)			
stellen	-te	-t	stehen	-a	-a	
setzen	-te	-t	sitzen	-a	-e	
legen	-te	-t	liegen	-a	-e	
hängen	-te	-t	hängen	-i	-a	
fällen	-te	-t	fallen	-ie	-a	
sprengen	-te	-t	springen	-a	-u	
tränken	-te	-t	trinken	-a	-u	(auch transitiv)
senken	-te	-t	sinken	-a	-u	
erschrecken	-te	-t	erschrecken	-a	-o	
verschwenden	-ete	-et	verschwinden	-a	-u	

Übung 74: Bilden Sie Satzreihen des Aktivs von folgenden Sätzen:

I. 1. Ich setze das Kind auf den Stuhl; das Kind sitzt auf dem Stuhl.
2. Ich stelle das Buch in den Bücherschrank; das Buch steht in dem Bücherschrank.
3. Ich lege die Zeitung unter das Buch; die Zeitung liegt unter dem Buch.
4. Ich hänge das Bild an die Wand; das Bild hängt an der Wand.

II. 5. Ich setze mich auf den Stuhl; ich sitze auf dem Stuhl.
6. Ich stelle mich an das Fenster; ich stehe an dem Fenster.
7. Ich lege mich ins Bett; ich liege im Bett.

Übung 75: Bilden Sie Sätze und Satzreihen nach dem Vorbild von Übung 74, I: 1. Arbeiter, Brücke, sprengen; in die Luft, springen. 2. Bauer, Schafe, tränken; Schafe, trinken. 3. Hund, kleines Kind, erschrecken; erschrecken und weinen. 4. Krankenschwester, krankes Mädchen, in Bett, legen; ganz still liegen. 5. Frau, Kleider, in Kleiderschrank, hängen; hängen. 6. Junger Mensch, Geld, verschwenden; schnell verschwinden. 7. Sturm, Handelsschiff, versenken; langsam im Ozean versinken. 8. Hausfrau, Blumenstrauß, auf Tisch stellen; stehen. 9. Vogelhändler, Papagei, in Käfig, setzen; ruhig sitzen. 10. Arbeiter, Baum, im Walde, fällen; mit großem Krachen zu Boden fallen.

3. Untrennbare Verben mit den Vorsilben be-, er-, ver-, zer-, durch-, hinter-, über-, unter-, um-:

Übung 76: Bilden Sie Sätze im Aktiv und Passiv: 1. beschreiben (Forscher — Reise). 2. bedauern (Schüler — Verspätung). 3. erreichen (Läufer — Ziel). 4. verlieren (Mädchen — Handtasche). 5. verschenken (Professor — Bücher). 6. zerreißen (Kind — Bilderbuch). 7. zerbrechen (Bruder — neue Puppe). 8. durchleuchten (Arzt — Patient). 9. hintergehen (Diener — Herr). 10. übersetzen (Gelehrter — Buch). 11. überqueren (Dame — Straße). 12. unterstützen (Sozialamt — verarmte Familie). 13. unternehmen (Ausländer — Reise). 14. umgeben (viele Seen und Wälder — unsere Heimatstadt).

Übung 77: Bilden Sie Sätze im Aktiv und Passiv: 1. Herr, Dame, in Theater, begleiten. 2. Kellner, Gast, gut bedienen. 3. Fremder, Bilder, in Museum, betrachten. 4. Reisender, letzter Zug, mit Mühe, erreichen. 5. Student, Erklärungen des Professors, gut verstehen. 6. Verkäuferin, viele Waren, an jedem Tage, verkaufen. 7. Diplomat, List des Gegners, durchschauen. 8. Vater, Sohn, großes Haus, hinterlassen. 9. Direktor, täglich, viele Briefe, unterschreiben. 10. Hochwasser, große Eisenbahnbrücke, zerstören. 11. Zerstörte Brücke, Eisenbahnlinie, unterbrechen. 12. Gärtner, Blumen im Park, alle vier Wochen, erneuern.

4. Unpersönliche Verben:

Zahlreiche transitive Verben können auch wie unpersönliche Verben gebraucht werden; dann haben sie als grammatisches Subjekt das Pronomen „es" am Anfang des Satzes, z. B.:

Dein Besuch freut mich.
Es freut mich, daß du mich besuchst.

* **Übung 78:** Bilden Sie Sätze mit „es" nach folgendem Beispiel:
Der Tod seines besten Schülers betrübt den Lehrer.
Es betrübt den Lehrer, daß sein bester Schüler gestorben ist.

1. Das heutige schlechte Wetter ärgert mich. 2. Die Ankunft deines Freundes in London interessiert mich. 3. Eine vielstündige Fahrt mit der Eisenbahn langweilt die Reisenden. 4. Das Auftreten des berühmten Schauspielers in der kleinen Stadt wundert mich sehr. 5. Die helle Farbe des Mantels kleidet die Dame gut. 6. Die Frage des Polizisten betrifft nicht mich, sondern meinen Bruder. 7. Meine bestandene Prüfung freut meine Eltern sehr. 8. Das Sprechen der Leute über unsere Nachbarn geht uns nichts an.

* **Übung 79:** Beginnen Sie die Antworten mit „es", z. B.: Es langweilt den fleißigen Studenten, daß der Vortrag usw. 1. Wen langweilt ein uninteressanter Vortrag? (fleißiger Student). 2. Was ärgert die ehrgeizige Schauspielerin? (schlechte Kritik der Zeitung). 3. Wen betrübt der Ungehorsam des Kindes? 4. Wen erfreut die Besichtigung des Stadions? (Besucher unserer Stadt). 5. Was kleidet eine Dame im Sommer gut? (helle Kleider tragen). 6. Wen geht es etwas an, daß ich einen anderen Beruf ergreife? 7. Wen wundert es, daß er im Restaurant keinen freien Platz findet? (fremder Besucher). 8. Wen macht das gute Bestehen der Prüfung durch die Schüler glücklich? (Eltern und Lehrer).

§ 27. Verben mit dem Dativ

1. a) Das Wörterbuch *nützt dem* Schüler.
   b) Der Alkohol *schadet dem* Körper.
2. a) Das Schiff *nähert* sich *dem* Ufer.
   b) Der Hund *entläuft seinem* Herrn.
3. Der Schüler *antwortet dem* Lehrer.
4. *Es geht mir* gut.

Die Verben 1—3 bezeichnen mit dem Dativ

1. etwas Nützliches, Schädliches, Freudiges, Schmerzliches, Freundliches, Feindliches: nützen, schaden, dienen, helfen, beistehen, bekommen; — gefallen, mißfallen, gehören, fehlen, schmecken, genügen, gelingen, mißlingen, glücken, mißglücken; — gehorchen, drohen, zürnen, vertrauen, mißtrauen, glauben, lauschen, zuhören, zusehen, schmeicheln, trotzen, widerstehen usw.;

2. eine Annäherung, Entfernung, Gleichheit, Ungleichheit: nahen, sich nähern, folgen, begegnen (Ausnahme: treffen mit Akk.), weichen, ausweichen, entweichen, entlaufen, entkommen, entrinnen, entfliehen, entgehen, gleichen, ähneln usw.;

3. ein Sagen (Ausnahme: fragen, rufen mit Akk.): sagen, antworten, erzählen, erwidern, entgegnen, widersprechen, zúreden, zústimmen, gratulieren, fluchen, danken, raten, ábraten, befehlen usw.

4. Einige unpersönliche Verben: es gelingt mir, es glückt mir, es schmeckt mir, es gefällt mir, es genügt mir, es widerstrebt mir, es liegt mir daran, es kommt mir billig (teuer), es kommt mir darauf an, es ist mir, es scheint mir, es fält mir ein, es geht mir gut,.es paßt, sitzt, steht mir gut usw.

Übung 80: Beantworten Sie folgende Fragen: 1. Wem hilft die Tochter? 2. Wem schadet der Alkohol? 3. Wem dient der Beamte? 4. Wem gehorchen die Kinder? 5. Wem folgt der Hund? 6. Wem gehört das Buch? 7. Wem begegnet der Spaziergänger? 8. Wem antwortet der Schüler? 9. Wem dankt der Kranke nach seiner Heilung? 10. Wem schmecken die süßen Kirschen gut? 11. Wem gelang im Jahre 1866 die Erfindung des Dynamos? (großer Ingenieur Werner von Siemens) 12. Wem rät der Arzt zu einer Reise nach dem Süden?

1. Nützlich — schädlich, freudig — schmerzlich, freundlich — feindlich:

Übung 81: Bilden Sie Sätze: 1. Medizin, Kranker, nützen. 2. Fisch, Kinder, nicht schmecken, 3. Herr, Dame, beim Aussteigen, helfen. 4. Frost, Blumen, schaden. 5. Vater, ungehorsames Kind, mit Finger, drohen. 6. Kaufmann, Ehrlichkeit, Angestellte, vertrauen. 7. Hausarbeit, junges Mädchen, sehr gut bekommen. 8. Studenten, Vortrag, Professor, zuhören. 9. Sportfreunde, Fußballspiel, mit Begeisterung, zusehen. 10. Frecher Lehrling, Meister, widersprechen. 11. Brücke, Hochwasser, lange widerstehen. 12. Spaziergänger, im Wald, Gesang, Vögel, lauschen.

2. und 3. Annäherung, Entfernung, Gleichheit, Ungleichheit, Sagen:

Übung 82: Bilden Sie Sätze: 1. Zug, Brücke, sich nähern. 2. Hund, überall, Herr, folgen. 3. Sohn, Vater im Charakter, gleichen. 4. Tochter, Mutter, im Gesicht, ähneln. 5. Verbrecher, Polizist, nicht entkommen. 6. Lehrer, Schüler, beim Namen, rufen (!). 7. Fleißige Schüler, oft, Lehrer, fragen (!). 8. Reisender, Jugendfreund, auf Bahnhof, begegnen (treffen!). 9. Kind, Eltern, nichts aus Schule, erzählen. 10. Herr, Beamter, für Auskunft, danken.

* **4. Unpersönliche Verben:**

Übung 83: a) Beantworten Sie die Fragen und beginnen Sie die Antworten mit „es":

1. Woran liegt den Eltern? (ihre Kinder tüchtige Menschen werden). 2. Worauf kommt es dem Lehrer an? (alle Schüler gute Fortschritte machen). 3. Wie ist dem Studenten vor der Prüfung? (als ob er alles vergessen hätte). 4. Wie ist dem Studenten nach der bestandenen Prüfung? (als ob alles sehr leicht gewesen wäre). 5. Wie kommt dem alten Menschen sein Leben vor? (als ob er alles nur geträumt hätte).

b) Beginnen Sie Sätze mit „es" nach folgendem Beispiel:
Die Lösung der Aufgabe gelingt dem Schüler nicht.
Es gelingt dem Schüler nicht, die Aufgabe zu lösen.

6. Zank und Streit zwischen Geschwistern widerspricht der Natur. 7. Die Bestrafung des alten Mannes widerstrebt dem Richter. 8. Der Fleiß ihrer Kinder gefällt den Eltern. 9. Wollen ohne Handeln genügt nicht zur Erreichung eines Zieles. 10. Neid und Habsucht der Menschen begegnen uns oft im Leben. 11. Die rechtzeitige Beendigung der Doktor-Arbeit glückt dem Studenten nicht. 12. Das Trinken von Bier und Wein schadet den Kindern.

Wiederholung: Verben mit Akkusativ und Verben mit Dativ.

Übung 84: Ergänzen Sie folgende Sätze: 1. Er hat — Brieftasche verloren; er findet — wieder, aber 20 Mark fehlen — (er). 2. Das Schiff nähert sich — Hafen; man kann — Flagge schon erkennen. 3. Der Rechtsanwalt rät — Verbrecher, — Gesetze nicht wieder zu übertreten. 4. Der Pförtner schließt — Tür, um — Diebe zu verhindern, — Fahrrad zu stehlen. 5. Die Bauern beladen — Wagen mit Getreide. 6. Die Tochter hilft — Mutter bei der Arbeit. 7. Der Vater zürnt — Sohn, weil er — Geld verspielt und vertrunken hat. 8. Der Schupo drohte — Autofahrer, weil er — Zeichen nicht beachtet hat. 9. Die Schüler gehorchen — Lehrer und lernen — neue Wörter fleißig. 10. Der Dieb widersetzte sich — Verhaftung und entlief — Polizist.

Übung 85: Ergänzen Sie: 1. Der Verkäufer redet — Käuferin zu, — bessere Ware zu kaufen. 2. Der Student begegnete — Professor und versprach —, noch heute — neue Übersetzungen zu machen. 3. Die Hörer lauschten — Vortrag des Redners und lobten — Klarheit seiner Worte. 4. Das Mädchen vertraute — Versprechungen des Händlers und öffnete — Tür. 5. Der Hut sitzt — Mädchen, aber steht — nicht; der neue Mantel paßt — gut. 6. Der Autobus weicht — Straßenbahn aus, aber er überfährt — Hund. 7. Der Bettler dankte — Geber. 8. Die Spaziergänger beobachten — Kinder beim Spielen. 9. Es glückte — Springer nicht, — Rekord zu brechen. 10. Der Mathematiker beweist — Lehrsatz.

Übung 86: Bilden Sie Sätze: 1. Professor, guter Student, loben, schlechter Student, tadeln. 2. Spaziergang, Kranker, gut bekommen. 3. Freunde, Geburtstagskind, gratulieren (beglückwünschen). 4. Gesetz, Freiheit der Bürger, schützen. 5. Professor, Kenntnisse der Studenten, prüfen. 6. Frost, Pflanzen, schaden. 7. Zollbeamte, Reisende, mißtrauen. 8. Meldung, Tatsachen, widersprechen. 9. Großes Schiff, dickes Eis, in Hafen, durchbrechen. 10. Kluger Hund, Befehl des Herrn. gehorchen.

Übung 87: Bilden Sie Sätze: 1. Gegner, Vermittlung, ablehnen. 2. Schmied, heißes Eisen, schmieden. 3. Gutsherr. Rennpferde, besitzen. 4. Geschwister, Gefahr der Ansteckung, entgehen. 5. Spieler, Geld, verspielen. 6. Freunde, Reiseplan, zustimmen. 7. Kassierer, Bankdirektor, betrügen. 8. Schranke, Weiterfahrt, verhindern. 9. Deutsche Unterhaltung, Ausländer, nützen. 10. Schwindler, günstige Gelegenheit, benutzen.

§ 28. Verben mit Akkusativ und Dativ

1. Das schlechte Wetter *nimmt dem* Menschen *alle* Freude.
2. Die Verkäuferin *gibt dem* Herrn *das* Paket.
3. Der Rundfunk *teilt den* Leuten *die* neuesten Nachrichten *mit.*

Hierher gehören:

1. **Verben des Nehmens:** nehmen, wegnehmen, stehlen, rauben, entwenden, entziehen, verweigern usw.

2. **Verben des Gebens:** geben, leihen, borgen, schenken, bringen, liefern, schicken, senden usw.

3. **Verben des Mitteilens:** sagen, antworten, mitteilen, erzählen, schreiben, melden, erlauben, verbieten usw.

a) **Bei diesen Verben steht die Person im Dativ die Sache im Akkusativ; der Dativ steht vor dem Akkusativ*).**

b) **Da diese Verben ein Akkusativobjekt haben, gestatten sie die Bildung des Passivs, wobei das Dativobjekt unverändert bleibt:**

1. Durch das schlechte Wetter wird dem Menschen alle Freude genommen.
2. Das Paket wird dem Herrn von der Verkäuferin gegeben.
3. Die neuesten Nachrichten werden den Leuten durch den Rundfunk mitgeteilt.

Vgl. Vorstufe S. 44, Passiv.

Übung 88: Bilden Sie Sätze im Aktiv und Passiv: 1. Mutter, Tochter, Reise, erlauben. 2. Student, Freund, Buch, geben. 3. Räuber, Bote, Geldtasche, rauben. 4. Kaufmann, Kunde, viele Waren, zeigen. 5. Sohn, Vater, Brief, schreiben. 6. Gast, Kellner, Rechnung, bezahlen. 7. Onkel, Neffe, Paket, schicken. 8. Arzt, Kranker, Rauchen, verbieten. 9. Großmutter, Kind, Märchen, erzählen. 10. Hausfrau, Gast, Butter, Brot und Käse, reichen.

Übung 89: Bilden Sie Sätze im Aktiv und Passiv: 1. Fabrikdirektor, Besucher, Zutritt, gestatten. 2. Feuerwehr, Verunglückter, erste Hilfe, bringen. 3. Forscher, Wissenschaft, Gesundheit, opfern. 4. Chemiker, Kaffee, Koffein, entziehen. 5. Angeklagter, Richter, Antwort, verweigern. 6. Vater, Kind, Ungezogenheit, vergeben. 7. Präsident, Retter, Belohnung, überreichen. 8. Mann, Frau, Armband, schenken. 9. Kämpfer, Gegner, Hand, reichen. 10. Herr, Dame, guter Platz, überlassen.

Wiederholung: Verben mit Akkusativ, mit Dativ, mit Akkusativ und Dativ.

Übung 90: Ergänzen Sie folgende Sätze: 1. Der Vater unterstützt — Sohn. 2. Der Sohn dankt — Vater. 3. Die Schneiderin bringt — Schwester — neuer Mantel. 4. Die Tochter ähnelt — Mutter. 5. Die Handtasche fehlt — Reisender; vielleicht hat er — im Wagen vergessen. 6. Die Trockenheit schadet — Pflanzen. 7. Der Staat schützt — geistige Arbeit. 8. Der Reisende verliert — Brieftasche. 9. Der Lehrling widerspricht — Meister. 10. Der Professor prüft — Studenten.

---

*) Vgl. Wortstellung beim Personalpronomen § 44, B.

Übung 91: Ergänzen Sie: 1. Der Hund bewacht — Haus. 2. Das Bild ist — Maler mißlungen. 3. Die Magd füttert — Vieh. 4. Der Blitz tötet — Pferd. 5. Das Publikum hört — Gesang zu. 6. Die Post gehört — Staat. 7. Der Richter vernimmt — Angeklagter. 8. Die Polizisten umstellen — Haus und — Garten. 9. Der Gesandte schmeichelt — Präsident. 10. Der Wanderer umgeht — großer Sumpf. 11. Der Schüler antwortet — Lehrer. 12. Der Große und Starke steht — Kleiner und Schwacher bei und hilft —.

Übung 92: Bilden Sie Sätze: 1. Pförtner, Tür, schließen. 2. Dieb, Briefträger, Fahrrad, stehlen. 3. Mathematiker Friedrich Gauß, viele Lehrsätze, beweisen und viele Probleme lösen (Imperf.). 4. Sohn, Vater, für Geld und Paket, danken. 5. Tiger, Jäger, angreifen. 6. Autofahrer, spielende Kinder, drohen. 7. Student, Freund, Geld, leihen. 8. Kaltes Baden, gesunde Menschen, nicht schaden.

Übung 93: Bilden Sie Sätze: 1. Arbeiter, Schiff, beladen. 2. Theaterbesuch, Ausländer, nützen. 3. Neuer Mantel, junges Mädchen, kleiden. 4. Richter, Zeuge, mißtrauen. 5. Kamerad, Verunglückter, Hilfe, bringen. 6. Techniker, Material, prüfen. 7. Großhändler, Kleinhändler, gute Ware, liefern. 8. Freunde, Reiseplan, zustimmen.

Übung 94: Bilden Sie Sätze: 1. Sieger, Besiegter, die Hand reichen. 2. Geschlossene Schranke, Radfahrer, Weiterfahrt, verbieten. 3. Verbrecher, gute Gelegenheit, zum Stehlen, benutzen. 4. Schlosser, neues Schloß und Schlüssel, anfertigen. 5. Essen, Gast, gut schmecken. 6. Leute, Polizei, Unfall melden. 7. Student, Bekannter, seine Bücher, borgen. 8. Leute, in kleiner Stadt, viele Bekannte, begegnen (treffen!).

§ 29. Verben mit zwei Akkusativen *

1. Er nannte *den* Kaufmann *einen* Betrüger.
2. Der Lehrer *lehrt die* Schüler *den* richtigen Gebrauch der Sprache.
3. Ich finde *das Buch billig.*

1. **Nur die wenigen Verben des Nennens haben zwei Akkusative:** nennen, heißen, rufen, schelten, schimpfen, taufen.
2. **Hierher gehören auch die Verben lehren und kosten.**
3. **Im Passiv treten die beiden Akkusative als Nominative auf,** z. B. der Kaufmann wurde von ihm ein Betrüger genannt.

4. **Für die Passivformen von „lehren" wird gewöhnlich „lernen" gebraucht; „kosten", bei dem die Person auch oft im Dativ steht, bildet kein Passiv.**

5. **Oft stellt ein Eigenschaftswort ohne Endung den zweiten Akkusativ dar,** z. B. jemanden glücklich wissen (= als einen Glücklichen), etwas schön finden (= als etwas Schönes).

* **Übung 95:** Bilden Sie Sätze: 1. Vater, Sohn, Karl, nennen. 2. Pfarrer, Kind, Brigitte, taufen. 3. Junge, Kamerad, Dummkopf, schelten. 4. Mutter, kleiner Hans, Häns chen, rufen. 5. Student, Bekannter, Angeber, heißen. 6. Lehrer, Ausländer, deutsche Sprache, lehren. 7. Onkel, Neffe, Taugenichts, schimpfen. 8. Doktorarbeit, Student, zwei ganze Semester, kosten.

* **Übung 96:** Bilden Sie Sätze: 1. Unglück, Reicher, arm, machen. 2. Kunde, Ware, teuer, finden. 3. Student, Platz für Freund, frei halten. 4. Redner, Gäste, willkommen heißen. 5. Spaziergänger, Weg zum Wald, weit, finden. 6. Schlechte Tat, Verbrecher, nicht glücklich, machen. 7. Bauer, sich, müde, arbeiten. 8. Beamter, sich, krank, melden.

* § 30. Verben mit dem Genitiv

Der Greis *gedenkt (erinnert sich) seiner* schönen Jugendzeit.
Der Kranke *bedarf der* Ruhe.

1. **Nur wenige Verben werden mit dem Genitiv verbunden, wie gedenken, sich erinnern, bedürfen (vgl. § 31).**

2. **Man verwendet sie nur in der Schriftsprache; in der alltäglichen Sprache sagt man: Der Greis** *denkt (erinnert sich) an die* **schöne Jugendzeit, der Kranke** *braucht (die)* **Ruhe.**

3. **Folgende Redensarten werden oft gebraucht:**
der Ansicht sein, der Meinung sein;
guter Laune sein, guter Stimmung sein;
anderen Sinnens sein, anderen Sinnes werden;
es lohnt sich der Mühe; auch: es lohnt der Mühe, es lohnt (sich);
das spottet jeder Beschreibung.

Übung 97: Welche von diesen Redensarten gehören zu folgenden Sätzen? Beispiel: (Es lohnt,) diesen Film zu sehen. 1. . . , wenn wir erst unsern Urlaub haben. 2. . . ., weil das Wetter so herrlich ist. 3. . . ., das neue Museum zu besuchen. 4. . . ., was das Geschwätz der Menschen aus dieser Sache gemacht hat. 5. . . ., weil ich die Verhältnisse jetzt besser verstehe. 6. . . ., daß wir auf diesen Berg steigen. 7. . . ., daß der Minister vollständig recht hat. 8. . . ., weil ich meine Prüfung bestanden habe. 9. . . ., was für lächerliche Gerüchte über sie in Umlauf sind. 10. . ., wenn du die Wahrheit über das Unglück erfahren hast. *

§ 31. Verben mit Akkusativ und Genitiv *

1. Der Räuber beraubte *den* Kaufmann *des* Geldes.
2. Ich bediene *mich des* Wörterbuches, um den Brief zu übersetzen.

1. Nach einigen Verben folgt auf einen Akkusativ der Person ein Genitiv der Sache.

2. Auch hier (vgl. § 30) werden die Genitive mehr in der gehobenen, dichterischen Sprache verwendet; in der alltäglichen Sprache werden diese Genitive vermieden.

Übung 98: Bilden Sie Sätze: a) 1. Richter, Verbrecher, Diebstahl, anklagen. 2. Geschäftsführer, Kassierer, Fälschung, beschuldigen. 3. Landstreicher, Reisender, Geld und Wertsachen, berauben. 4. Kriminalpolizei, Verbrecher, Mord, überführen. 5. Kranker, Freund, Versprechen, entbinden. 6. Minister, Beamter, Stellung, entheben. 7. Ausländer, oft, Heimat, sich erinnern. 8. Dame, Herr, kein Wort, würdigen. *

b) Mit reflexiven Verben: 9. Fremder, Plan von Berlin, sich bedienen. 10. Räuber, Geld und goldene Uhr, sich bemächtigen. 11. Kranke, Alkohol, sich enthalten. 12. Greis, Großeltern, sich erinnern. 13. Reicher, Reichtum, sich rühmen. 14. Leute, Verunglückter, sich erbarmen. 15. Großeltern, beste Gesundheit, sich erfreuen. 16. Schüler, Faulheit, sich schämen (s. auch Übung 172 c).

§ 32. Verben mit präpositionalem Objekt

Der Ausländer *gewöhnt sich an* das deutsche Leben. Der Kranke *hofft auf* seine baldige Heilung. Der Fremde *bittet* den Schupo *um* Auskunft.

In der folgenden Übersicht sind in vier Gruppen einige der wichtigsten Verben zusammengestellt, die ein Objekt mit Präposition erfordern.

Diese Präpositionen bilden mit ihrem Verb eine Einheit und gehören fest zusammen; sie sind auch zusammen wie ein Wort zu lernen, am besten zugleich mit dem beigefügten Beispielsatz. (Die Verben sind alphabetisch geordnet.)[1])

Übung 99: Verwenden Sie die folgenden Sätze auch, soweit der Inhalt es zuläßt, in anderen Zeiten und mit anderen Personen (ich ..., du ..., wir ...) als Satzreihen:

A.	1. denken	an A	Der Ausländer denkt an seine Heimat.
	2. sich erinnern	an A	Der Großvater erinnert sich an seine Jugend.
	3. warten	auf A	Der Reisende wartet auf den Zug.
	4. sich freuen	auf A	Der Arbeiter freut sich auf den Urlaub (der noch kommen wird, Zukunft).
	5. danken	für A	Das Kind dankt für das Geburtstagsgeschenk.
	6. fragen, sich erkundigen	nach D	Der Reisende fragt nach der Abfahrt des Zuges.
	7. anfangen, beginnen aufhören, enden	mit D	Die Kinder fangen mit dem Spielen an (hören mit dem Spielen auf).
	8. sich beschäftigen	mit D	Der Ausländer beschäftigt sich mit der deutschen Sprache.
	9. sich freuen	über A	Der Spaziergänger freut sich über das schöne Wetter (Gegenwart oder Vergangenheit).
	10. sich ärgern	über A	Die Reisenden ärgern sich über das schlechte Wetter.
	11. sich wundern	über A	Der Fremde wundert sich über die hohen Preise.
	12. bitten	um A	Der Schüler bittet den Lehrer um Rat.

Übung 100: Bilden Sie Sätze aus folgenden Wörtern im Präsens, Imperfekt und Perfekt: 1. Schüler, sich freuen, Anfang der Ferien, sich

---

[1]) Zur sicheren Beherrschung gelangt man nur sehr allmählich und nur durch festes Einlernen und breites Einüben (z. B. mit verschiedenen Personen und Zeiten). Nicht das schnelle Auswendiglernen einer ganzen Gruppe führt zur vollständigen Sicherheit, sondern das langsame Fortschreiten mit etwa 4—6 Verben in jeder Unterrichtsstunde. Daneben sind die beständigen Wiederholungen zu pflegen. Ihre Anwendung und Ergänzung müssen diese Übungen in den entsprechenden Beispielen der Lesestoffe suchen.

ärgern, Ende. 2. Studentin, sich beschäftigen, Kunstgeschichte. 3. Fremder, sich erkundigen (fragen), Weg zum Bahnhof. 4. Großvater, sich erinnern, weite Reisen, oft denken dar-. 5. Philosoph, sich nicht wundern, Dummheit, Menschen. 6. Kinder, warten ungeduldig, Weihnachtsfest. 7. Konzert, anfangen, Symphonie von Haydn, aufhören, Symphonie von Beethoven. 8. Fremder, bitten, Beamter, Auskunft. 9. Professor, gern denken, eigene Studienzeit und Studienfreunde. 10. Besucher, Botanischer Garten, sich freuen, schöne Bäume und Blumen.

Übung 101: Wie Übung 99:

B.	13. leiden	an D	Der Kranke leidet an einer Vergiftung.
	14. sterben	an D	Der Radfahrer stirbt an der schweren Verletzung.
	15. erkennen	an D	Der Hund erkennt seinen Herrn an der Stimme.
	16. teilnehmen	an D	Der Ausländer nimmt an dem Besuch des Museums teil.
	17. sich stoßen	an D	Die Kinder stoßen sich an allen Möbeln.
	18. zweifeln	an D	Kein Mensch zweifelt an der Kugelgestalt der Erde.
	19. sich gewöhnen	an A	Der Ausländer gewöhnt sich an das Klima.
	20. sich verlieben	in A	Der Dirigent verliebt sich in die Sängerin.
	21. befreien	von D	Der Zahnarzt befreit die Frau von den Zahnschmerzen.
	22. sich fürchten	vor D	Der Arzt fürchtet sich nicht vor der Ansteckung.
	23. schützen	vor D	Die Polizei schützt uns vor den Verbrechern.
	24. warnen	vor D	Eine Tafel warnt die Leute vor den Taschendieben.

Übung 102: Wie Übung 100. 1. Dichter, leiden, oft, Geldmangel. 2. Kaufmann, zweifeln, Ehrlichkeit, sein Kassierer. 3. Viele Menschen, teilnehmen, Gesellschaftsreise, Rheinland. 4. In Europa, sehr viele Menschen, leiden und sterben, Schwindsucht (Tuberkulose). 5. Große Affen, sich nicht gewöhnen, unser Klima. 6. Eltern, schützen, Kinder, alle Gefahren. 7. Bruder, erkennen, Brief des Freundes, Handschrift. 8. Heutige Menschen, sich nicht fürchten, Hexen. 9. Tod, befreien, Menschen, alle Not. 10. Arzt, warnen, Kranker, Alkohol.

Wiederholung (A und B)

Übung 103: Wie Übung 100. 1. Alte Leute, sich nicht gewöhnen, Leben, Ausland. 2. Eltern, sich freuen, Gesundheit, Kinder. 3. Lehrer,

Schüler, warnen, schlechte Gesellschaft. 4. Autofahrer, fragen, nächster Weg, Opernhaus. 5. Richter, zweifeln, Wahrheit, Erzählung. 6. Faule Studenten, sich fürchten, Prüfung. 7. Viele Leute, warten, Straßenbahn, Haltestelle. 8. Radfahrer, lange leiden, schwere Verletzung. 9. Alte Großmutter, oft, denken, Kindheit. 10. Menschen, sich langsam befreien, schlechte Angewohnheit.

Übung 104: Wie Übung 99:

C. 25. schreiben	an A	Der Student schreibt an die Eltern einen Brief.
26. hoffen	auf A	Der junge Mensch hofft auf die Zukunft.
27. rechnen	auf A	Der Minister rechnet auf die Hilfe der öffentlichen Meinung.
28. sich besinnen	auf A	Der Lehrer besinnt sich auf den Namen des Schülers.
29. verzichten	auf A	Kein Mensch verzichtet gern auf sein Glück.
30. sorgen	für A	Die Eltern sorgen für die Kinder.
31. kämpfen	für, gegen A	Die Richter kämpfen für das Recht und gegen das Verbrechen.
32. sich irren	in D	Der Reisende irrt sich in der Abfahrtszeit des Zuges.
33. schreiben	über, an A	Der Gelehrte schreibt ein Buch über das Theater, einen Brief an den Freund.
34. reden, sprechen	über A	Der Professor spricht (redet) über Thomas Mann.
35. sich bemühen	um A	Der Buchhalter bemüht sich um eine bessere Stellung.
36. sich kümmern	um A	Die Menschen kümmern sich gern um fremde Dinge.

Übung 105: Wie Übung 100. 1. Kranker Mensch, hoffen, Heilung. 2. Alte Freunde, viel sprechen, gemeinsame Jugend. 3. Zeuge, sich nicht besinnen, Zusammenstoß der Autos. 4. Faule Schüler, rechnen, Hilfe, Nachbarn. 5. Tüchtiger Arbeiter, sich nur kümmern, seine Arbeit 6. Gelehrter, schreiben, Werk, Geschichte, Römisches Reich. 7. Student, ohne Geld, schreiben, Eilbrief, Vater. 8. Erfinder, kämpfen, seine Überzeugung, seine Feinde. 9. Menschenkenner, verzichten, Dankbarkeit. 10. Arzt und Schwestern, sorgen, Säuglinge und Mütter.

Zur Wiederholung (A, B und C)

Übung 106: Wie Übung 100. 1. Lehrer, sich irren, mancher Schüler. 2. Menschen, hoffen, immer, bessere Zeiten. 3. Forscher, gern reden (sprechen), Ergebnisse, ihre Forschung. 4. Vater, danken, guter Schwimmer, Rettung, sein Sohn. 5. Leben, anfangen, Geburt, enden, Tod. 6. Schulen und Hochschulen, sorgen, Ausbildung, Jugend. 7. Mutter, beschäftigen, Tochter, häusliche Arbeit. 8. Fremder, sich wundern, Gebräuche, anderes Volk. 9. Erfinder, sich bemühen, staatliche Geldhilfe. 10. Eltern, schützen, Kinder, alle Gefahren und schlechte Freundschaften.

Übung 107: Wie Übung 99:

D. 37. glauben	an A	Der Künstler glaubt an sein Talent.
38. sich rächen	an D	Der Tyrann rächt sich an seinen Feinden.
39. achten	auf A	Die Eltern achten auf eine gute Erziehung ihrer Kinder.
40. sich verlassen	auf A	Der Kranke verläßt sich auf seinen Arzt.
41. bürgen, garantieren	für A	Der Name der Firma bürgt für die Güte der Waren.
42. halten	für A	Die Menschen halten den großen Erfinder für einen Narren.
43. sich vertiefen	in A	Der Student vertieft sich in die Philosophie Kants.
44. sich streiten, sich zanken	mit D um A	Die Jungen streiten (zanken) sich mit den Mädchen um den Ball.
45. sich vertragen, sich versöhnen	mit D	Manche Menschen streiten (zanken) und vertragen (versöhnen) sich schnell mit ihren Nachbarn.
46. sich sehnen	nach D	Der Ausländer sehnt sich nach der Heimat und seinen Freunden.
47. herrschen	über A	Der König herrscht über ein großes Reich.
48. siegen	über A	Der Weltmeister siegt über alle seine Gegner.
49. sich beschweren sich beklagen	über A	Der Gast beschwert (beklagt) sich über den Kellner.
50. trauern	um A	Die Mutter trauert um ihr totes Kind.
51. abhängen	von D	Die Stimmung der Menschen hängt oft vom Wetter ab.
52. gehören	zu D	Das Gold gehört zu den Edelmetallen.

Übung 108: Wie Übung 100. 1. Erfolg, abhängen, Charakter des Menschen. 2. Reiter, Verlust, bestes Pferd, trauern. 3. Reisender, sich vertiefen, neuer Roman. 4. Walfisch, nicht gehören, Fische, sondern Säugetiere. 5. Tüchtige Menschen, sich nicht verlassen, andere Menschen, sondern nur sich selbst. 6. Im Unglück, Menschen, sich sehnen, bessere Zeiten. 7. Schwester, sich beklagen, Grobheit, Bruder. 8. Schwester, sich bald vertragen (versöhnen), Bruder. 9. Schüler, achten, Rat, erfahrener Lehrer. 10. Mutter, glauben, Tüchtigkeit, Sohn. 11. Tapfere Menschen, siegen, alle Schwierigkeiten. 12. Post, nur, „eingeschriebene" Briefe, bürgen.

Wiederholung A bis D[1])

Übung 109: Ergänzen Sie die Präpositionen mit den Artikeln: 1. Beamte wundert sich — seltsame Frage des Fremden. 2. Arzt befreit den Kranken — seine Schmerzen. 3. Hund achtete — jede Bewegung des Fremden. 4. Kellner erinnerte sich — Gesicht des Gastes. 5. Gestern ist mein Vater angekommen; ich freue mich sehr — sein Besuch. 6. In der nächsten Woche fahren wir zu meinem Vater nach Hamburg; ich freue mich sehr — dieser Besuch. 7. Kein Mensch soll sich — seine Feinde rächen. 8. Ärgere dich nicht — schlechtes Wetter dieses Winters, sondern freue dich — gutes (Wetter) des baldigen Frühlings. 9. Alexander der Große siegte — alle seine Feinde und herrschte (beherrschte) —. 10. Viele bedeutende Künstler nehmen — Konzert für die Opfer, Erdbeben, teil.

Übung 110: Ebenso: 1. Wir glauben — Sieg der Gerechtigkeit. 2. Polizei warnt — Betreten des Eises auf Flüssen und Seen. 3. Kinder freuen sich — nahe Weihnachtsfest. 4. Sie freuen sich — erhaltene Geburtstags-Geschenke. 5. Gast ist — Vergiftung gestorben. 6. Quecksilber gehört — Metalle. 7. Wärter sorgt — Tiere im Zoo. 8. Landstreicher kümmert sich nicht — Wind und Wetter. 9. Er bat — nähere Auskunft. 10. Kranke muß — Spazierfahrt verzichten.

Übung 111: Ebenso: 1. Hausfrau zweifeln — Ehrlichkeit, ihr Mädchen. 2. Er konnte sich nicht — Namen, Besucher, besinnen. 3. Gläubiger verzichtete — Bezahlung, Schulden. 4. Käufer fragte — Preis, Buch. 5. Bettler fürchtet sich — Hund. 6. Flieger wartet — besseres Wetter.

---

[1]) Die Verbindungen zwischen Verb und Substantiv durch die Präpositionen sind sehr vielgestaltig, wie folgende Beispiele zeigen:

Er freut sich *des* Lebens, *über* das verdiente Geld, *auf* die nächste Reise, *an* seinen Kindern, *mit* den Glücklichen.

Wir kämpfen *gegen* die Feinde, *mit* den Feinden, *für* das Vaterland, *um* unser Leben.

Er spielt Klavier, Karten, *um* Geld, *mit* den Kindern, *für* die Gäste.

Er spricht *über* die schlechten Zeiten, *von* seiner Reise, *zu* ihm *mit* leiser Stimme, *für* die Partei, *trotz* seiner Erkältung, *gegen* seine Überzeugung, *aus* Erfahrung, *vor* dem Landtag.

Weitere Verben mit präpositionalen Objekten sind aus Lesestoffen systematisch zu sammeln, und, worauf bereits hingewiesen wurde, dauernd zu wiederholen.

7. Arbeiter bemühte sich — neue Stellung. 8. Wenn man über die Straße geht, muß man — Verkehrszeichen achten. 9. Gelehrte vertiefte sich — Buch. 10. Patient leidet — Tuberkulose.

Übung 112: Ebenso: 1. Oper beginnt — Vorspiel. 2. Pförtner fragt — Namen des Fremden. 3. Tierarzt befreit Hund — Krankheit. 4. Wir verlassen uns — Treue unserer Freunde. 5. Berliner siegten im Fußballspiel — Hamburger. 6. Mantel schützt Kind — Kälte. 7. Fußgänger achtete nicht — Hupen des Fahrers. 8. Mein Freund leidet — schwere Grippe. 9. Kranker wartet — Ankunft, Arzt. 10. Käufer wundert sich — hoher Preis, Ware.

Übung 113: Ergänzen Sie in folgenden Sätzen: darauf, dafür usw. nach folgendem Beispiel (§ 44 C):

Ich freue mich, daß du mich besuchst.
Ich freue mich *darüber, daß* du mich besuchst.

1. Der Kranke hofft —, daß er bald gesund wird. 2. Ich bürge —, daß mein Freund seine Schulden bezahlt. 3. Der Gast wundert sich —, daß niemand ihn empfängt. 4. Die Mutter bemüht sich —, daß ihre Kinder gute Menschen werden. 5. Mein Freund beklagt sich —, daß er keine Reise machen kann. 6. Die Schüler freuen sich —, daß sie (bald; — jetzt) einen Ausflug machen. 7. Der Käufer denkt nicht —, den hohen Preis für die schlechte Ware zu bezahlen. 8. Ich warte —, daß mein Onkel mich einlädt. 9. Er dankt mir —, daß ich ihn gewarnt habe. 10. Er verläßt sich —, daß sein Freund ihm hilft.

(Machen Sie aus den Nebensätzen in Satz 1, 2, 6, 7, 8, 9, 10 Objekte mit Präpositionen: Der Kranke hofft auf ... usw.)

Wiederholung zur Rektion der Verben § 26—32

Übung 114: Bilden Sie Sätze: 1. Eltern, Sohn Karl, nennen. 2. Kurzsichtiger, Brille, benutzen. 3. Ei, anderes (Ei), gleichen. 4. Kranker, Schwäche, überwinden. 5. Kassierer, Betrug, begehen. 6. Herr, Dame, Platz anbieten. 7. Kaiser, großes Reich, herrschen (beherrschen). 8. Böser Traum, Schläfer, Ruhe, rauben. 9. Nachtigall, Singvögel, gehören. 10. Fette Speise, Gast, nicht bekommen.

Übung 115: Ebenso: 1. Mörder, Tat, bekennen, 2. Wort, mein Ohr, entgehen. 3. Kind, baldige Rückkehr, Mutter, hoffen. 4. Konzertbesucher, Unruhe im Saale, sich ärgern. 5. Bettler, Frau, Gabe, danken. 6. Neffe, Onkel, Brief, schreiben und Geld bitten. 7. Sturm, Schiff, Meer, versenken. 8. Käufer, Verkäufer, widersprechen, 9. Gelehrter, Problem, lange nachdenken. 10. Wanderer, Bauer, Glas, Milch, bitten.

Übung 116: Bilden Sie Sätze: 1. Junge Menschen, Schillers Dramen, sich vertiefen. 2. Eltern, denken nur, ihre Kinder, und sorgen, Zukunft. 3. Kranker, sich setzen, Bank in Sonne; sitzen, dort, eine Stunde. 4. Techniker, neuer Motor, erfinden. 5. Angeklagter, Richter, kein Wort, erwidern. 6. Arzt, Krankheit, sich irren. 7. Käufer, schlechte Verpakkung, sich ärgern und sich beschweren, 8. Autowerk, jährlich, mehrere tausend Autos, herstellen. 9. Polarforscher, Kälte, sich gewöhnen. 10. Ordentlicher Mensch, Rechnungen, pünktlich bezahlen.

Übung 117: Ebenso: 1. Volk, Minister, vertrauen, 2. Schaffner, Dame, Ausländerin, halten. 3. Lehrer, gute Schüler, loben und schlechte tadeln, aber alle (Schüler) helfen. 4. Präsident, überreichen, Beamter, Orden und danken, Fleiß und Treue. 5. Kaufmann, neue Kunden, sich bemühen. 6. Großmutter, Enkelin, Geburtstag, Päckchen mit Süßigkeiten, schicken. 7. Bellender Hund, kleiner Junge, sehr erschrecken. 8. Ganze Familie, Ferienreise, Gebirge, unternehmen. 9. Großer Beifall, in Theater, Künstler, schmeicheln. 10. Kämpfer für große Sache, Glück und Reichtum, verzichten müssen.

Übung 118: Ergänzen Sie die fehlenden Wörter und Endungen:

Der tapfere Jüngling

1. In alter Zeit wohnte eine Witwe — Rande eines Waldes. Sie hatte ein- Sohn. 2. In diesem Walde lebten groß- und stark- Räuber, welche all- friedlich- Wanderer belästigten.

3. Als der junge Mensch eine Tages — Wald durchschritt, erblickten — (er) die Räuber. 4. Sie sagten — einander: „Wollen wir — (er) nicht sein Geld und sein- Sachen rauben?" 5. Aber einige erwiderten: „Er ist zu stark, er wird — (wir) töten." 6. Doch ein Räuber sprach: „Ich allein

will — (er) — Geld rauben. 7. Dafür will ich — Geld auch allein behalten."

8. Der Räuber folgte nun — Jüngling ohne Waffen, nur — ein-Stab in der Hand, wie ein Wanderer. 9. Er näherte sich — jung- Mensch- und fragte — (er): „Darf ich — (du) begleiten?" 10. Jener war einverstanden; so gingen sie eine Weile. Dann sagte der Räuber: „Du hast ein gutes Schwert; darf ich — probieren?" 11. Der Jüngling gab — Fremde — Waffe. 12. Da rief der Räuber: „Liefere — (ich) sogleich — Geld aus, oder ich töte — (du)!" 13. Da mußte der Betrogene — (er) all- Geld und all- Sachen geben.

14. Nach einiger Zeit sagte der junge Mensch — Räuber: „Da du — (ich) all- genommen hast, mußt du — (ich) jetzt auch — Hand abschlagen; denn sonst sagt man — (ich), daß ich ein Feigling bin und — (sich) nicht verteidigt habe." 15. Der Räuber aber antwortete — (er): „Behalte dein- Hand, denn ich wollte nur d- Geld." 16. Aber der junge Mensch quälte — (er), bis der Räuber endlich — Bitte erfüllte. 17. Der Jüngling legte — Hand auf ein- Baumstumpf. 18. Als der Räuber zuschlug, zog der Jüngling blitzschnell — Hand zurück, so daß das Schwert tief — Holz fuhr. 19. Rasch ergriff er nun — Schwert, zog — heraus und erschlug — Räuber.

B. Das Substantiv

§ 33. Das Geschlecht der Substantive

A. Männlich sind:

1. Alle männlichen Lebewesen: r Mann, r Herr, r Lehrer, r Junge, r Sohn, r Bruder, r Hahn, r Stier, r Löwe.

2. Die Tage, Monate und Jahreszeiten: r Montag, r Januar, r Frühling.

3. Die Himmelsgegenden und Winde: r Norden, r Südwesten, r Föhn, r Passat, r Taifun.

4. Die Mineralien: r Diamant, r Granit, r Kalk, r Schwefel.

5. Die Bezeichnungen des Geldes: r Rubel, r Dollar, r Pfennig, r Frank;

Ausnahme: e Mark, s (englische, türkische) Pfund, e Krone;

6. Die Substantive auf -ig, -ich, -ing, -ast, -en: r Honig, r Teppich, r Sperling, r Palast, r Regen;
Ausnahme: s Wappen, s Kissen, s Zeichen und die substantivierten Verben (s. C, 4).

B. Weiblich sind:

1. Alle weiblichen Lebewesen: e Frau, e Tochter, e Braut, e Magd, e Kuh, e Gans;
Ausnahme: s Weib, s Mädchen, s Fräulein (s. C, 5).

2. Die meisten deutschen Flüsse und die außerdeutschen Flüsse auf -e und -a: e Weichsel, e Oder, e Weser, e Wolga, e Themse, e Rhone;
Ausnahme: r Rhein, r Main, r Neckar, r Inn.

3. Die Bäume, Blumen und Früchte: e Tanne, e Kiefer, e Buche, e Eiche, e Pappel; e Rose, e Nelke, e Tulpe; e Birne, e Pflaume, e Kirsche;
Ausnahme: r Ahorn, s Vergißmeinnicht, r Apfel.

4. Die Zahlen und Ziffern: e Eins, e Zehn, e Hundert, e Tausend.

5. Die meisten Substantive auf -e, besonders die zweisilbigen: e Sonne, e Straße, e Freude, e Silbe, e Stunde;
Ausnahme: a) s Auge, s Ende, s Erbe, r Käse;

b) männliche Substantive auf -e, die auch -en als Nominativendung haben können: r Glaube — Glauben, r Friede — Frieden (§ 35, 2c);

c) sächliche Substantive mit der Vorsilbe Ge-, die Kollektive (Sammelnamen) bezeichnen: s Gebirge, s Gemüse, s Gewerbe.

6. Die Substantive auf -ei, -ie, -in, -ion, -tät, -heit, -keit, -ung, -schaft: e Bücherei, e Arznei, e Melodie, e Philosophie, e Verkäuferin, e Löwin, e Nation, e Religion, e Universität, e Vergangenheit, e Gelegenheit, e Neuigkeit, e Geistlichkeit, e Übung, e Wohnung, e Eigenschaft, e Wissenschaft;
Ausnahme: s Genie (Aussprache!).

7. Substantive mit der Endsilbe -mut verbinden einige (männliche?) Eigenschaften des menschlichen Charakters mit dem männlichen Artikel; gewisse andere (weibliche?) Eigenschaften verbindet diese Endung mit dem weiblichen Artikel: r Hochmut, r Kleinmut, r Übermut,

r Unmut, r Wankelmut; — aber: e Anmut, e Demut, e Langmut, e Großmut, e Wehmut, e Sanftmut, e Schwermut, e Armut.

C. Sächlich sind:

1. a) Die jungen Lebewesen: s Kind, s Lamm, s Kalb, s Fohlen;

b) Benennungen, die für das männliche und das weibliche Tier gemeinsam gelten: s Pferd, s Schaf, s Rind, s Schwein, s Huhn.

2. Die Städte und Länder: s große London, s schöne Nürnberg, s weite Asien, s ferne Australien, vgl. § 34, A 1;
Ausnahme: r (den) Haag, e Schweiz, e Moldau, e Krim, r Irak, ferner die Ländernamen auf -ei (weiblich): e Türkei, e Mongolei; (Plurale): e Niederlande, e Vereinigten Staaten.

3. Die Metalle: s Gold, s Eisen, s Kupfer, s Platin, s Blei;
Ausnahme: r Stahl.

4. Die zum Substantiv gewordenen Verben und Adjektive: s Essen, s Trinken, s Schlafen, s Arbeiten; s Gute, s Neue.

5. Die Diminutive mit den Endungen -chen und -lein: s Fräulein, s Mädchen, s Schneewittchen, s Rotkäppchen, s Büblein.

6. Die Substantive mit den Endungen -tum und -(i)um: s Altertum, s Eigentum; s Gymnasium, s Oratorium, s Verbum, ferner besonders die chemischen Elemente, z. B. s Carbonium, s Kalium, s Helium, s Radium usw.
Ausnahme: r Reichtum, r Irrtum.

Ubung 119: Lesen Sie folgende Substantive mit dem Artikel:

a) Diener, Dienerin, Brüderschaft, Knäblein, Onkel, Base, Löwe, Heiterkeit, Schweiz (!), Rittertum, Schwächling, Blindheit, Kamerad, Sperling, Buche, Natrium, Freund, Verbindung, Türke, Kinderei, Lähmung, Kirsche, Eiche, Nachbar, Kaufmann, Mädchen;

b) Schule, Weisheit, Ochse, Havel, Eigentum, Anmut, Bekanntschaft, Blinde, Sitzen und Liegen, Sommer, Huhn, Astronomie, Basalt, Main (!), Pfennig, Tanne, Apfelsine, Regen, Marne, Hydrogenium, Demut, Rubin, Magd, Neffe, Nichte, Pferd, Hahn, Wille (!), Aktion, Käse (!), Sonne, Dummheit, Hochmut.

c) Meinung, Gedanke (!), Elbe, Nitrogenium, Herrschaft, Übermut, Phantast, Mongolei, Station, Freundlichkeit, Irrtum (!), Gymnasium, Kuh, Ostmark (!), Blei, Kiefer, Gehen und Fahren, Weib (!), Ironie,

Russe, Russin, Norden, Schwein, Teppich, Dollar, Passat, Neuheit, Büchlein, Gefangenschaft.

d) Mai, Spree, Auge (!), Gymnasiast, Braut, Sanftmut, Zeichen (!), Spielerei, Essen und Trinken, Sonntag, Rind, Tausend, Stahl (!), Ärztin, Kalb, Friede (!), Klugheit, Aluminium, Fräulein, Afrika, Tanne, Schaf, Kragen, Mark (!), Hoffnung, Rhein (!), Wankelmut, Birne, Apfel, Buche.

§ 34. Der Gebrauch des Artikels

1. Die Substantive im Deutschen haben meist den Artikel, der vor dem Substantiv und dem (attributiven) Adjektiv steht.

2. Der bestimmte Artikel hat demonstrativen Charakter; er bezeichnet, daß ein ganz bestimmter Gegenstand gemeint oder daß dieser bereits bekannt ist.

3. Der unbestimmte Artikel bezeichnet, daß irgendein Gegenstand gemeint ist, ein beliebiger, ein unbekannter oder unbestimmter.

A. Ohne Artikel werden gebraucht:

1. Eigennamen, z. B.: Heinrich ist ein Vorname. Berlin liegt an der Spree. Deutschland ist reich an Gebirgen und Flüssen.

Ausnahme: Die in § 33, C 2 als Ausnahme angeführten Namen werden **nur mit** dem Artikel gebraucht: r (den) Haag, e Schweiz, e Niederlande, ferner die Ländernamen auf ei, z. B. e Türkei.

2. Stoffnamen, z. B. aus Holz, mit Wasser; Gold ist ein Metall. Er trinkt gern Milch. Aber: Die Milch ist heute sauer, d. h. eine bestimmte, die heutige Milch.

3. Substantive, die Beruf, Religion, Nationalität bezeichnen, in Verbindung mit „sein" und „werden", z. B.: Er ist Arzt, er wird Arzt, Lehrer, Musiker. Er ist Deutscher. Sie ist Mohammedanerin.

4. Sprichwörtliche, formelhafte Verbindungen wie: Leib und Seele, Tod und Leben, Haus und Hof, mit Mann und Maus, zu Lande und zu Wasser, bei Tag und Nacht, ich gehe zu Fuß, ich fahre nach Hause, sie läuft Schlittschuh, er fährt Rad, Auto, Boot. usw.

B. Mit Artikel werden gebraucht:

1. Eigennamen, auch die unter A 3 bezeichneten Substantive, wenn ein Attribut hinzutritt, z. B.: Der grüne Heinrich. Das Berlin der Kaiserzeit (1871—1918). Das heutige Deutschland.

Beachten Sie: Wenn die Substantive in A 3 ein Attribut haben, bekommen sie den unbestimmten Artikel, z. B.: Er ist (er war, er wird) *ein* tüchtiger Arzt, Diplomat, Lehrer, ein frommer Christ usw.

2. Die Eigennamen von Straßen, Bergen, Gebirgen, Wüsten, Flüssen, Seen und Meeren, z. B.: Die Brennerstraße führt über die Alpen („die Alpen" ist Plural); e Zugspitze, r Harz, e Sahara, r Rhein, e Nordsee, s Mittelmeer, s Nördliche Eismeer.

Übung 120: Mit Artikel oder ohne? 1. Eine Reise in (?) Alpen, nach (?) Tirol, nach (?) Schweiz oder nach (?) Oberbayern ist reich an herrlichen Bildern. 2. Der Hammer ist aus (?) Eisen, aus (?) Stahl oder aus (?) Kupfer. 3. Die Umgebung Berlins ist reich an Wasser: dort fließen (?) Spree und (?) Havel; beide sind seenartig erweitert und bilden z. B. (?) Wannsee, (?) Müggelsee und (?) Tegeler See. 4. Der höchste Berg (?) Norddeutschland ist (?) Brocken in (?) Harz. 5. Der höchste Berg (?) Deutschland ist (?) Zugspitze in (?) Bayrisch- Alpen. 6. Der Musikschüler hat Talent; er wird (?) groß- Künstler werden. 7. Echte Städte aus dem Mittelalter sind (?) herrlich- Rothenburg und (?) fast ebenso schön- Dinkelsbühl in (?) Bayern. 8. In (?) Deutschland trinkt man morgens (?) Kaffee, mittags (?) Bier oder (?) Wein, abends meist (?) Tee.

Übung 121: Mit Artikel oder ohne? 1. Der bekannteste Walzer von (?) Johann Strauß ist „An (?) schön- blau- Donau". 2. Über (?) Alpen führen mehrere uralte Übergänge, z. B. (?) St. Bernhard-, (?) St. Gotthard- und (?) Brennerstraße. 3. In der Ölflasche ist (?) Öl dick geworden. 4. (?) jung- Mozart zeigte eine ungewöhnliche musikalische Begabung. 5. An (?) Spree und auf einer Insel (?) Spree lag (?) alt- Berlin. 6. (?) Italien von heute ist nicht (?) Italien des vorigen Jahrhunderts 7. Mir schmeckt (?) bitter- Kaffee nicht; ich trinke ihn immer mit (?) Zucker und (?) Sahne. 8. (?) Kieler Kanal verbindet (?) Ostsee mit (?) Nordsee. 9. (?) heutiges Griechenland ist nicht so bedeutend wie (?) antikes Griechenland. 10. Der Schauspieler war früher (?) tüchtiger Arzt.

Übung 122: Ebenso: 1. Was ist in der Küche los? Gestern abend schmeckte (?) Tee nicht, heute morgen schmeckte (?) Kaffee nicht, und jetzt ist (?) Fleisch versalzen! 2. Eine der mächtigsten Stadtrepubliken war (?) alt- Venedig. 3. In (?) Vereinigt- Staat- gibt es viele große Industriestädte. 4. An (?) Nord- und Ostsee liegen bekannte deutsche Handelsstädte: (?) reich- Bremen an (?) Weser, (?) alt- Hamburg an (?) Elbe, (?) ehemals mächtig- Lübeck an (?) Trave, (?) lange Zeit selbständig- Danzig an (?) Weichsel, (?) groß- Königsberg an (? r) Pregel und (?) kleiner- Memel an (?) Memel. 5. Wenn die Flaschen schlecht schließen, wird (?) Wein sauer und (?) Bier schal. 6. Einst war (?) Römische Reich der größte und mächtigste Staat rings um (?) Mittelmeer. 7. Das Schiff ging im Sturm mit (?) Mann und Maus unter. 8. Welche Länder liegen im Norden, Süden, Osten und Westen (?) Schweiz. 9. Das internationale Schiedsgericht tagt (?) Haag (?) Niederlande.

§ 35. Ergänzung zur Deklination der Substantive

(Vorstufe S. 5, Bildung des Plurals und S. 16, Deklination der Substantive)

stark	schwach	stark	Fremdwort
h. der Lehrer	i. die Gabel	k. der Wagen	l. das Auto[1]
des Lehrer*s*	der Gabel	des Wagen*s*	des Auto*s*
dem Lehrer	der Gabel	dem Wagen	dem Auto
den Lehrer	die Gabel	den Wagen	das Auto
die Lehrer	die Gabel*n*	die Wagen	die Auto*s*
der Lehrer	der Gabel*n*	der Wagen	der Auto*s*
den Lehrer*n*	den Gabel*n*	den Wagen	den Auto*s*
die Lehrer	die Gabel*n*	die Wagen	die Auto*s*

Die Deklination der deutschen Substantive[2] macht keine Schwierigkeiten, wenn bekannt sind: Nominativ Singular, Nominativ Plural und bei den männlichen Substantiven der Genitiv Singular. Diese Formen gibt ein gutes Wörterbuch.

Die Deklinationsgruppe, zu der ein Substantiv gehört, ist an folgenden Merkmalen erkennbar (nur die w i c h t i g s t e n Beispiele werden gebracht):

1. Die Endungen -er, -el:

Die meisten Substantive auf -er und -el sind männlich oder sächlich, sie deklinieren nach Gruppe h (r Lehrer); die wenigen weiblichen gehen nach Gruppe i (e Gabel), z. B.:

a) m ä n n l i c h : r Fehler, r Finger, r Reiter, r Sänger, r Koffer,

[1]) Ebenso: s Kino, s Piano, s Solo, s Büro, s Radio, s Komma, s Sofa, r Pascha, r Klub u. a. m.

[2]) Die Deklination der zusammengesetzten Substantive richtet sich nach deren Grundwort, vgl. Bildung der Substantive § 90, 11.

r Körper, r Sommer und die Bezeichnungen männlicher Berufe: r Arbeiter, r Schneider, r Bäcker usw.; ferner: r Enkel, r Onkel, r Flügel, r Himmel, r Schlüssel, r Stiefel, r Zettel, r Mantel, r Handel; mit Umlaut: r Vater, r Bruder, r Vogel;

b) sächlich: s Fenster, s Messer, s Theater, s Zimmer, s Wasser; — s Kabel, s Rätsel, s Segel, s Siegel, s Viertel;

c) weiblich: e Feder, e Mauer, e Nummer, e Oper, e Schulter, e Schwester; — e Formel, e Insel, e Kartoffel, e Kugel, e Nadel, e Regel, e Schüssel, e Tafel;

Ausnahme: e Mutter, e Tochter, Plural: Mütter, Töchter.

2. Die Endungen -en, -chen, -lein:

Substantive mit diesen Endungen werden nach Gruppe k (r Wagen) dekliniert.

a) Die Substantive mit der Endung -en sind männlich: r Braten, r Haken, r Knochen, r Kragen, r Kuchen, r Orden, r Regen, r Schatten; mit Umlaut: r Ofen, r Garten, r Hafen, r Laden;

sächlich sind: s Eisen, s Kissen, s Wappen, s Zeichen und die zahlreichen Substantive, die aus den Infinitiven gebildet werden, doch ohne Plural: s Essen, s Trinken, s Fahren, s Schlafen, s Arbeiten, s Mittagessen, s viele Rauchen usw.

b) Die Substantive auf -chen und -lein sind Verkleinerungsformen (Diminutive) und sämtlich sächlich: s Mädchen, s Kindchen, s Blümchen, s Bäumchen, s Brötchen, — s Fräulein, s Büchlein, s Schneiderlein usw.

c) Folgende Substantive auf -e haben im Nominativ Singular eine jüngere Nebenform auf -en: r Friede — Frieden, r Funke — Funken, r Gedanke, r Glaube, r Name, r Same, r Schade (meist: r Schaden), r Wille, r Buchstabe, ebenso: r Fels — r Felsen.

Diese Substantive sind auch männlich und werden gleichfalls nach Gruppe k (r Wagen) dekliniert.

3. Die Endung -e:

Alle Substantive mit der Endung -e werden schwach dekliniert und zwar die männlichen nach Gruppe b (r Mensch), die weiblichen nach Gruppe e (e Frau):

a) männlich: r Beamte, r Junge, r Knabe, r Kollege, r Neffe, r Preuße, r Riese, r Reisende, r Sklave, r Tote, r Affe, r Hase, r Löwe;

b) weiblich (sehr zahlreich): e Apotheke, e Aufgabe, e Ausnahme; sehr viele zweisilbige: e Blume, e Brücke, e Bühne, e Dame, e Ecke, e Erde, e Fahne, e Flasche, e Jacke, e Karte, e Marke, e Nase, e Pause, e Schule, e Seife, e Sprache, e Straße, e Stunde, e Treppe, e Woche;

Ausnahme: r Käse, s Erbe, beide ohne Plural, Deklination wie h (r Lehrer); — b) s Auge, s Ende, beide wie g (s Ohr);

c) die männlichen Substantive auf -e und -en (s. oben 2 c);

d) die sächlichen Sammelnamen mit der Vorsilbe Ge-: s Gebirge, s Gebäude, s Gewerbe, s Gemüse (wie h, r Lehrer).

4. Die Endungen -ei, -ie, -in, -ion, -tät, -heit, -keit, -ung, -schaft:

Diese Substantive sind weiblich und gehen nach der Gruppe e (e Frau). Beispiele unter „Geschlecht der Substantive": § 33, B 6.

5. Die Endungen -ig, -ich, -ing, -ast, -sal, -nis:

a) Substantive mit diesen Endungen werden nach Gruppe a (r Stuhl) dekliniert.

Beispiele für die Endungen -ig, -ich, -ing, -ast (Gen. -astes, Pl. -äste) s. unter „Geschlecht der Substantive" § 33 A, 6.

b) Substantive mit den Endungen -sal und -nis sind weiblich oder sächlich:

e Trübsal wird dekliniert nach d (e Hand) ohne Umlaut, s Schicksal wie a (r Stuhl), Gen. -sals, ohne Umlaut; -e Wildnis geht nach e (e Frau), Plural: -nisse, — s Ereignis, s Begräbnis nach a (r Stuhl), Gen. -nisses.

6. Die einsilbigen Substantive:

A. Die männlichen einsilbigen Substantive werden meist nach Gruppe a (r Stuhl) dekliniert:

r Arzt, r Berg, r Brief, r Freund, r Fisch, r Gast, r Hof, r Hund (Plural: Hunde), r Kopf, r Krieg, r Kuß, r Punkt (Pl.: Punkte), r Rock, r Satz, r Schirm, r Schnaps, r Schuh (Pl.: Schuhe), r Stein, r Sohn, r Tag (Pl.: Tage), r Tanz, r Ton, r Wein, r Wunsch, r Zug.

Ausnahme: a) Einige einsilbige werden schwach dekliniert nach b (r Mensch): r Fürst, r Held, r Hirt, r Herr, r Narr, r Tor.

b) Einige wenige einsilbige gehen nach Gruppe f (s Haus): r Mann, r Gott, r Wald, einige auch nach c (r Staat): r Schmerz, r See, r Strahl.

B. Die weiblichen einsilbigen Substantive werden stark oder schwach dekliniert:

a) stark nach Gruppe d (e Hand), sämtlich mit Umlaut: e Bank, e Frucht, e Gans, e Kraft, e Kuh, e Kunst, e Luft, e Stadt, e Wand, e Wurst.

b) schwach nach Gruppe e (e Frau), sämtlich ohne Umlaut: e Bahn, e Burg, e Fahrt, e Null, e Pflicht, e See, e Schlacht, e Tat, e Zahl, e Zeit.

C. Die sächlichen einsilbigen Substantive werden dekliniert:

a) mit Umlaut nach Gruppe f (s Haus); hierher gehören auch die Substantive auf -tum: s Amt, s Bad, s Buch, s Dorf, s Glas, s Huhn, s Land, s Rad, s Schloß, s Tuch, s Volk, s Wort, s Herzogtum, s Eigentum, r Irrtum (!), r Reichtum (!); — s Ei, s Lied, s Feld, s Kind, s Bild, s Weib;

b) ohne Umlaut, sonst wie Gruppe a (r Stuhl): s Bein, s Brot, s Ding, s Fest, s Gift, s Heft, s Jahr, s Öl, s Pferd, s Reich, s Schaf, s Schiff, s Schwein, s Stück, s Tier, s Werk, s Ziel.

Ausnahmen nach Gruppe g (s Ohr): s Bett, s Hemd, s Herz (Gen. Herzens).

Übung 123: Bestimmen Sie von folgenden Substantiven des § 35, 1—5 das Geschlecht; bilden Sie ferner: *

a) alle Fälle des Singulars und Plurals (Eigennamen bilden keinen Plural);

b) ohne Umlaut, sonst wie Gruppe a (r Stuhl): s Bein, s Brot, s Ding,

c) alle Dative des Singulars und Plurals;

d) alle Akkusative des Singulars und Plurals:

1. Sänger, Laden, Löwe, Flügel, Pause, Verkäuferin, Hoffnung, Schlosser, Sonne, Vogel, Feder (!), Fahne, Riese, Tafel (!), Herrschaft, König, Symphonie, Bildchen, Schlosserei, Fräulein.

2. Schlächter, Wagen, Freude, Gärtchen, Länge, Spiegel, Tänzerin, Wiederholung, Schönheit, Seele, Million, Lehrling, Fähnrich, Marke, Sklave, Verwandte, Gedanke (!), Arznei.

3. Beamte, Kindchen, Braten, Frechheit, Treppe, Kissen (!), Mantel, Nadel (!), Theater (!), Nummer (!), Schneiderin, Silbe, Übung, Neuigkeit, Neger, Blinde, Wäscherei, Revolution, Funke (!).

4. Hafen, Bäumlein, Neffe, Gebäude (!), Aufgabe, Onkel, Oper (!), Fenster (!), Mutter (!), Brücke, Name (!), Kranke, Ende (!), Wissenschaft, Feigling, Gelegenheit, Irrtum (!), Ironie, Nation, Auge (!).

5. Friede (!), Schüssel (!), Messer (!), Insel (!), Ecke, Tochter (!), Schwester, Eigenschaft, Melodie, Mehrheit, Ereignis (!), Kaiserin, Stück, Kuß, Gesandte, Fels (!), Schnaps, Reichtum (!), Krone.

* **Übung 124:** Bilden Sie die gleichen Formen wie in der vorigen Übung von den einsilbigen Substantiven (und von denen mit der Endung -tum) aus § 35, 6:

Wörter mit * haben Umlaut.

1. Männlich: Freund, Krieg, Satz*, Punkt, Schuh, Arzt*, Berg, Sohn*, Mensch (!), Ton*, Stein, Zug*, Wald* (!), Gast*, Hirt (!), Hof*, Herr (!), Hund, Fuß*, Narr (!), Tanz*, Staat (!), Kopf*, Held (!), Strumpf*, Feind, Mann* (!), Wirt, Traum*, See (!), Brief, Zahn*, Tisch.

2. Weiblich: Bank*, See, Frucht*, Stadt*, Bahn, Luft*, Tat, Kuh*, Null, Gans*, Zahl, Zeit, Wurst*, Kunst*, Schlacht, Fahrt, Kraft*, Frau, Nacht*, Burg, Wand*, Pflicht, Uhr, Welt, Schrift, Nuß*, Tür, Flut, Last, Macht*.

3. Sächlich: Glas*, Brot, Buch*, Jahr, Schaf, Volk*, Wort*, Bett (!), Land*, Schloß*, Herz (!), Irrtum* (!), Lied (!), Fest, Huhn*, Öl, Reichtum* (!), Kind (!), Dorf*, Hemd (!), Schiff, Weib (!), Pferd, Herzogtum*, Ding, Rad*, Meer, Bild (!), Spiel, Kleid (!), Haus*.

7. Übersicht über die Deklination der Fremdwörter[1])

A. Starke Deklination wie h (r Lehrer):

a) Die männlichen und sächlichen Fremdwörter auf -er und -el: r Musiker, s Thermometer, r Zylinder, r Salpeter, r Artikel, s Orakel, s Exempel; — wie k (r Wagen): s Examen;

b) wie a (r Stuhl, ohne Umlaut): die männlichen Fremdwörter, die eine Person bezeichnen, mit betonter Endsilbe auf -l, -n, -r: r Admiral, r Kapitän, r Dekan, r Offizier, r Sekretär, mit Umlaut: r General, r Kardinal; — männliche Fremdwörter, die eine Sache bezeichnen, mit betonter Endsilbe, aber mit verschiedener Endung: r Plural (auch Plúral), r Termin, r Salat, r Horizont, mit Umlaut: r Kanal, r Marsch, r Chor;

c) sächlich: s Konsulat, s Metall wie a (r Stuhl), doch ohne Umlaut.

B. Schwache Deklination wie b (r Mensch):

a) Die männlichen Fremdwörter, die eine Person bezeichnen, mit betonter Endsilbe auf -p, -t, -k, -e, -ar(e): r Satrap, r Poet, r Bandit, r Agent, r Katholik, r Antipode, r Barbar, r Zar, r Bulgare;

---

[1]) Siehe auch Tabelle am Anfang §35. — Diese Übersicht hat keine Übungen und ist nur zum Nachschlagen und Vergleichen gedacht.

b) ebenso mit den griechischen Endungen -arch, -graph, -krat, -log, -nom, -soph: r Patriarch, r Photograph, r Aristokrat, r Psycholog(e), r Astronom, r Philosoph; — ebenso: r Tyrann, r Vagabund; ferner: r Konsonant, r Elefant, r Planet, die keine Personen bezeichnen;

c) weibliche Fremdwörter wie e (e Frau): e Grammatik, e Republik, e Apotheke, e Zensur, e Spirale, e Turbine; — Wörter mit der Endung -ie haben im Plural -ien (sprich betont: í -en): e Melodie, e Demokratie; dieselbe Pluralbildung haben Wörter auf -al und -il: s Material, s Mineral, s Kapital, s Fossil (die Betonung im Plural bleibt jedoch auf -al und -il).

C. Gemischte Deklination wie c (r Staat):

a) männliche Personalbegriffe, Maschinen und ihre Teile auf or, -on, im Plural mit betonter Endung -óren, -ónen: r Professor, r Doktor, r Rektor, r Inspektor, r Konditor, r Assessor, r Dämon; r Motor, r Generator, r Rotor, ferner s Ion;

b) ebenso mit Plural auf -n, -en: r Konsul, r Nerv, s Interesse, s Insekt, r Magnet (auch schwach), r Atlas (des Atlasses, Plural: die Atlanten und Atlasse), r Globus (des Globusses, Plural: die Globen und Globusse);

c) ebenso die lateinischen Wörter auf -um: s Verbum oder Verb, Plur.: Verben, s Individuum, Plur.: Individuen; — Wörter auf -ium haben im Plural -ien (sprich zweisilbig, unbetont: i -en): s Gymnasium, s Auditorium, s Krematorium.

§ 36. Gleichlautende Substantive mit verschiedener Bedeutung (Homonyme)

I. Gruppe. — Verschiedenes Geschlecht, verschiedene Bedeutung, aber gleiche Pluralform:

Singular	Plural
der Messer (zum Messen) das Messer (zum Schneiden)	die Messer
der See (r Landsee) die See (s Meer)	die Seen

II. Gruppe. — Plural nur bei einer von beiden Bedeutungen:

der Erbe, die Erbin (r Nachkomme)	— die Erben, Erbinnen
das Erbe (e Hinterlassenschaft)	
der Gehalt (r Inhalt)	
das Gehalt (e Besoldung)	— die Gehälter
der Kunde (r Käufer)	— die Kunden
die Kunde (e Nachricht)	
die Mark (s Grenzland)	— die Marken
die Mark (s Geld)	
das Mark (r organische Stoff)	
[die Marke (s Wertzeichen)	— die Marken]
der Tau (e Feuchtigkeit)	
das Tau (r dicke Strick)	— die Taue
der Verdienst (e Geldeinnahme)	
das Verdienst (e gute Tat)	— die Verdienste

III. Gruppe. — Verschiedenes Geschlecht und verschiedene Pluralformen bei verschiedener Bedeutung:

der Band (s Buch)	— die Bände
das Band (r Stoffstreifen)	— die Bänder
der Bauer (r Landmann)	— die Bauern
das Bauer (r Vogelkäfig)	— die Bauer
der Bund (e Vereinigung)	— die Bünde
das Bund (s Bündel)	— die Bunde
der Flur (r Gang)	— die Flure
die Flur (s Feld)	— die Fluren
der Kiefer (r Gesichtsknochen)	— die Kiefer
die Kiefer (r Nadelbaum)	— die Kiefern
der Leiter (r Vorsteher)	— die Leiter
die Leiter (zum Steigen)	— die Leitern
der Schild (e Schutzwaffe)	— die Schilde
das Schild (e Aushängetafel)	— die Schilder
die Steuer (e Geldabgabe)	— die Steuern
das Steuer (s Lenkrad)	— die Steuer
der Tor (r Narr)	— die Toren
das Tor (e große Tür)	— die Tore

IV. Gruppe. — Gleicher Singular, verschiedene Pluralform mit verschiedener Bedeutung

die Bank	das Wort
die Bänke (Sitzplätze)	die Worte (mit Zusammenhang)
die Banken (Geldinstitute)	die Wörter (ohne Zusammenhang, Vokabeln)

das Gesicht
die Gesichte (Visionen)
die Gesichter (ein Teil des Kopfes)

Übung 125: Setzen Sie den Artikel: 1. Die kinderreichen Familien zahlen ein- gering- oder kein- Lohnsteuer; die Ledigen müssen hoh- Steu- zahlen. 2. Der Fahrer sitzt an — Steuer des Autos. 3. — Messer dient zum Schneiden. 4. — See ist ein großer Teich. 5. — See trennt Kontinente und wird von Riesendampfern befahren. 6. Dieses Gesicht hat eine schöne Form, aber kein- tief- Gehalt. 7. Der Beamte oder Angestellte bekommt monatlich — Gehalt. 8. — Kiefer ist ein Nadelbaum. 9. — Leiter des Geschäfts ist ein tüchtiger Kaufmann. 10. Am frühen Morgen liegt — Tau auf den Gräsern und Blättern. 11. — Tau ist ein sehr dicker Strick für Schiffe.

Übung 126: Ergänzen Sie: 1. Der Kaufmann bedient — Kunde. 2. — Tor der Stadt wurde in der Nacht geschlossen. 3. — Nordsee ist rauher als — Ostsee. 4. Dieser Beamte erhält ein niedrig- Gehalt. 5. In diesen Sommerferien reisen wir in das Gebirge oder an — See. 6. — Bodensee wird von vielen Reisenden besucht. 7. Du hast dir einen schönen Hut gekauft, aber — Band gefällt mir nicht. 8. Im Winter sind die Wälder und Flur- mit Schnee bedeckt. 9. Der Sturm zerriß — Tau des Schiffes. 10. Drei Söhne teilten sich in (Akk.) — Erbe ihres Vaters. 11. Der Mann hat sein- ganz- Verdienst vertrunken. 12. — Kunde von dem Unglück wurde durch den Rundfunk schnell verbreitet. 13. An den Wegen im Park sitzen viele Leute auf den — (Bank). 14. Viele — (Wort) in dieser Erzählung sind mir unbekannt. 15. (Kiefer) — bilden in — Mark Brandenburg große Waldungen. 16. In der Inflationszeit wurden viele — (Bank) gegründet.

Übung 127: Setzen Sie den bestimmten Artikel: 12. — Verdienst des Erfinders an Geld ist nicht hoch, aber — Verdienst um die Wissenschaft ist unschätzbar. 13. Ich nehme — Leiter, steige hinauf und pflücke die Äpfel. 14. In — Kief- sitzen die Zähne. 15. — Kunde geht in den Laden und kauft, was er braucht. 16. — Kunde von dem Tode des Königs verbreitete sich schnell. 17. Die Schulden des toten Vaters sind für die Kinder ein schlecht- Erb-; man versteht, daß — Erb- gern auf — Erb- verzichten möchten. 18. — Mark befindet sich in den Knochen. 19. — Mark ist in der alten deutschen Sprache die „Grenze" oder das „Grenzland". 20. — Ostmark ist z. B. ein Name aus alter Zeit für das spätere Österreich. 21. — Marke klebt man auf den Brief; — deutsche Mark hat 100 Pfennige.

Übung 128 a: Setzen Sie den bestimmten Artikel bzw. ergänzen Sie: 22. — erste Band der Gedichte ist vergriffen. 23. — Band um seinen Hut ist verblaßt. 24. — Bauer sät das Korn. 25. — Bauer ist ein Käfig für den Vogel. 26. — frühere Völkerbund tagte in Genf. 27. — Bund Radieschen kostet 20 Pfennig. 28. — Schild war eine Schutzwaffe der Ritter. 29. — Schild hängt über der Tür des Ladens. 30. — Tor begeht Dummheiten. 31. — Tor des Parkes ist geöffnet. 32. Vor den Zimmern befindet sich — Flur oder — Diele. 33. Im Frühling grünt — Flur. 34. Am Sonntag sind die — geschlossen (Bank). 35. In dem Garten stehen jetzt neue — (Bank). 36. Der Redner sprach erhebende —, aber der Ausländer hat viele — nicht verstanden (Wort). 37. In dem Saale sehen wir viele unbekannte — (Gesicht). 38. Den Kranken quälen im Fieber furchtbare — (Gesicht, Pl.). 39. — Landmesser mißt die Größe des Gartens aus. 40. In den Geschäftsstraßen der Städte hängen an jedem Haus große — (Schild).

Übung 128 b: 1. (Bauer). Wohin bringen wir den Kanarienvogel? — — Wer arbeitet auf dem Felde? 2. (Leiter). Wer ist — des großen Werks? (Chemiker). — Wie kommen wir auf den Apfelbaum? (Wir nehmen . . . und klettern . . .). 3. (Bank). Worauf sitzen die Leute im Park? — Wohin bringt der Kaufmann sein Geld? 4. (Band). Wieviel — hat der „große Brockhaus" und wieviel der „kleine"? — Die Mädchen in dem Festzug hatten bunte Kleider und an den Hüten bunte —. 5. (Tor). Mach — weiter auf! Ich komme mit dem Auto so nicht durch. — kann in einer Stunde mehr fragen, als zehn Weise in einem Jahr beantworten können. 6. (Wort). Er macht bei seinem Sprechen gern viele große —. In jedem Wörterbuch sind — nach dem Alphabet geordnet. 7. (See). — (Bodensee) ist d- größt- — in Deutschland, — (Kaspisee) ist d- größt- — in Europa. — ist immer sehr viel größer als —. Nach kurzer Zeit sah man das Schiff nicht mehr, es war bereits auf hoh- —. 8. (Messer). Was steht in jeder Wohnung zum Messen des verbrauchten Gases und elektrischen Stromes? (Gas- und Elektrizitäts-Messer oder -Zähler). — Bei keinem Gedeck darf — fehlen, sonst wäre es nicht vollständig.

C. Das Adjektiv

§ 37. Überblick über die Deklination

a) Mit dem bestimmten Artikel

Sg.	N	der gute Mann	die gute Frau	das gute Kind
	G	des —en —es	der —en —	des —en —es
	D	dem —en —(e)	der —en—	dem —en —(e)
	A	den —en —	die —**e** —	das —**e** —
Pl.	N	die —en Männer	die —en —en	die —en —er
	G	der —en — er	der —en —en	der —en —er
	D	den —en — ern	den —en —en	den —en —ern
	A	die —en — er	die —en —en	die —en —er

b) Ohne Artikel oder mit Pronomen ohne Endung:

Sg.	N	solch guter Mann	solch gute Frau	solch gutes Kind
	G	— —**en** — es	— —er —	— —**en** —es
	D	— —em — (e)	— —er —	— —em —(e)
	A	— —en —	— —e —	— —es —
Pl.	N	— —e Männer	— —e —en	— —e —er
	G	— —er — er	— —er —en	— —er —er
	D	— —en — ern	— —en —en	— —en —ern
	A	— —e — er	— —e —en	— —e —er

c) Mit unbestimmtem Artikel oder mit Possessivpronomen:

Sg.	N	mein guter Mann	meine gute Frau	mein gutes Kind
	G	—es —en — es	—er —en —	—es —en —es
	D	—em —en — (e)	—er —en —	—em —en —(e)
	A	—en —en —	—**e** —**e** —	— —**es** —
Pl.	N	—e —en Männer	—e —en —en	—e —en —er
	G	—er —en —er	—er —en —en	—er —en —er
	D	—en —en —ern	—en —en —en	—en —en —ern
	A	—e —en —er	—e —en —en	—e —en —er

Für die Deklination des Adjektivs gelten drei Regeln:

a) Mit Artikel:

Das Adjektiv wird **schwach** dekliniert, d. h. alle Fälle haben die Endung -en, doch merken Sie fünf Nominative und Akkusative mit -e: der gut**e** Mann (Nom.), die gut**e** Frau (Nom.), die gut**e** Frau (Akk.), das gut**e** Kind (Nom.), das gute Kind (Akk.).

b) Ohne Artikel:

Das Adjektiv wird **stark** dekliniert, d. h. alle Fälle haben die Endungen des bestimmten Artikels (genauer: des Demonstrativpronomens „dieser"), doch merken Sie zwei schwache Genitive: solch gute**n** Mannes, solch gute**n** Kindes.

c) mit unbestimmtem Artikel oder Possessivpronomen:

Das Adjektiv wird **schwach** dekliniert, doch merken Sie die fünf starken Nominative und Akkusative: mein gute**r** Mann (Nom.), meine gut**e** Frau (Nom.), meine gut**e** Frau (Akk.), mein gute**s** Kind (Nom.), mein gute**s** Kind (Akk.).

d) Übersicht
zur Beachtung bei den folgenden Übungen:

1. Artikel (oder Pronomen usw.) mit starker Endung + Adjektiv	**Adjektiv schwach (a)**
2. Artikel (oder Pronomen usw.) ohne starke Endung + Adjektiv	**Adjektiv stark (b)**
3. Adjektiv ohne Artikel	**Adjektiv stark (b)**

4. Bei der Verbindung: Artikel (oder Pronomen usw.) zusammen mit Adjektiv steht die starke Endung nur einmal.

5. Mehrere Adjektive nacheinander haben gleiche Endungen.

Beispiele für die „Übersicht":

1. die alte*n* Bäume, bei eine*m* Kranke*n*, durch das klein*e* Fenster, in der linke*n* Tasche, wegen des lange*n* Tages;
2. mein alte*r* Vater, ein schöne*s* Haus, bei solch schlechte*m* Wetter, mit etwas gesunde*m* Menschenverstand;
3. rote*r* Wein, krank*e* Menschen, bei gute*m* Wetter;
4. bei solch schöne*m* Wetter oder: bei solch eine*m* schöne*n* Wetter, oder: bei solche*m* schöne*n* Wetter;
5. bei solch schöne*m*, warme*m* Wetter, bei solche*m* schöne*n*, warme*n* Wetter, unweit des schöne*n*, alte*n* Hauses.

a) Das Adjektiv mit dem bestimmten Artikel:

Das Adjektiv wird schwach dekliniert nach dem bestimmten Artikel, ebenso nach den Pronomen: dieser, jener, mancher, solcher, welcher, jeder, derjenige, derselbe; nach den Zahlwörtern: beide, alle.

Übung 129: Lesen Sie folgende Wortverbindungen mit den Adjektivendungen: Das schön- Land, dieser alt- Mann, jede fleißig- Schülerin, solches groß- Auto, jene jung- Dame, manche schwer- Wörter, der stark- Frost, welche bunt- Farbe, mancher neu- Hut, die freundlich- Lehrerin, jedes dick- Buch, welche gut- Hotels, solcher schön- Tag, alle klein- Kinder, jene bös- Krankheit, jedes hoh- Fenster, dieselben braun- Schuhe, diejenigen höher- Schulen, beide hübsch- Mädchen, solches schön- Theater.

Übung 130: Bilden Sie a) die Genitive, b) die Dative, c) die Akkusative der vorigen Wortverbindungen; d) setzen Sie, soweit sinnvoll, die Präpositionen „bei, für, zu, ohne" davor.

b) Das Adjektiv ohne Artikel:

Das Adjektiv wird stark dekliniert ohne Artikel und nach Zahlwörtern (2, 3, 4 usw.) sowie nach den folgenden Pronomen und unbestimmten Zahlwörtern ohne Endungen: manch, solch, welch, viel, wenig, etwas, mehr.

Übung 131: Lesen Sie die folgenden Wortverbindungen mit den Adjektivendungen: Manch arm- Mann, frisch- Butter, viel wertvoll- Material, vier neu- Schüler, solch schlecht- Wetter, welch groß- Zeit, offen- Türen, bunt- Papier, mehr dunkl- Brot, solch herrlich- Garten, wenig gut- Bücher, hundert fett- Gänse, etwas weiß- Marmor, manch krank- Frau, drei kalt- Tage, solch groß- Erfolg, rot- Tinte, viel frisch- Luft, wenig trocken- Holz, mehr glücklich- Tage.

Übung 132: Bilden Sie a) die Genitive, b) die Dative, c) die Akkusative dieser Wortverbindungen; d) setzen Sie, soweit sinnvoll, die Präpositionen „von, durch, mit, gegen" davor.

c) Das Adjektiv mit dem unbestimmten Artikel, mit dem Possessivpronomen sowie mit dem Zahlwort „kein":

Übung 133: Lesen Sie die folgenden Wortverbindungen mit den Adjektivendungen: mein alt- Hut, kein gesund- Kind, ihre hübsch- Töchter, euer groß- Garten, eine lang- Bank, unser klein- Häuschen, seine schwarz- Haare, deine klein- Schwester, ein grün- Blatt, kein richtig- Satz, sein jünger- Bruder, meine krank- Augen, Ihre letzt- Arbeit, eine hell- Lampe, keine neu- Wörter, unser alt- Lehrer, Ihre lieb- Eltern, deine deutsch- Übung.

Übung 134: Bilden Sie a) die Genitive, b) die Dative, c) die Akkusative dieser Wortverbindungen; d) setzen Sie, soweit sinnvoll, die Präpositionen „von, bei, für, gegen" davor.

Übung 135: Ergänzen Sie folgende Sätze: 1. Ein gut-, fleißig- Schüler besteht die Prüfung. 2. Der Vater eines gut-, fleißig- Schülers ist erfreut. 3. Der Staat gibt einem gut-, fleißig- Schüler ein freies Studium. 4. Der Lehrer lobt einen gut-, fleißig- Schüler.

Bilden Sie die Plurale dieser Sätze.

Übung 136: Bilden Sie das Partizip des Präsens nach folgendem Beispiel: Der Wagen fährt — der fahrende Wagen — die fahrenden Wagen (— ein fahrender Wagen — fahrende Wagen).

1. Der Knabe lernt. 2. Die Kuh brüllt. 3. Das Blatt fällt. 4. Das Kind spielt. 5. Die Katze springt. 6. Der Kaufmann reist. 7. Das Mädchen weint. 8. Der Wanderer singt. 9. Der Stern leuchtet. 10. Das Kind schreit.

Übung 137: a) Deklinieren Sie die Partizipien der Übung 136 mit den Substantiven in der Einzahl und Mehrzahl (Plural Nr. 6: die Kaufleute); b) verbinden Sie, soweit sinnvoll, Partizipien und Substantive mit den Präpositionen „nach, um, von, ohne".

Übung 138: Bilden Sie das Partizip des Perfekts und verwenden Sie es nach folgendem Beispiel: Der Lehrer fragt den Schüler. Der Schüler wird von dem Lehrer gefragt. Der von dem Lehrer gefragte Schüler (ein von dem Lehrer gefragter Schüler).

1. Der Junge lernt das Gedicht. 2. Die Polizei sucht den Dieb. 3. Ich schicke den Brief. 4. Die Dame kauft den Mantel. 5. Der berühmte Maler malt das Bild. 6. Der Kutscher schlägt das Pferd. 7. Die Sängerin singt das Lied. 8. Der Fußgänger findet die Brieftasche. 9. Leibniz begründete die Akademie der Wissenschaften in Berlin. 10. Der Baumeister erneuerte das alte Rathaus.

Übung 139: a) Deklinieren Sie die Partizipien mit den Substantiven im Singular und Plural; — b) verbinden Sie, soweit sinnvoll, Partizipien und Substantive mit den Präpositionen „mit, zu, durch, für".

Übung 140: Beantworten Sie folgende Fragen: a) mit dem b e s t i m m t e n A r t i k e l : 1. In welches Theater gehen Sie gern? (groß, neu). 2. Welchem Kaufmann borgt man Geld? (ehrlich, fleißig). 3. An welche Tage erinnern Sie sich gern? (schön, froh). 4. Mit wessen Hilfe hast du dich gerettet? (treuer, alter Freund). 5. Welche Blumen lieben die Schmetterlinge? (farbig, bunt, duftend). 6. Welcher Freundin erzählt das Mädchen sein Geheimnis? (treu, verschwiegen). 7. Welchem Bruder gleicht dieser Herr? (älter).

b) mit dem u n b e s t i m m t e n A r t i k e l : 8. Was für ein Mensch kann nicht hören? (taub); — nicht sehen? (blind); — nicht sprechen? (stumm); — nicht gehen? (lahm). 9. Gegen was für ein Gesetz kämpften die Revolutionäre (ungerecht). 10. Was für einem Handwerker vertraut der Hauswirt? (fleißig). 11. Was für einem Menschen soll man nicht glauben? (schmeichlerisch). 12. Was für ein Buch haben Sie gelesen? (neu, interessant). 13. Über was für eine Nachricht freuen sich die Menschen? (gut).

c) o h n e A r t i k e l : 14. Was für ein Wein ist das? (rot oder weiß?). 15. Was für Blut haben die Menschen? (warm, rot). 16. Mit was für Koffern ist er gereist? (groß, schwer). 17. Was für Milch löscht den Durst? (frisch, kühl). 18. Was für Studenten bestehen die Prüfung nicht? (nachlässig, faul). 19. Bei was für Wetter gehen wir spazieren? (schön, warm). 20. Durch was für Städte reisen Sie? (klein, alt). 21. Welches Bier trinken Sie gern? (hell oder dunkel?).

Zur Wiederholung der Deklination des Adjektivs

Übung 141: Ergänzen Sie die Adjektivendungen: Mein treu- Freund, der lang- Stock, wenig klein- Geld, ein gut sitzend- Hut, diese eng- Straße, manch glücklich- Tage, das alt- Haus, drei hoh- Berge, alle bunt- Blumen, deine sorglos- Jugend, unser fleißig- Sohn, jene lang- Bank, mehr rot- Tinte, sein neu- Anzug, jedes wild- Tier, viel größer- Freude, kein fruchtbar- Jahr, etwas warm- Regen, Ihre golden- Uhr, dasselbe schlecht- Wetter.

Übung 142: Bilden Sie von obigen Wortverbindungen a) die Genitive, b) die Dative, c) die Akkusative; — d) setzen Sie, soweit sinnvoll, die Präpositionen „nach, mit, ohne, durch" davor.

Übung 143: Ergänzen Sie die Adjektivendungen: Ein mächtig- Reich; welch ander- Dichter; die groß- Städte; eure kalt- Finger; solch klein- Kinder; solch ein klein- Kind; manche froh- Stunde; eine billig-

Sache; tausend schwierig- Fragen; keine schwierig- Fragen; solche schrecklich- Schmerzen; ein solch schrecklich- Schmerz; schön-, bunt- Bilder; derselbe fleißig- Student; lieb- alt- Freund; seine freundlich- Grüße; welcher ander- Dichter; sehr geehrt- Herr; sehr geehrt- gnädig- Frau; sehr geehrt- gnädig- Fräulein.

Übung 144: Bilden Sie a) die Genitive, b) die Dative, c) die Akkusative von obigen Wortverbindungen; — d) setzen Sie, soweit sinnvoll, die Präpositionen „bei, nach, um, gegen" davor (außer bei den drei letzten).

Übung 145: Ergänzen Sie: 1. Berlin ist eine groß- Stadt. Sie hat viele lang- und breit- Straßen, auf denen grün- Bäume stehen. Der alt- Teil der Stadt hatte auch noch eng- und krumm- Gassen, aber sie sind meist zerstört. Der Wiederaufbau und der wachsend- Verkehr werden auch hier breit- Plätze und geräumig- Straßen entstehen lassen.

2. Berlin hat viel grün- Anlagen. Der schönst- Park war der Tiergarten. Hier gab es mehrere klein- Seen, viel besucht- Kinderspielplätze und eine groß- Zahl hübsch-, schattig- Spazierwege. Dieser herrlich- Park ist auch ein Opfer des Krieges geworden. Fast all- groß- Bäume sind verschwunden, doch viele neu- und jung- Bäume wurden gepflanzt. Es wird aber hundert Jahre dauern, bis die Berliner wieder den alt- schön- Tiergarten haben werden.

3. Mitten durch die Stadt fließt die Spree, ein schmal- Fluß, der sich in einig- Kanäle verzweigt. Schwer- Lastkähne werden von stark- Schleppdampfern gezogen und in den günstig gelegen- Häfen entladen.

Übung 146: Ergänzen Sie:

Unser klein- Garten

1. Wir haben einen klein- Garten, der von einem eisern- Zaun umgeben ist. Vorn am Eingang steht eine solch groß- Menge der herrlichst- bunt- Blumen, daß wir uns in jedem neu- Sommer an ihren gelb-, rot- und blau- Blüten freuen. Alle vorübergehend- Leute sehen hinein, und mancher sagt: „Welch herrlich- Blumen! Und so viel bunt- Farben auf diesem klein- Stückchen Erde."

2. Danach folgt ein Plätzchen von derselben viereckig- Form. Hierher hat unsere fleißig- Mutter manche nützlich- Gemüse gepflanzt, damit während des ganz- Sommers immer frisch- Salat, rot- Radieschen oder grün- Gurken da sind und keine nötig- Küchenkräuter fehlen.

3. An der recht- Seite des Gartens haben wir einige Sträucher, besonders viele mit rot-, weiß- und schwarz- Johannisbeeren. An der link- Seite aber stehen unsere best- Freunde, zwei alt- Apfelbäume und drei jünger- Birnbäume. In jedem gut- Herbst hat die ganz- Familie ihre groß- Freude an den viel- herrlich- Früchten.

4. Ich kenne keine süßer- Birnen als unsere, welche die zwei kleiner- Bäume tragen, die deshalb meine besonder- Lieblinge sind. Auf dem dritt- Baum wachsen viel saftig- Kochbirnen, die wir als süß- Nachspeise bei manch sonntäglich- Mittagessen auf dem Tisch haben.

5. Die alt-, aber reichlich tragend- Apfelbäume beschenken uns fast jeden neu- Herbst mit derselben reich- Menge best- Äpfel, so daß wir noch diesen oder jenen gut- Freunden manches gefüllt- Körbchen schenken können. Ja, etwas Schöner- als unseren klein- Garten gibt's für uns nicht, und wir lieben ihn sehr.

Übung 147: Ergänzen Sie:

Die Schaufenster

1. In den Hauptstraßen einer groß- Stadt gibt es viel verschieden- Geschäfte mit breit-, herrlich- Schaufenstern. Welch schön- Sachen kann man dort bewundern! Am meist- bleiben die Damen stehen, denn sie brauchen immer etwas Neu-, Schön- und Nützlich- für die Wirtschaft, für sich selber oder ihre Lieb- zu Hause.

2. Hier ist ein groß- Geschäft, das die verschiedenst- Arten Stoffe, Wäsche und Kleider in zwei groß- Schaufenstern zeigt. In dem erst- sehen wir viel weiß- und bunt- Muster von baumwollen-, leinen- und seiden- Wäsche für Herren, Damen und Kinder. Dazwischen liegen seiden-, baumwollen- oder leinen- Stoffe in hell- Farben und alles in solch groß- Auswahl, daß jeder suchend- Käufer etwas finden wird.

3. Im zweit- Fenster stehen groß- Puppen mit übergezogen- Damenkleidern. Da gibt es dunkl-, wollen- Straßenkleider, hell-, baumwollen- Hauskleider und leicht-, seiden- Gesellschafts- und Ballkleider. Da stehen immer viel jung- Damen, aber auch manch älter- ist dazwischen. Sie überlegen, welche dunkl- oder hell- Farbe, welcher leicht- oder schwer- Stoff und welche modern- Form sie für ihr nächst- Kleid nehmen werden.

4. Daneben sehen wir ein groß-, schön- Geschäft mit verschieden- Sachen, die der Herr braucht. Da liegen im Fenster in lang- Reihen viel seiden- und kunstseiden- Krawatten, blau-, rot-, braun- und ander- mit

prächtig-, bunt- Mustern. Hier liegen neu- Oberhemden und modern- Kragen, weiß- und farbig-, für jeden möglich- Geschmack etwas Brauchbar-. Da stehen viele Herren, mehr jünger- als älter-, und suchen, welch bunt- Oberhemd oder welch rot-, blau- oder gemustert- Krawatte sie sich zu ihrem baldig- Geburtstag wünschen wollen.

5. Daneben kommt ein ander- Geschäft mit ein- groß- Fenster voll von herrlich- Porzellan- und Glassachen. Das weiß- und bunt- Porzellan leuchtet uns entgegen, aber noch mehr strahlen die blank- Kristallgläser. Die Damen suchen solche weiß- oder farbig- Tassen, Teller usw., die gut zu ihren (den ihrig-) passen.

6. Aber da gibt es noch sehr, sehr viel groß- Geschäfte mit sehenswert- Schaufenstern, und man kann stundenlang durch die belebt- Straßen einer Großstadt gehen, wenn man alles sehen will.

§ 38. Komparation der Adjektive

(vgl. Die Komparation, Vorstufe S. 11)

1. Silber ist teuer.
   Silber ist *ein* teure*s* Metall.
2. Silber ist nicht *so* teuer *wie* Gold.
   Silber ist *ein* nicht *so teures* Metall *wie* Gold.
3. Gold ist teur*er als* Silber.
   Gold ist *ein* teur*eres* Metall *als* Silber.
4. Platin ist von allen Metallen *am* teuer*sten.*
   Platin ist von allen Metallen *das* teuer*ste.*

Beachten Sie: ebenso teuer — wie, nicht so teuer — wie
viel teurer — als, nicht teurer — als

Übung 148: Steigern Sie: alt* — jung*, arm* — reich, hart* — weich, kalt* — kühl — warm* — heiß, lang* — kurz*, breit — schmal, scharf* — stumpf, tief — hoch*, gut — schlecht, viel — wenig, klug* — dumm*, schwach* — stark*.

Adjektive mit * haben im Komparativ und Superlativ Umlaut.

Übung 149: Bilden Sie Sätze mit prädikativ oder adverbial gebrauchtem Komparativ und Superlativ, z. B. schnell: Auto, D-Zug,

Flugzeug: Das Auto ist schnell; der D-Zug ist schneller; das Flugzeug ist am schnellsten. 1. nett: dein Freund, dein Vetter, dein Bruder. 2. hoch (!): Wohnhaus, Universität, Kirchturm. 3. lang: Weser, Elbe, Rhein. 4. hübsch: seine Schwester, ihre kleine Freundin, meine Kusine. 5. warm: im Sommer Klima in Deutschland, Klima in Italien, Klima in Nordafrika. 6. fleißig: sein Bruder arbeiten, seine Schwester, er selbst. 7. wenig: Vater rauchen, Sohn, Tochter. 8. interessant: Journalist schreiben, Universitätsprofessor, berühmter Dichter. 9. weit: Junge springen, Sportler, Weltmeister. 10. gut (!): Junges Mädchen singen, Musik-Studentin, bekannte Opernsängerin.

Übung 150: Bilden Sie Sätze mit attributiv gebrauchtem Komparativ und Superlativ, z. B. Afrika, Amerika, Asien — großer Erdteil: Afrika ist ein großer Erdteil; Amerika ist ein größerer Erdteil; Asien ist der größte Erdteil (von allen). 1. Pferd, Ochse, Elefant — starkes Zugtier. 2. Fluß, See, Meer — tiefes Gewässer. 3. Eisenbahn, Auto, Flugzeug — modernes Verkehrsmittel. 4. Brocken, Schneekoppe, Zugspitze — hoher (!) Berg Deutschlands. 5. Haydn, Mozart, Beethoven — bedeutender Musiker. 6. Rilke, Hölderlin, Goethe — berühmter Dichter Deutschlands. 7. Kleists „Prinz von Homburg", Schillers „Wallenstein", Goethes „Faust" — bekanntes Drama. 8. Hyazinthe, Veilchen, Rose — haben herrlichen Duft. 9. Tischlampe, Kronleuchter, Scheinwerfer — geben helles Licht. 10. Durch Kaminheizung, durch Ofenheizung, durch Zentralheizung — man erhält eine warme Wohnung.

Übung 151: Setzen Sie die Positiv-, Komparativ- oder Superlativformen ein (beachten Sie: (Positiv:) so teuer — wie, (Komparativ:) teurer — als): 1. Der Vater meines Freundes ist ebenso — (alt) — meine Mutter. 2. Die Sperlingsgasse ist viel — (schmal) — die Breite Straße. 3. Dahlem ist einer der — (schön) Stadtteile Berlins. 4. Hannover war eine viel — (hübsch) Stadt — Stettin. 5. Berlin hat — (viel (!) und groß) Theater — Hamburg. 6. Mein Messer ist viel — (scharf und gut) — deins. 7. Ist dies der — (kurz) Weg zur Universität? Es ist nicht der — (kurz), aber der — (gut). 8. Talleyrand war — (bedeutend) — Metternich; er war der — (bedeutend) Diplomat seiner Zeit. 9. Die — (alt) Studenten arbeiten viel — (fleißig) — die — (jung); die Prüfungskandidaten arbeiten — (fleißig). 10. Viele (Superl.) Arbeiter fahren um sechs oder sieben Uhr morgens zur Fabrik.

§ 39. Adjektive und Partizipien als Substantive

Der Reisende ging in das Hotel.
Ein Reisende*r* verlor seine Fahrkarte.
Die Reisende*n* sitzen im Speisewagen.
Reisend*e* müssen aufeinander Rücksicht nehmen.

Beachten Sie: Substantivische Adjektive und Partizipien werden ebenso dekliniert wie die Adjektive.

Übung 152: Setzen Sie die Endungen: 1. Der Gesandt- (ein Gesandt-) wurde in die fremde Hauptstadt geschickt. 2. Gesandt- sind Diplomaten. 3. Ein Gelehrt- reiste ins Ausland. 4. Der Gelehrt- schrieb ein wichtiges Buch. 5. Der Deutsch- hatte einen amerikanischen Freund. 6. Die Deutsch- sprechen nicht alle dieselbe Mundart. 7. Ein Deutsch- segelte über den Atlantischen Ozean. 8. Der Fremd- suchte eine Wohnung. 9. Auf der Straße steht ein Fremd-. 10. Mein Freund hat Verwandt- im Ausland. 11. Die Verwandt- helfen ihm. 12. Der Beamt- wurde entlassen; ein neuer Beamt- wurde angestellt.

Übung 153: Ebenso: 1. Der Taubstumm- wurde auf der Straße von einem Auto überfahren. 2. Der Hund führt den Blind- sicher durch alle belebten Straßen. 3. Von dem Tot- erzählen die Leute, daß er im Zimmer verbrannt ist. 4. Der Zustand des Krank- wird von Tag zu Tag besser. 5. Der Stumm- versucht oft vergebens, sich durch Zeichen verständlich zu machen. 6. Wir gehen mit unserm Bekannt- heute abend ins Theater. 7. Die Polizisten brachten den Verhaftet- in einem Auto zum Polizeiamt. 8. Die Leiche des Ertrunken-, der im Dezember auf dem Eis eingebrochen war, wurde erst im März in dem Wasser gefunden. 9. Der aus dem Feuer Gerettet- lag lange ohne Bewußtsein. 10. Niemand kannte den Verunglückt-.

Übung 154: Lesen Sie die Sätze a) mit dem Plural des substantivischen Adjektivs: Die Taubstummen wurden usw., b) mit der weiblichen Form, z. B.: Die Taubstumme wurde usw.

Übung 155: Lesen Sie a) die substantivischen Adjektive der Übung 153 mit dem u n b e s t i m m t e n Artikel (außer Satz 10), z. B.: Ein Taubstummer wurde usw.; b) lesen Sie die Sätze (außer 3, 4, 8, 9, 10) ebenso im Plural, also o h n e Artikel, z. B.: Taubstumme wurden usw.

§ 40—43. Die Rektion der Adjektive

§ 40. Adjektive mit dem Akkusativ

> Das Kind ist *einen Monat alt.*
> Der Weg ist nur *einen Schritt breit.*

1. Alle Adjektive, die einen Akkusativ erfordern, beziehen sich auf ein Maß des Raumes, der Zeit, des Gewichts, des Wertes oder Preises. Diese Maße stehen im Akkusativ.

2. Hierher gehören: alt, breit, dick, groß, hoch, tief, lang, schwer, weit.

Übung 156: Beantworten Sie folgende Fragen: 1. Wie hoch ist das Zimmer? 2. Wie groß war die Einwohnerzahl Berlins 1938? (über 4 Millionen) 3. Wie breit ist die Elbe an ihrer Mündung? (15 km) 4. Wie hoch ist der Kölner Dom? (156 m) 5. Wie dick ist das Eisenblech? (1 mm) 6. Wie „alt" ist das Thermometer? (1709 von Fahrenheit erfunden) 7. Wie weit fuhr die erste elektrische Eisenbahn? (300 m, auf der Berliner Gewerbe-Ausstellung 1879) 8. Wie schwer ist ein Kubikzentimeter (ccm) Quecksilber? (13,5 g) 9. Wie tief ist der Atlantische Ozean an seiner tiefsten Stelle? (8526 m) 10. Wie lang ist der Rhein? (1320 km) 11. Wie alt ist das kleine Kind? (1 Monat) 12. Wie groß ist dieser Junge? (genau 1 m).

§ 41. Adjektive mit dem Dativ

> 1. Gute Sprachkenntnisse sind *jedem Menschen nützlich.*
> 2. Der Hund ist *seinem Herrn treu.*
> 3. Die Tochter ist *der Mutter*, der Sohn *dem Vater ähnlich.*

Einige Adjektive erfordern ein Objekt im Dativ. Es sind die Adjektive mit der Bedeutung:

1. n ü t z l i c h - s c h ä d l i c h : dienlich, bekömmlich, möglich, nützlich, schädlich.

2. f r e u n d l i c h - f e i n d l i c h : angenehm, behilflich, dankbar, folgsam, gehorsam, gleichgültig, lieb, treu.

Anmerkung: „freundlich" und „feindlich" selbst werden nicht mit dem Dativ verbunden, sondern man sagt: er ist freundlich zu mir, zu jedem Menschen; — er ist mir feindlich gesinnt, er verhält sich feindlich gegen mich.

3. g l e i c h - u n g l e i c h : ähnlich, bekannt, fremd, gleich, recht, schuldig, schwer, überlegen, wichtig.

Übung 157: Ergänzen Sie folgende Sätze: 1. Die lange Trockenheit ist — Wachstum der Pflanzen schädlich. 2. Vieles ist — Ausländer fremd, der zum erstenmal in ein anderes Land kommt. 3. Das Wohl der Kinder ist — Vater und — Mutter — nicht gleichgültig (sehr wichtig). 4. Es ist oft — (unser bester) Freund nicht lieb, wenn wir ihm die Wahrheit sagen. 5. Selten sind Kinder — Eltern so ähnlich wie die jüngste Tochter — Mutter. 6. Die schweren, fetten Speisen waren — (Kranker) nicht bekömmlich. 7. Die englische Flotte war — deutsche Flotte an Zahl der Schiffe weit überlegen. 8. Der hohe Preis war — Käufer nicht angenehm. 9. Ich bin — Freund für jeden nützlichen Rat dankbar. 10. Das gute Kind war — Mutter (— Vater, — Eltern) stets folgsam.

Übung 158: Ebenso: 1. Es ist — (ich) sehr angenehm (lieb, recht), daß es — (du) möglich ist, mich morgen zu besuchen. 2. Ein gutes Wörterbuch ist — (Lernender) sehr dienlich (wichtig, nützlich). 3. Die neue Anschrift des Ausländers ist — (ich) bekannt, aber seine jetzige Fernsprech-Nummer ist — (ich) unbekannt. 4. Mein Bruder ist — (ich) in keiner Hinsicht gleich; er ist — (ich) äußerlich nicht ähnlich, und im Charakter ist er — (ich ganz fremd. (Bilden Sie ähnliche Sätze: Dein Bruder ist dir . . ., ihr Bruder . . ., unser Bruder . . .). 5. Es ist — Eltern (alter Mann, viele Menschen) sehr schwer, die Heimat zu verlassen. 6. Ein guter Beamter ist — Regierung treu und — (seine Vorgesetzten) angenehm. 7. Alle Kinder sind — Eltern gleich lieb, jedes ist — gleich angenehm, und keins ist — gleichgültig; (jedes Kind) — sind sie behilflich, wann und wo sie können; aber jedes Kind soll auch — Eltern gehorsam (folgsam) und — (sie) immer treu und dankbar sein, wann und wie es kann. 8. D e r e i n e , d e r a n d e r e , a u c h i m P l u r a l u n d F e m i n i n u m : Was — angenehm ist, das ist — unangenehm; was — nützlich ist, das ist — schädlich; was — bekannt ist, das ist — unbekannt; was — gleichgültig und unwichtig ist, das erscheint — gar nicht gleichgültig, sondern sehr wichtig.

§ 42. Adjektive mit dem Genitiv

Der Angeklagte ist sich *keiner Schuld bewußt.*

1. Es gibt einige Adjektive, die man mit dem Genitiv verbinden kann; jedoch ist diese Anwendung in der alltäglichen Sprache selten.

2. Hierzu gehören: bewußt, bedürftig, eingedenk, fähig, gewiß, kundig, müde, schuldig, sicher.

3. Wie man diese Genitive vermeidet, zeigt Übung 160.

Übung 159: Beantworten Sie folgende Fragen: 1. Wessen ist die Mutter bedürftig? (Ruhe und Pflege). 2. Wessen ist sie gewiß? (Verschickung in ein Erholungsheim). 3. Wessen ist der gute Mensch unfähig? (Verbrechen). 4. Wessen ist der Angeklagte verdächtig? (Mord an seiner Wirtin). 5. Wessen war der Sänger gewiß? (großer Erfolg). 6. Wessen ist der Fremde in dem großen Walde unkundig? (jeder Weg). 7. Wessen ist der Seemann in allen Gefahren sicher? (treue Hilfe der Kameraden). 8. Wessen ist der dankbare Sohn stets eingedenk? (Mühe und Arbeit der Eltern). 9. Wessen ist sich der fleißige Student bewußt? (Pflicht, fleißig zu arbeiten). 10. Wessen ist ein Mädchen sicher, das der Freundin ein Geheimnis erzählt? (Verschwiegenheit, Freundin). *

Übung 160: Ergänzen Sie die folgenden Sätze: 1. Die arme Frau ist — Hilfe bedürftig (= die Frau braucht . . .). 2. Mancher Mensch ist sich — (kein Fehler) bewußt (= weiß nicht . . ., kennt nicht . . .). 3. Ein böser Mensch ist — (jedes Verbrechen) fähig (= kann . . . begehen). 4. Der Bankbeamte ist — Unterschlagung verdächtig (= man denkt, er hat . . .). 5. Der Minister ist — (Landesverrat) schuldig (= man weiß, er hat . . .). 6. Ich bin (du, er . . .) mein — Sache sicher (= ich weiß, daß . . .). 7. Der Student war — (Ausfall der Prüfung) nicht gewiß (= wußte nicht, wie . . .). 8. Der Fremde ist hier — (Weg) nicht kundig (= er kennt nicht . . .). 9. Die Kinder waren — Ermahnung eingedenk (= dachten an . . .). 10. Die Reisenden sind — (Warten) müde (= wollen nicht länger . . .). *

§ 43. Adjektive mit präpositionalem Objekt

Vorbemerkung: Was über die Verben mit präpositionalem Objekt gesagt ist (s. § 32), gilt auch für die Adjektive, die als Ergänzung ein Objektiv mit Präposition erfordern.

Es folgen einige der wichtigsten Adjektive in alphabetischer Ordnung:

1. arm	an D	Deutschland ist arm an Gold und Silber.
2. aufmerksam	auf A	Der Student ist aufmerksam auf die Worte des Professors.
3. bekannt	mit D	Der Ausländer ist mit einigen Deutschen bekannt.
4. blaß, rot	vor D	Das Mädchen wird blaß (rot) vor Furcht.
5. böse	auf A	Die Mutter ist böse auf das unfolgsame Kind.
6. eifersüchtig	auf A	Die Schwester ist auf ihre hübsche Schulfreundin eifersüchtig.
7. fähig	zu D	Der kranke Student ist zur Vorbereitung auf die Prüfung nicht fähig.
8. fertig	mit D zu D	Der fleißige Schüler ist mit der Hausarbeit schnell fertig. — Ich bin fertig zur Reise.
9. frei	von D	Der Kranke ist nach der Operation frei von seinen Schmerzen.
10. freundlich	zu D gegen A	Der gute Mensch ist freundlich zu allen Menschen (auch: gegen alle Menschen).

Übung 161: Bilden Sie Sätze: 1. Lehrer böse — Schüler wegen der schlechten Arbeit. 2. Alle Menschen freundlich — Kinder. 3. In der Urlaubszeit Arbeiter frei — jede Arbeit. 4. Diplomat bekannt — viele Ausländer. 5. In seiner Jugend mancher große Künstler arm — irdische Güter. 6. Am ersten Ferientage niemand fähig — ernste Arbeit. 7. Sängerin eifersüchtig — Erfolge Konkurrentin. 8. Polizisten aufmerksam — Diebe in großen Warenhäusern. 9. Kranker bald rot und bald blaß — Schmerzen. 10. Fauler Schüler den ganzen Nachmittag sitzen und — Hausarbeit nicht fertig werden, aber schnell fertig — Spielen.

11. froh, glücklich	über A	Der Student ist froh (glücklich) über die bestandene Prüfung.
12. nachlässig	in D	Der schlechte Beamte ist nachlässig in seinem Dienst.
13. neidisch	auf A	Der Arme ist neidisch auf das Glück des Reichen.
14. reich	an D	Deutschland ist reich an Kohlen.
15. stolz	auf A	Jeder ist stolz auf sein Vaterland.
16. überzeugt	von D	Der Gelehrte ist von der Richtigkeit seiner Theorie überzeugt.
17. verliebt	in A	Die Schwester ist in den hübschen Vetter verliebt.
18. verschieden	von D	Der jüngste Bruder ist sehr verschieden von seinen Geschwistern.
19. voll	von D	Der Platz ist voll von vielen frohen Menschen.
20. zufrieden	mit D	Der Professor war zufrieden mit den Antworten des Studenten.

Übung 162: Bilden Sie Sätze: 1. Mit zunehmendem Alter Menschen reicher werden Erfahrungen. 2. Händels Vater nicht überzeugt musikalisches Talent Sohn. 3. Lehrer zufrieden fleißiger Schüler, unzufrieden fauler Schüler. 4. Jede Mutter stolz berühmter Sohn. 5. Mensch Norden Europas sehr verschieden Mensch Süden Europas. 6. Eltern froh und glücklich Erfolge ihre Kinder. 7. Bei dem letzten Konzert großer Geiger war Saal voll begeisterte Freunde gute Musik. 8. Bruder neidisch Spielsachen Schwester. 9. Maler ganz verliebt wunderbare Gebirgslandschaft. 10. Schüler nachlässig Unterricht und seine Hausarbeiten.

Zur Wiederholung

Übung 163: Bilden Sie Sätze: 1. Student Doktorarbeit fertig, Professor diese Arbeit zufrieden. 2. Nur große Menschen sind groß- Taten fähig und überzeugt da-, daß Erfolg kommen wird. 3. Leben der meisten Menschen reich Mühen, Sorgen und Nöten, aber arm Glück und Freuden. 4. Mutter böse Tochter; sie ist wegen der Puppe neidisch kleine Freundin. 5. Seitdem Bruder ausländische Studentin bekannt, er verliebt sie. 6. Wer aufmerksam Worte Lehrer, vermeiden viele Fehler. 7. Wer nachlässig Arbeit, der Ergebnis nicht froh sein können. 8. Wer schwere Arbeit ganz fertig sein, der frei sein große Sorge. 9. Tiere und Pflanzen Australien sehr verschieden Tiere und Pflanzen andere Erdteile. 10. Alle Zeitungen voll- lang- Bericht- über das schreckliche Erdbeben in Japan. 11. Frau Mann böse, spät nach Haus kommen. 12. Schnell fertig ist die Jugend Wort (Schiller).

D. Das Pronomen

§ 44. Das Personalpronomen

A. Deklination des Personalpronomens

Vgl. Vorstufe S. 28, Das Personalpronomen)

Übung 164: Bilden Sie Satzreihen, z. B.: *Ich* habe einen Freund, er hilft *mir*, *du* hast einen Freund, er hilft *dir; er* hat . . ., er hilft *ihm* usw.

a) 1. Ich höre eine Oper; sie gefällt mir. 2. Ich habe einen Bruder; er ähnelt mir. 3. Ich trinke ein Glas Bier; es schmeckt mir. 4. Ich habe einen neuen Mantel; er sitzt mir. 5. Ich schreibe eine große Arbeit; sie gelingt (glückt) mir.

b) 6. Ich habe einen Freund; er besucht mich oft. 7. Ich habe Eltern; sie sorgen für mich. 8. Ich treffe einen Bekannten; er begleitet mich. 9. Ich höre die neue Nachricht; sie wundert mich nicht. 10. Ich habe Kopfschmerzen; sie quälen mich. 11. Ich lese ein Buch; es langweilt mich. 12. Ich bestehe die Prüfung; es freut mich.

c) 13. Ich habe einen Freund; er gedenkt meiner. 14. Ich kenne einen Ausländer; erinnert er sich meiner?

Übung 165: Ergänzen Sie die Pronomen: a) Das Kind liebt seine Mutter; es gehorcht — und folgt —; es braucht — und vertraut —; es kann nicht leben ohne —, es ist immer bei —; wenn es von — getrennt ist, ruft es nach —, möchte zu — eilen und — umarmen. Es tut alles für — und möchte — nie betrüben. Es ist — dankbar und erfreut —, wo es kann.

Sagen Sie diese Sätze b) vom Vater, c) von den Eltern.

Übung 166: a) Ergänzen Sie die Pronomen:

Lieber Freund! Ich habe — lange nicht geschrieben. Du wirst denken, ich habe — ganz vergessen. Aber glaube —, ich denke sehr oft an —. Dein Arzt sagte mir, daß er — an die See geschickt hat. Wie geht es —? Wie bekommt — das Baden? Erfrischt — die Seeluft oder schadet sie —? Wenn sie — nützt und — gesund macht, dann bleib recht lange. Wenn du — brauchst, werde ich — sofort besuchen und — helfen, soviel ich kann. Antworte — recht bald! Ich wünsche — gute Besserung und grüße — herzlich.

Dein Freund
X. Y.

Beachten Sie: **Die Pronomen der Anrede: Du, Deiner, Dir, Dich; Ihr, Euer, Euch; Deine, Ihre usw. werden in Briefen mit großen Anfangsbuchstaben geschrieben** (vgl. die höfliche Anrede: Sie, Ihr, usw.); s. Rechtschreibung § 95, 4.

b) Setzen Sie diesen Brief in den Plural: „Liebe Freunde!"

c) Schreiben Sie: „Sehr geehrter Herr!"

B. Wortstellung des Personal-Pronomens im Dativ und Akkusativ

Die Bibliothek leiht dem Studenten ein Buch
Die Bibliothek leiht *es* *ihm*

Beachten Sie: Der (längere) Dativ des Pronomens steht hinter dem (kürzeren) Akkusativ!

Übung 167: Setzen Sie die Pronomen nach obigem Beispiel ein: 1. Gefallen dir diese Bilder? Ich schenke — —. 2. Möchtest du dieses Buch lesen? Ich borge — — gern. 3. Der Kranke darf nicht rauchen; der Arzt hat — — verboten. 4. Der Kellner hat die Rechnung gebracht; ich bezahle — — sogleich. 5. Unser Freund hat viel für uns getan; wie können wir — — lohnen? 6. Der Buchhändler sagt: „Das Buch ist augenblicklich vergriffen; aber nach einer Woche können wir — — schicken." 7. Wie benutzt man diesen Photoapparat? Bitte zeigen Sie — —! 8. Mir fehlt meine Geldtasche; hoffentlich hat — — niemand gestohlen. 9. Was gibt's Neues? Erzähle — —! 10. Liegt dort die heutige Zeitung? Bitte reiche — —! 11. Es regnet, hast du keinen Schirm? Nimm meinen, ich bringe — — sofort! 12. Du hast meinen Ring genommen, bitte gib — — wieder! 13. Mutti, darf ich Sonntag ins Kino gehen? Ja, ich erlaube — —. 14. Schenkst du mir auch das Geld dafür? Ja, ich schenke — —.

Übung 168: Ersetzen Sie Dative und Akkusative der Substantive durch Pronomen: 1. Ich zeige dem Freunde das Bild. 2. Ich sende den Eltern eine Nachricht. 3. Der Diplomat verrät den Feinden kein Geheimnis. 4. Der Arzt machte dem Kranken große Hoffnungen. 5. Die Bank borgt den Kaufleuten Geld. 6. Der Lärm raubt dem Gelehrten die Ruhe. 7. Der deutsche Student zeigt dem Ausländer die Universität. 8. Ich habe diese Neuigkeit schon gehört; mein Freund hat — — mitgeteilt. 9. Das Haus ist unser Eigentum, denn die Eltern haben — — geschenkt. 10. Ihr seid in Not? Hier ist Geld, wir leihen — — gern. 11. Der Gelehrte opfert der Wissenschaft seine Gesundheit. 12. Der Briefträger bringt den Leuten Briefe und Zeitungen. 13. Die Schneiderin macht der Mutter ein neues Kleid. 14. Der Photograph entwickelt dem Vater die Aufnahmen.

C. Adverbiale Demonstrativ- und Interrogativ-Pronomen

Ich schreibe an den Freund = *an wen?* — *an ihn* (Person).
Ich schreibe etwas an die Tafel = *woran?* — *daran* (Sache).
(*nicht:* an was) — (*nicht:* an sie)

1. Personen:			2. Sachen:		
a)	bei wem?	bei ihm	a)	wobei?	dabei
	durch wen?	durch ihn		wodurch?	dadurch
	für wen?	für ihn		wofür?	dafür
	gegen wen?	gegen ihn		wogegen?	dagegen
	mit wem?	mit ihm		womit?	damit
	nach wem?	nach ihm		wonach?	danach
	neben wem? / neben wen?	neben ihm / neben ihn		woneben?	daneben
	von wem?	von ihm		wovon?	davon
	vor wem? / vor wen?	vor ihm / vor ihn		wovor?	davor
	zu wem?	zu ihm		wozu?	dazu
b)	an wem? / an wen?	an ihm / an ihn	b)	woran?	daran
	auf wem? / auf wen?	auf ihm / auf ihn		worauf?	darauf
	aus wem?	aus ihm		woraus?	daraus
	in wem? / in wen?	in ihm / in ihn		worin?	darin
	über wem? / über wen?	über ihm / über ihn		worüber?	darüber
	um wen?	um ihn		um was? / worum?	darum
	unter wem? / unter wen?	unter ihm / unter ihn		worunter?	darunter

1. Bei Personen gebraucht man
in der Frage: Präposition + wer,
in der Antwort: Präposition + Personalpronomen;

2. bei Sachen gebraucht man
in der Frage: wo (nicht „was") + Präposition,
in der Antwort: da (nicht „das") + Präposition.

3. Zwischen zwei Vokalen wird ein r eingefügt; es heißt dann also: wor- und dar- (anstatt wo- und da-), vgl. Tabelle: 2. Sachen b.

4. Für „worum" sagt man meist „um was".

5. Die meisten von diesen adverbialen Demonstrativ-Pronomen können außer mit da(r)- auch mit hier- gebildet werden, z. B. hierbei, hierdurch, hierauf usw.; „hier-" ist seltener und weist auf das hin, was näher liegt, „da(r)-" auf das, was weiter entfernt ist.

Übung 169: a) Hat das Mädchen den Ofen geheizt? Nein, es hat nicht (an das Heizen) daran gedacht. Beantworten Sie in ähnlicher Weise die folgenden Fragen: 1. Die Dame hat ein neues Kleid gekauft; was hat sie (für das Kleid) gezahlt? 2. Ein Deutscher wurde Sieger im Autorennen; hast du (von dem Siege) gehört? 3. Hast du mit deinen Bekannten über das Konzert gesprochen? 4. Hast du dich über den Brief gefreut? 5. Denkst du gern an deinen Aufenthalt in Berlin? 6. Die Jungen haben ein Messer gefunden; was machen sie (mit dem Messer)? (Sie spielen ...).

b) Bilden Sie Fragen und Antworten: 7. Die Großmutter freut sich auf das Wiedersehen mit den Kindern und Enkeln. 8. Die Großmutter freut sich auf ihre Kinder und Enkel. 9. Der Vater besinnt sich nicht auf den Namen des Schulfreundes. 10. Der Vater besinnt sich sehr genau auf alle Schulfreunde. 11. Der Gelehrte kämpft gegen Irrtümer und falsche Meinungen. 12. Der Gelehrte kämpft gegen die Lehrer von Irrtümern und falschen Meinungen. 13. Die Eltern sehnen sich nach ihren Kindern. 14. Der Ausländer sehnt sich nach seiner Heimat. *

Übung 170: Bilden Sie Fragen und Antworten nach folgendem Beispiel: Er hofft a) auf den Vater, b) auf die Zukunft — a) auf wen hofft er? auf ihn; b worauf hofft er? darauf. 1. Er kämpft gegen das Schicksal, gegen seine Feinde. 2. Er herrscht über das Land, über die Bürger. 3. Er sorgt für die Kinder, für die Zukunft. 4. Er fragt nach dem Weg, nach den Freunden. 5. Er fürchtet sich vor den Menschen, vor den Gefahren. 6. Er spricht über seine Reise, über seine Nachbarn. 7. Er hört auf das Geschrei der Kinder, auf die Mutter. 8. Er schützt sich gegen *

Diebe, gegen Erkältung. 9. Er gewöhnt sich an seine neue Umgebung, an fremde Menschen. 10. Er irrt sich in der Hausnummer, in seinen Freunden.

* **Übung 171 a:** Fragen und antworten Sie ebenso in folgenden Sätzen: 1. Ich wandere mit einem Bekannten. 2. Ich sehe mit der Brille. 3. Ich freue mich über die Blume. 4. Er redet lieblos von seinen Verwandten. 5. Ich denke an einen Toten. 6. Ich denke an die Vergangenheit. 7. Ich warte auf eine Dame. 8. Ich warte auf einen Geldbrief. 9. Er hilft mir mit allem, was er hat. 10. Die Mutter trauert um ihren Sohn. 11. Alle Menschen streben nach Glück. 12. Ich frage nach der Gattin eines Bekannten.

* **Übung 171 b:** Wie vorher: 1. Man soll sich nicht über das ärgern, was nicht zu ändern ist. 2. Die Frau zweifelt an der Treue der Männer, sie zweifelt nicht an ihrem Mann. 3. Alle rufen immer nach besseren Zeiten, aber selten nach besseren Menschen. 4. Der Reisende verläßt sich nicht auf den Hausdiener, sondern auf seine Weckeruhr. 5. Der fremde Gelehrte ist mit den deutschen Verhältnissen wenig bekannt, mit vielen deutschen Professoren aber sehr gut. 6. Wenige Menschen sind mit der Welt zufrieden; aber war die Welt immer mit ihnen zufrieden? 7. Kinder fürchten sich vor den Dingen, die Erwachsenen vor den Menschen. 8. Im fremden Lande sehnen wir uns nach unserer Heimat und unseren Freunden. 9. Die Frau ist eifersüchtig auf ihren Mann; ist das ein Beweis für ihre Liebe oder für ihre Eigenliebe?

Vgl. auch Übung 188.

§ 45. Das Reflexivpronomen

(Vgl. Vorstufe S. 28, Das Reflexivpronomen)

Übung 172: Bilden Sie Satzreihen, z. B. *Ich merke mir* das Wort; *du* merkst *dir* das Wort; *er* merkt *sich* usw.; — lesen Sie die Sätze auch mit: du . . ., er . . ., ihr . . .

a) 1. Ich suche mir einen Platz. 2. Ich habe kein Geld bei mir. 3. Ich bestelle mir noch ein Glas Bier. 4. Ich helfe mir, so gut ich kann. 5. Ich kaufe mir einen Mantel; er sitzt mir gut. 6. Ich traue mir diese Arbeit zu. 7. Ich kann mir diese Dummheit nicht verzeihen. 8. Ich schade mir in den Augen der Menschen.

b) 9. Ich denke nur an mich. 10. Ich brauche das Geld für mich. 11. Ich stoße mich an der Tür. 12. Ich schütze mich vor einer Erkältung. 13. Ich sehe mich im Spiegel. 14. Ich bediene mich selbst. 15. Ich quäle mich den ganzen Tag mit Kopfschmerzen. 16. Ich kümmere mich nicht darum; es geht mich nichts an. 17. Ich kaufe mir einen Hut; er kleidet mich (steht mir) gut.

c) 18. Ich erfreue mich der besten Gesundheit. 19. Ich enthalte mich in dieser Sache jedes Urteils. 20. Ich erinnere mich meiner alten Urgroßmutter noch sehr deutlich. 21. Ich beschuldige mich der Undankbarkeit gegen meine Freunde. 22. Ich schäme mich meiner Unwissenheit. 23. Ich bediene mich meiner guten Beziehungen. 24. Ich klage mich einer schweren Nachlässigkeit an. 25. Ich erbarme mich meines alten, kranken Hundes (vgl. zu Übung 172 c: Verben mit Akk. u. Gen. § 31; auch für diese Genitive gilt die Regel 2 in §§ 30 und 31 sowie Regel 1 in § 42). *

§ 46. Das Possessiv-Pronomen

(Vgl. Vorstufe S. 28, Das Possessiv-Pronomen)

Ist das Ihr Mantel?
= 1. Ja, das ist *mein* Mantel (ohne Artikel) = adjektivisch
= 2. Ja, das ist *meiner* (ohne Artikel)
= 3. Ja, das ist der *meine* (mit Artikel)
= 4. Ja, das ist der *meinige* (mit Artikel)
(2.–4.) = substantivisch

	1.	2.	3.	4.
ich —	1. mein	2. meiner	3. der meine	4. der meinige
du —	dein	deiner	der deine	der deinige
er —	sein	seiner	der seine	der seinige
sie —	ihr	ihrer	der ihre	der ihrige
es —	sein	seiner	der seine	der seinige
wir —	unser	unsrer	der unsere	der unsrige
ihr —	euer	eurer	der eure	der eurige
sie —	ihr	ihrer	der ihre	der ihrige
Sie —	Ihr	Ihrer	der Ihre	der Ihrige

Deklination:

1. mein, meine, mein (Dekl. wie „ein"); Plural: meine (Dekl. wie „die' s. Deklination des Adjektivs § 37).
2. meiner, meine, meins; Plural: meine (Deklination wie „der").
3. der meine, die meine, das meine; Pl.: die meinen (Dekl. schwach).
4. der meinige, die meinige, das meinige; Pl.: die meinigen (Dekl. schwach), wird selten gebraucht.

Übung 173: Bilden Sie Satzreihen, z. B. *Ich sorge* für *meine* Mutter; *du* sorgst für *deine* Mutter; *er* sorgt usw.; — lesen Sie die Sätze auch mit: er . . ., ihr . . ., sie (Plur.) . . .: 1. Ich komme von meinen Eltern. 2. Ich gebe ihm Nachricht durch meinen Brief. 3. Ich gehe zu meinem Freunde. 4. Ich komme aus meiner Heimat zurück. 5. Ich höre das fremde Gespräch gegen meinen Willen. 6. Ich gehe jeden Morgen um 8 Uhr in mein Büro. 7. Ich treibe seit meiner Jugend Sport. 8. Ich verlebe den Sonntag mit meinen Bekannten. 9. Ich sorge mich um meine Freunde. 10. Ich freue mich, mit meiner Familie zu reisen.

Übung 174: Bilden Sie Satzreihen wie vorher: 1. Ich freue mich über meine neue Wohnung. 2. Ich sehne mich nach meiner Heimat und meinen Freunden. 3. Ich zanke mich nicht mit meinen Bekannten. 4. Ich vertiefe mich in meine Arbeit. 5. Ich bemühe mich um eine bessere Aussprache. 6. Ich irre mich nicht in meiner Ansicht. 7. Ich gewöhne mich an meine neue Umgebung. 8. Ich sehe meinen Freund; er ruft mich. 9. Meine Arbeit ist schlecht; der Lehrer ist nicht zufrieden mit mir. 10. Ich verdiene nichts; mein Vater sorgt für mich.

Übung 175: Bilden Sie Sätze nach folgendem Beispiel: Das ist nicht *mein* Platz, das ist *deiner* (oder: sondern *deiner*): Bleistift, Buch, Füller, Radiergummi, Heft, Tinte, Papier, Messer, Hut, Handschuhe, Fahrkarte, Briefe, Geld, Bilder, Koffer, Paket, Schirm, Mappe, Mantel, Gummischuhe.

Übung 176: Ergänzen Sie die Sätze nach folgendem Beispiel: *Ich* sitze nicht auf *meinem* Platz, sondern auf *deinem* (dem *deinen*, dem *deinigen*); ebenso: *du* nicht auf *deinem*, sondern auf *seinem; er* nicht auf *seinem*, sondern auf *ihrem* usw.: 1. Ich lese nicht in meinem Buch. 2. Ich schreibe nicht mit meiner Feder. 3. Ich schneide nicht mit meinem Messer. 4. Ich zeichne nicht mit meinem Bleistift. 5. Ich fahre nicht in meinem Wagen. 6. Ich bezahle die Bücher nicht aus meiner Tasche. 7. Ich lege die Sachen nicht auf meinen Tisch. 8. Ich kaufe das Geschenk nicht für meine Schwester. 9. Ich mache mir keine Sorgen um meinen Bruder. 10. Ich kümmere mich nicht um meine Sachen.

Übung 177: Setzen Sie in folgenden Übungen das Possessivpronomen ein: a) 1. Der Beamte ist zufrieden mit — Stellung, mit — Gehalt; er liebt — Kinder, — Arbeit, — Beruf. 2. Die Hausfrau sorgt für — Familie, für — Mann; sie sorgt für die Sauberkeit — Wäsche, — Hauses. 3. Ich liebe dieses Land mit — Klima, mit — Flüssen, — Bewohnern,

— Pflanzenwelt. 4. Die Kinder sehnen sich nach — Vater, nach — Mutter, — Eltern; sie besuchen — Freunde, — Großvater.

b) 5. Der Student besucht am Vormittag — Vorlesungen. 6. Er trägt — Bücher in — Mappe. 7. Er sucht — Platz auf einem Sitz neben — Bekannten. 8. Er folgt aufmerksam den Worten — Lehrers und schreibt — Vortrag in — Heft. 9. Mittags kehrt er in — Wohnung zurück. 10. Er begrüßt — Wirtin und — Mann. 11. Er ist wie ein Sohn der Familie und ißt an — Tisch. 12. Er arbeitet und spielt mit den Kindern und — Schulfreunden. 13. Abends geht er mit — Bekannten in ein Theater, gder er besucht — Studienfreunde auf (anstatt: „in") — Zimmern. 14. Sie bereiten sich zusammen auf — Examen vor.

c) Sagen Sie die Übung 177 b von der Studentin, d) auch im Plural von Studenten und Studentinnen.

Beachten Sie: Um Mißverständnisse zu vermeiden, setzt man für das Possessivpronomen der 3. Person oft den Genitiv des Demonstrativpronomens der, die, das, d. h. also im Sing. *dessen, deren, dessen,* **im Plur.** *deren* (vgl. § 47 A, 2 c), z. B.: Mittags kehrt der Student (die Studentin) zurück. Er (sie) begrüßt *seine (ihre)* Wirtin und *deren* Mann.

Wiederholung

des Personal-, Reflexiv- und Possessiv-Pronomens

Übung 178: Bilden Sie Satzreihen mit veränderten Pronomen. 1. Ich beschäftige mich mit meiner Aufgabe. 2. Meine Mutter ist krank; ich sorge mich um sie. 3. Ich liebe meine Eltern; sie leben nur für mich. 4. Ich rufe meinen Hund; er sieht mich nicht. 5. Ich gebe mir Mühe, meine Aussprache zu verbessern. 6. Ich verlebe meinen Urlaub in Tirol; ich erhole mich gut. 7. Ich vergesse immer meine Schlüssel; ich ärgere mich darüber. 8. Meinen Freunden geht es gut; ich freue mich darüber.

Übung 179: Verwenden Sie in den folgenden Sätzen andere Personen: a) Du bist mein Vater. b) Du bist ihr (Sing.) Vater. c) Er ist mein Vater. d) Er ist ihr (Pl.) Vater. e) Ihr seid meine Eltern. f) Ihr seid unsere Eltern. g) Sie sind eure Eltern.

1. Ich bin dein Vater. 2. Ich mache mir viele Sorgen um dich. 3. Ich arbeite tagtäglich für dich. 4. Ich ernähre dich und gebe dir Kleidung und Wohnung. 5. Ich schicke dich in die Schule. 6. Ich denke an deinen Beruf. 7. Ich lasse dich studieren. 8. Ich trage alle Ausgaben für dich. 9. Ich bezahle deine Studiengelder und kaufe dir deine Bücher. 10. Ich

mache meine Ferienreise mit dir. 11. Ich gebe dir viele gute Lehren aus meiner Erfahrung. 12. Ich rufe auch den Arzt an dein Krankenbett. 13. So sorge ich mich Tag und Nacht um dich und deine Zukunft. 14. Ich erwarte von dir nur die Erfüllung deiner Pflichten.

§ 47. Das Demonstrativ-Pronomen

1. *Dieses* Bild ist eine Photographie, *jenes* ist ein Ölgemälde.
2. *Das* (Dies) sind meine Bücher.
3. a) Die beiden Brüder sind an *demselben* Tage geboren.
   b) Ich habe ihm *selber (selbst)* das Geld gegeben.
4. Eine *solche* Kälte hatten wir lange nicht.
5. Alle *(diejenigen)*, die das Unglück beobachtet haben, werden gebeten, sich bei der Polizei zu melden.

A. dieser, jener, der

1. d i e s e r, d i e s e, d i e s e s (d i e s) — Plur.: d i e s e;
   j e n e r, j e n e, j e n e s — Plur.: j e n e.
   Deklination wie der Artikel „der", z. B.:
   Von diesen Früchten esse ich lieber als von jenen.
   Dieser neue Hut, jene alten Hüte.

2. d e r, d i e, d a s — Plur.: d i e.

Nominativ:	der	die	das	— Plur.:	die
Genitiv:	des dessen	der deren	des dessen	— Plur.:	der derer, deren
Dativ:	dem	der	dem	— Plur.:	den denen
Akkusativ:	den	die	das	— Plur.:	die

a) Ich freue mich *darüber* = über das
ich hoffe *dar*auf = auf das
{ vgl. Adverbiale Demonstrativ-Pronomen, § 44 C.

b) Deklination „der, die, das" wie der bestimmte Artikel; bei Gebrauch o h n e Substantiv werden die langen Formen (im Genitiv Sing. und Plur., im Dativ Plur.) gebraucht, z. B.: Ich war mir des Unrechts bewußt, aber: Ich war mir dessen bewußt.

c) Beachten Sie den Unterschied im Gebrauch der doppelten Form des Genitivs Plural: *der* und *deren:* Gedenke dankbar *derer,* die dich erzogen haben (*derer* steht für ein Substantiv vor Relativsätzen [§ 50, 3]). Aber: Die Gäste lobten die Gastgeber und *deren* Freundlichkeit (*deren* steht vor dem Substantiv statt eines Possessiv-Pronomens, vgl. „Beachten Sie" nach Übung 177 c und d).

Übung 180: a) Nicht *dieses* Haus, sondern *jenes:* Bilden Sie ähnliche Ausdrücke mit folgenden Substantiven, b) auch, soweit sinnvoll, mit den Präpositionen: in, auf, an, vor, z. B. nicht in diesem Haus, sondern in jenem (wo?); nicht in dieses Haus, sondern in jenes (wohin?): Straße, Fenster, Weg, Tür, Bäume, Eingang, Treppe, Türme, Bild, Wände, Zaun, Kirchen, Tor, Ecke, Dach, Straßenbahn, Fahrrad, Auto, Ausgänge, Schienen.

B. **derselbe, selber, solcher, derjenige**

3. a) derselbe, dieselbe, dasselbe — Plur.: dieselben.

Deklination wie der Artikel „der" + Adjektiv.
derselbe — der gleiche, der nämliche; z. B.:
Ich studiere auf derselben Universität wie mein Freund (auf der gleichen, auf der nämlichen Universität).

b) selber, selbst.
Ich selber (selbst) habe ihm das Geld gegeben, — d. h. kein anderer.
Ich habe *ihm selber (selbst)* das Geld gegeben, — d. h. nicht einem anderen.
selber, selbst haben gleiche Bedeutung und bleiben immer undekliniert, z. B.: Das Kind wäscht sich selbst — d. h. ohne Hilfe der Mutter, also selbständig, allein.

Beachten Sie: 1. ich wasche mich = reflexive Verben ohne „selbst".
2. Ausdrücke der Umgangssprache: im selben Monat, im selben Zimmer (nur beim Mask. und Neutr. Sing.).

4. ein solcher, eine solche, ein solches — Plur. solche.
Beachten Sie die Deklination oder das Fehlen der Deklination:
Eine solche Kälte, bei einer solchen Kälte — Deklination wie ein Adjektiv.

Solch eine Kälte, bei *solch* einer Kälte *So* eine Kälte, bei *so* einer Kälte	undekliniert; nur im Singular; im Plural „solche".

5. d e r j e n i g e, d i e j e n i g e, d a s j e n i g e — Plur.: d i e j e n i g e n.

Deklination wie der Artikel „der“ + Adjektiv.

Zum Gebrauch von „derjenige“ siehe § 50, 3.

Übung 181: Verbinden Sie *derselbe* usw. mit folgenden Substantiven, z. B. derselbe Zug, dasselbe Auto usw.; — b) ebenso, soweit sinnvoll, mit den Präpositionen: in, vor, hinter, z. B.: in demselben Zug (wo?), in denselben Zug (wohin?): Wagen, Auto, Eisenbahn, Städte, Haus, Wohnung, Dörfer, Straße, Geschäfte, Hörsaal, Universität, Bücher, Brief, Hefte, Paket, Flasche, Schränke, Schreibtisch, Gärten, Zeitung, Schiff.

Übung 182: Erklären Sie folgende Wörter mit *„derselbe“*, „der gleiche“, z. B. Altersgenossen sind Menschen, die dasselbe (das gleiche) Alter haben. 1. Klassengenossen (Schüler, — Schulklasse besuchen). 2. Konkurrenten (Menschen, streben, nach — Ziel). 3. Kollegen (Männer, in — Beruf, tätig sein). 4. Doppelgänger (ein Mensch, — Aussehen haben wie ein anderer). 5. Gleichzeitige Ereignisse (geschehen, in — Zeit). 6. Leidensgenossen (Menschen, — Leiden, ertragen). 7. Zwillinge (Geschwister, die — Zeit, geboren). 8. Studienfreunde (Freunde, Universität studieren). 9. Reisebekanntschaft (Bekanntschaft von Menschen, Reise, machen). 10. Landsleute (Menschen, Land, kommen). 11. Schulfreundinnen (Mädchen, Schule, besuchen). 12. Zeitgenossen (Menschen, Zeit, leben).

Übung 183: a) Verbinden Sie folgende Substantive mit a) *ein solcher* usw., b) *solch (so) ein* usw., z. B. a) eine solche Wohnung, ein solches Zimmer usw.; b) solch (so) eine Wohnung, solch (so) ein Zimmer usw.; c) dasselbe, soweit sinnvoll, auch mit den Präpositionen: in, neben, hinter: Tür, Fenster, Hörsaal, Häuser, Garten, Städte, Villa, Büro, Stube, Wälder, Schiff, Flugzeuge, Boot, Koffer, Handtasche, Mappen, Buch, Schränke, Heft, Schreibtisch.

* **Übung 184:** Ergänzen Sie die Endungen: 1. Sie sprachen von dies- und jen-. 2. In ein- solch- Auto möchte ich auch fahren! 3. In solch- (so) ein- Auto bin ich gestern gefahren. 4. D- sind unsere Bücher. 5. Mit dies- Füller schreibe ich nicht so gut wie mit jen-. 6. Der eine liebt dies- Bier, der andere jen-, der dritte gar kein-. 7. Ich liebe solch- Menschen nicht. 8. Vor solch (so) — Menschen muß man sich hüten. 9. Mit dies- (solch-) Kenntnissen kommst du durch die ganze Welt. 10. Der eine liest dies- Zeitung, der andere jen-, der dritte gar kein-.

Übung 185: Erklären Sie folgende Wörter mit *selbst (selber)*, z. B.: Ein Selbstmörder ist ein Mensch, der sich selbst gemordet hat. 1. Selbstgespräch (jemand, führen, mit sich); 2. Selbstfahrer (Auto, lenken); 3. Selbstanschluß-Apparat (Verbindung herstellen); 4. selbstsüchtige Menschen (denken an); 5. selbstlose Menschen (nicht denken an); 6. selbstverständlich (Sache, verstehen sich von —); 7. Selbstbinder (Krawatte, Herr, binden); 8. Selbstbedienungs-Geschäft (Kaufladen, Käufer, sich — bedienen); 9. Selbstbeherrschung (Fähigkeit, sich beherrschen); 10. selbständig (jemand, seine Arbeiten, erledigen); 11. Selbstbestimmungs-Recht (Recht der Völker, über sich bestimmen); 12. Selbstverwaltung (Recht der Städte oder Länder zu verwalten). *

§ 48. Das Interrogativ-Pronomen

1. *Wer* hat das getan?
2. *Welche* Stadt gefällt Ihnen besser, Stuttgart oder München?
3. *Was für eine* Stadt lieben Sie mehr, eine Kleinstadt oder eine Großstadt?

1. a) w e r ? (substantivisches Fragewort):
   Nom. *Wer* ist der Eigentümer dieses Buches?
   Gen. *Wessen* Buch ist das?
   Dat. *Wem* gehört dieses Buch?
   Akk. *Wen* suchen Sie?

   b) w a s ? (substantivisches Fragewort):
   Nom. *Was* ist das Schaf?
   Gen. *Wessen* Wolle brauchen wir?
   Dat. *Wem* schert der Schäfer die Wolle?
   Akk. *Was* zieht der Bauer auf?

   a) „wer" fragt nach Personen, „was" nach Sachen.

   b) An wen denkst du? — Person.
   Woran (= an was) denkst du? — Sache.

   Vgl. Adverbiale Interrogativ-Pronomen, § 44, C.

Übung 186: Fragen Sie nach dem Nominativ oder Genitiv mit: wer? was? wessen? 1. Der Vater des Freundes ist gestorben. 2. Die Mutter des Mädchens ist krank. 3. Die Schrift der Schreibmaschine ist sehr deutlich. 4. Die Bäume grünen, und die Blumen blühen. 5. Die Werke des Komponisten haben großen Erfolg. 6. Die Augen des Kindes sind tiefblau. 7. Die Hefte der Schüler sind sauber und ordentlich. 8. Die Bücher des Dichters haben viele Leser.

Übung 187: Fragen Sie nach dem Dativ und Akkusativ (achten Sie auf die Präpositionen): 1. Der Junge denkt an seine Schulfreunde. 2. Die Mutter glaubt ihren Kindern. 3. Der Fremde fragt den Polizisten. 4. Das Wörterbuch nützt dem Ausländer. 5. Der Vater wartet auf den Briefträger. 6. Der Lehrer freut sich über die fleißigen Schüler. 7. Die Tennisspieler suchen ihre Bälle. 8. Der Arzt hilft dem Kranken.

Übung 188: Fragen Sie nach dem Objekt mit Präposition: 1. Er lacht über die Kinder, über den Spaß. 2. Er herrscht über das Reich, über die Bürger. 3. Er beschäftigt sich mit seinem Garten, mit den Kindern. 4. Er vertraut auf seinen Freund, auf das Wort des Freundes. 5. Er fürchtet sich vor den Menschen, vor der Einsamkeit. 6. Er sorgt für die Familie, für die Fabrik. 7. Er denkt an die Jugend, an die Jugendfreunde. 8. Er sehnt sich nach Sonne und Wärme, nach lieben Menschen. 9. Der Hausherr wartet auf die Gäste, erwartet die Gäste, wartet auf die Ankunft der Gäste. 10. Das Kind gewöhnt sich schwer an eine neue Umgebung, an fremde Menschen (§ 44C).

2. welcher, welche, welches? — Plur.: welche? (adjektivisches Fragewort).
   Deklination wie der Artikel „der", z. B.:
   Welches Bildes erinnern Sie sich?
   An welchem Tage sind Sie angekommen?
   Manchmal, besonders im Ausruf, benutzt man auch folgende Form:
   Welch (ein) schöner Tag ist heute! (ohne Endung!)

3. was für ein, eine, ein? — Plur.: was für? (adjektivisches Fragewort; im Plural ohne Artikel).
   Deklination wie „ein", z. B.:
   In was für einer Stadt wohnen Sie lieber?
   In was für Städten wohnen Sie am liebsten?
   Was für ein? kann auch ohne Substantiv gebraucht werden, dann fragt man: Was für einer? Was für eine? Was für eins?

a) **„Welcher" fragt nach einer bestimmten Person oder Sache unter vielen gleichartigen; darauf antwortet der bestimmte Artikel,** z. B.: *Welche* Dame meinen Sie? — *Die* große, blonde. — *Welches* Datum ist heute? Heute ist *der* 10. Mai.

b) **„Was für ein" fragt nach der Eigenschaft einer Person oder Sache; darauf antwortet der unbestimmte Artikel,** z. B.: *Was für ein* Mensch ist er? — *Ein* freundlicher, offener Mensch. — *Was für einen Hut* wünschen Sie ?— *Einen* grauen, weichen Filzhut. *Was für* Leute sind das? *Das* sind Fremde. (Vgl. Vorstufe S. 14, Übung 10.

Übung 189: Verbinden Sie folgende Substantive, soweit sinnvoll, mit den Präpositionen „in, an, neben" (wo und wohin?), und bilden Sie Fragen mit „welcher" und „was für ein", z. B.: In welchem Haus? In welches Haus? In was für einem Haus? In was für ein Haus? Ebenso: Wald, Städte, Garten, Villa, Zimmer, Keller, Wohnungen, Straße, Auto, Dörfer, Fabrik, Autobusse, Schiff, Bahnhof, Postämter, Wartesaal, Schloß, Museum, Schränke, Schreibtisch.

Wiederholung der Fragepronomen

Übung 190: Fragen Sie in folgenden Sätzen nach den gesperrt gedruckten Wörtern: 1. Der berühmte Chemiker entdeckte mehrere neue Elemente. 2. Die Opern Wagners sind weltbekannt. 3. Ich gehe mit meinem ausländischen Freunde spazieren. 4. Ich schreibe mit dem Tintenstift. 5. Das Kind liebt seine Eltern und seine kleinen Geschwister. 6. Ich bin auf einem deutschen Dampfer gefahren. 7. Der älteste Sohn der Familie ist gestorben. 8. Ich lese nicht gern langweilige Bücher. 9. Wir waren gestern in dem Sterbezimmer Schillers in Weimar. 10. Zeppelin ist durch die Erfindung des lenkbaren Luftschiffes berühmt.

Übung 191: Wie vorher: 1. Der geniale Mensch besiegt alle Schwierigkeiten. 2. Der Ausländer hat einen Landsmann getroffen. 3. Die schwersten Wege muß der Mensch allein gehen. 4. Der Zustand des Kranken machte dem Arzt Sorgen. 5. Der Student denkt an die Prüfung. 6. Ein hoher Berg bietet eine weite Aussicht. 7. Die Sammlungen des Museums haben einen hohen Wert. 8. Der Professor arbeitet für seine neuen Vorlesungen, für seine große Familie. 9. Der berühmte Verfasser dieses Buches ist jung gestorben. 10. Die ersten Blumen im Frühling sind die Schneeglöckchen, die letzten im Herbst (sind) die Astern. 11. Im kalten Norden baut man Stein- oder Holzhäuser. 12. Ich liebe deine Freunde und helfe ihnen gern.

§ 49. Das indefinite Pronomen

1. Was *man* verspricht, das muß *man* halten.
2. Hast du *jemand* gesehen? Ich habe *niemand* gesehen.
   Man kann nicht jedem *(jedermann)* gefallen.
3. Wir sprechen mit*einander*.
4. *Irgend* etwas muß geschehen.

1. man.

Beachten Sie: „Man" wird nur im Nominativ gebraucht; in den anderen Fällen benutzt man „einer", z. B.:
Man soll dankbar sein, wenn einem ein guter Rat gegeben wird.
Man möchte einem oft etwas Besseres raten, aber die Menschen wollen nicht auf einen hören.

2. jemand — niemand — jeder — jedermann.

jemand = einer; Gen. —es (Dat. —em; Akk. —en)
niemand = keiner; Gen. —es (Dat. —em; Akk. —en)
jeder, e, es (Plur.: alle), Deklination wie der Artikel; *ein jeder* **dekliniert wie das Adjektiv;**
jedermann = jeder; Gen. —s, Dat. u. Akk.: jedermann, z. B.: Ich habe mit jemand, mit niemand (oder: —em) gesprochen.
Das ist nicht jedermanns (eines jeden) Sache.

3. einander.

„einander" wird nicht dekliniert; es wird häufig mit Präpositionen zusammengesetzt; z. B.:
Wir helfen einander (Dativ).
Wir kämpfen miteinander, gegeneinander, füreinander.

4. irgend.

„irgend" bedeutet etwas Unbestimmtes (irgendwer = „ich weiß nicht wer", irgendwann = „ich weiß nicht wann").
„irgend" bleibt immer unverändert.
Irgendwer (irgend jemand, irgendeiner) hat mir das gesagt.
Irgendwie müssen wir ihm helfen.
Irgendwann habe ich ihn schon gesehen.
Irgendwo muß ich ihn doch finden.
Irgend etwas müssen wir ihm schenken.

Ubung 192: Benutzen Sie an Stelle der gesperrt gedruckten Wörter eines der indefiniten Pronomen: man, jemand, niemand usw.: 1. Hat einer an die Tür geklopft? Nein, es ist keiner da. 2. Wenn einer nichts zu sagen weiß, soll er lieber schweigen. 3. Wir können nicht mit jedem Menschen Freundschaft schließen. 4. Jedem gefallen ist eine Kunst, die keiner kann. 5. Kennen Sie einen, der mir helfen könnte? 6. Zu einer Zeit (ich weiß nicht wann) nimmt jedes Glück ein Ende. 7. In einem Buch (ich weiß nicht wo) habe ich das schon gelesen. 8. Die Schwestern halfen (eine der anderen). 9. Die Reisenden sprachen (einer mit einem anderen). 10. Der Verkäufer legte die Bilder (eins neben das andere).

Ubung 193: Setzen Sie an Stelle der fehlenden und gesperrt gedruckten Wörter ein indefinites Pronomen: 1. Wenn — nach mir fragt (so sagen Sie): ich bin nach einer Stunde wieder hier. 2. Die beiden Fußballmannschaften spielten sehr gut (eine gegen die andere). 3. Ich habe diesen Herrn schon (ich weiß nicht wo) gesehen 4. Für — ist es gewiß, wann seine letzte Stunde schlägt. 5. Hast du (ich weiß nicht wem) von dieser Sache erzählt? Nein, —. 6. Wir müssen (einer dem andern, ich weiß nicht wie) helfen, sonst wird kein Mensch an Brüderlichkeit glauben. 7. Es ist nicht eines jeden Menschen Sache, zu allem zu schweigen. 8. Für ein Ziel, für eine Aufgabe, für (ich weiß nicht was) muß der Mensch leben. 9. Von wem hast du die Neuigkeit? Ich habe sie von (ich weiß nicht wem) gehört. 10. Man muß — lange kennen, bis man ihn ganz versteht.

Ubung 194: Wie vorher. 1. Die Kinder lernen oft dumme Sachen (einer von dem andern). 2. Wenn man etwas Gutes für — tut, so wird es sich (ich weiß nicht wann und ich weiß nicht wie) belohnen. 3. Man kann von — sagen, ob sein Leben glücklich endet. 4. Wir werden uns hoffentlich einmal (ich weiß nicht wo und ich weiß nicht wann) wiedersehen. 5. Wo viele Menschen (einer bei dem andern) leben, müssen sie (einer mit dem andern) Geduld haben. 6. Wenn — erfährt, was ich dir gesagt habe, dann ist das nicht schön. Nein, es erfährt —. 7. Ich fühle mich nicht wohl; ich habe mir (ich weiß nicht woran) den Magen verdorben. 8. Es ist nicht eines jeden Menschen Vergnügen, auf hohe Berge zu steigen.

Übung 195: Ergänzen Sie die fehlenden Pronomen oder ihre Endungen: 1. Eine Hausfrau hatte bei — (ihr) Arbeit allerlei Unglücksfälle. — Vermögen nahm jährlich ab, und sie hatte — (kein Mensch), der — helfen wollte. Schließlich ging sie zu einem alten Einsiedler, der im Walde lebte, erzählte — von — Unglück und bat —, — zu helfen. Der Einsiedler, ein fröhlicher Greis, ließ — ein wenig warten, ging in eine Nebenkammer — Zelle, und nach einer Weile brachte er — ein kleines, versiegeltes Kästchen mit den Worten: „Nehmen — dies- Kästchen! Dreimal an jed-Tage und in jed-Nacht müssen — mit — (!) durch — Haus gehen und — durch Küche, Keller und Stall tragen. Bewahren — — wohl auf; in einem Jahre müssen — — zurückbringen".

2. Die gute Hausmutter dankte dem Einsiedler, nahm das Kästchen aus — Hand und kehrte in — Haus zurück. Hier tat sie, was jener — gesagt hatte. Als sie am Nachmittag in den Keller kam, traf sie die Knechte, die — Arbeit verlassen hatten und — heimlich Bier aus dem Fasse holten. Am Abend kam sie in die Küche; da fand sie die Mägde, die — heimlich einen Eierkuchen bereiteten. Sie schalt — und rief — zu: „Wehe —, wenn ich — noch einmal hier antreffe; gehen — an — Arbeit und lassen — — hier nicht wieder überraschen." Und als sie an d-selb- Abend durch die Ställe wanderte, sah sie die Kühe und Pferde ohne Futter. Die Knechte hatten vergessen, — — zu geben. So hatte sie alle Tage einen Fehler zu tadeln, heute dies-, morgen —, und langsam wurde es im Hause besser.

3. Nach einem Jahr brachte sie dem Einsiedler das Kästchen und sagte zu —: „Ich danke — für — Kästchen! Es hat mit sol- Wunderkraft gewirkt, daß ich — — nur ungern wiederbringe. Können Sie — — nicht noch ein Jahr lang lassen?" Da lachte der Einsiedler und sprach: „Das Kästchen kann ich — nicht lassen; aber ich will — sagen, was — Inhalt ist!" Er öffnete —; nichts war darin außer einem Blatt Papier, auf welch- die Worte standen:

Soll alles gut im Hause steh'n,
So mußt du selb- wohl nachseh'n.

§ 50 – 51. Das Relativ-Pronomen

§ 50. der — welcher

Der Mann, *der (welcher)* alles verlor, war betrübt.
Der Mann, *dessen* Vermögen verloren ging, war betrübt.
Der Mann, *dem (welchem)* alles verloren ging, war betrübt.
Der Mann, *den (welchen)* das Unglück traf, war betrübt.

1. **„der" = „welcher" ist ein Relativpronomen; es beginnt den Relativsatz, der vom Hauptsatz durch ein Komma getrennt wird.**

2. **Im Relativsatz** (§ 63) **steht das Verb am Ende!**

3. **Manchmal steht im Hauptsatz auch das Pronomen „der" oder „derjenige", um auf das folgende Relativpronomen hinzuweisen,** z. B.: Das Geld ist nicht Eigentum derer (derjenigen), die es finden. Deklination von „derjenige" vgl. § 47, B 5.

4. **Deklination des Relativpronomens:**

Sing.	Nom.:	der (welcher)	die (welche)	das (welches)
	Gen.:	*dessen*	*deren*	*dessen*
	Dat.:	dem (welchem)	der (welcher)	dem (welchem)
	Akk.:	den (welchen)	die (welche)	das (welches)
Plural	Nom.:	die (welche)		
	Gen.:	*deren*		
	Dat.:	*denen* (welchen)		
	Akk.:	die (welche)		

Übung 196: Welche Wortart (Artikel oder Demonstrativ- oder Relativpronomen?) ist in den folgenden Sätzen d e r, d i e, d a s usw.?) * 1. Es war einmal ein König, *der* hatte drei Söhne. 2. Es war einmal ein König, *der* drei Söhne hatte. 3. *Das* ist wirklich *das* beste Buch, *das* ich auf diesem Gebiet kenne. 4. Er ist *der* Mann, *der* mir helfen kann. 5. *Das* ist ein herrlicher Badeort, *den* kann ich Ihnen empfehlen. 6. *Der* ist reich genug, *der* immer zufrieden ist. 7. *Das* Lehrbuch nützt nur *dem, der* es fleißig studiert. 8. Sind *die* Arbeiten *der* Studenten besser oder *die der* Studentinnen? 9. *Das* Land, *das* ich am meisten liebe, ist meine Heimat. 10. *Der* Student trifft auf der Straße einen Bekannten; er wundert sich über *dessen* blasses Gesicht.

Übung 197: Erklären Sie diese Wörter nach folgendem Beispiel: Ein Schuhmacher ist ein Handwerker (Mann), *der* Schuhe macht und ausbessert.

a) ein Tischler, ein Uhrmacher, ein Maurer, ein Bauer (Feld bearbeiten), ein Bäcker, ein Schlosser (Schloß und Schlüssel), ein Gepäckträger.

b) 1. e Uhr (Instrument, Zeit zeigen). 2. s Thermometer (Instrument, Wärme messen). 3. s Luftschiff (Schiff, Luft fliegen). 4. r Füllfederhalter (Federhalter, mit Tinte gefüllt sein). 5. r Schimmel (Pferd, weiß sein), r Rappe (Pferd, schwarzes Fell haben). 6. r Russe (Mann, Rußland kommen). 7. r Berliner (Deutscher, Berlin wohnen). 8. r Lampenschirm (Schirm, über Lampe, hängen). 9. e Eisenbahn (Bahn, eiserne Schienen, fahren). 10. e Bundes-Autobahnen (kunstvolle Autostraßen, durch, der ganze Bundesstaat, führen).

Übung 198: Bilden Sie Relativsätze nach folgendem Beispiel: Ein lernender Schüler = ein Schüler, der (welcher) lernt. 1. Ein helfender Arzt. 2. Bellende Hunde. 3. Ein schlafendes Kind. 4. Fliegende Vögel. 5. Eine tönende Glocke. 6. Ein fallender Stern. 7. Singende und spielende Kinder. 8. Eine brennende Zigarre. 9. Arbeitende Handwerker. 10. Ein wärmender Ofen. 11. Leuchtende Laternen. 12. Ein im Bett liegender Kranker.

Übung 199: Ebenso mit Adverbien, z. B.: Ein fleißig lernender Schüler = ein Schüler, der (welcher) fleißig lernt. 1. Ein langsam fahrender Zug. 2. Eine rasch wachsende Stadt. 3. Ein fröhlich spielendes Kind. 4. Hell leuchtende Sterne. 5. Ein weit reisender Kaufmann. 6. Eine eifrig lesende Dame. 7. Ein schnell laufendes Pferd. 8. Laut weinende Mädchen. 9. Ein gut sitzender Anzug. 10. Ein fröhlich lachendes Gesicht.

Übung 200: Bilden Sie Relativsätze nach folgendem Beispiel: Das gemalte Bild = das Bild, das (welches) gemalt ist (oder welches gemalt wurde). 1. Das neu gebaute Haus. 2. Der verlorene Handschuh. 3. Gefundene Schlüssel. 4. Ein gefangener Vogel. 5. Die vergessenen Pakete. 6. Ein besetztes Land. 7. Beschriebene Blätter. 8. Ein abgeschickter Brief. 9. Herunter gefallene Äpfel. 10. Das zerbrochene Glas. 11. Die beendete Arbeit. 12. Der übersetzte Roman.

Übung 201: Ebenso in erweiterter Form, z. B.: Das von dem berühmten Maler gemalte Bild = das Bild, das von dem berühmten Maler gemalt wurde (wird). 1. Der von allen Zeitungen gelobte Sänger. 2. Die von allen verehrte Künstlerin. 3. Das in der Klasse gelernte Gedicht.

4. Die von den Reisenden vergessenen Schirme. 5. Der von Wolken verdunkelte Himmel. 6. Die von vielen besuchte Ausstellung. 7. Das von den Forschern gesuchte Heilmittel. 8. Die von dem Kutscher geschlagenen Pferde. 9. Ein vom Erdbeben zerstörtes Dorf. 10. Ein durch die Arbeit ermüdeter Schüler.

Übung 202: Erklären Sie diese Wörter nach folgendem Muster: Ein Strohhut ist ein Hut, der (welcher) aus Stroh gearbeitet ist. 1. Ein Filzhut. 2. Ein Gummimantel. 3. Ein Marmortisch (bestehen aus). 4. Eine Wanduhr (hängen an). 5. Tischlampe (stehen auf). 6. Postkarte (befördert werden durch). 7. Briefmarke (geklebt werden auf). 8. Dampfschiff (getrieben werden durch). 9. Wassermühle (getrieben werden durch). 10. Untergrundbahn (unter der Erde fahren).

Übung 203: Erklären Sie diese Wörter nach folgendem Beispiel: Ein Bücherschrank ist ein Schrank, in dem (welchem) die Bücher aufbewahrt werden. 1. Ein Kleiderschrank. 2. Eine Suppenschüssel (auf den Tisch bringen in). 3. Wintermantel (wir tragen im Winter). 4. Fieberthermometer (Fieber messen mit). 5. Geldschrank (aufbewahren in). 6. Löschblatt (Tinte löschen mit). 7. Tennisplatz (spielen auf). 8. Eisenbahntunnel (fahren durch). 9. Raucherabteil (das Rauchen erlaubt in). 10. Salzfaß (kleines Gefäß, sich befinden).

Übung 204: Erklären Sie diese Wörter nach folgendem Beispiel: Ein Weinglas ist ein Glas, aus dem man Wein trinkt. 1. e Kaffeetasse (trinken aus); 2. e Schreibfeder (schreiben mit); 3. s Fernrohr (Sterne beobachten mit); 4. r Sonnenschirm (schützen gegen); 5. e Brieftasche (aufbewahren in); 6. e Kleiderbürste (bürsten mit); 7. r Fernsprech-Apparat (in die Ferne sprechen mit); 8. s Bibliotheks-Gebäude (sich befinden in).

Übung 205: Erklären Sie diese Wörter nach folgendem Beispiel: Ein Witwer ist ein Mann, *dessen* Frau gestorben ist. Eine Leihbücherei ist eine Bücherei, *deren* Bücher man leihen kann.

Beachten Sie: Der Genitiv des Relativpronomens steht am Anfang des Satzes; er wird mit dem dazu gehörigen Substantiv o h n e Artikel verbunden.

1. e Witwe (Frau, Mann, gestorben). 2. e Waisen (Kinder, Eltern, tot). 3. r Schimmel (Pferd, Farbe, weiß). 4. e Amerikanerin (Dame, Heimat, Amerika). 5. e Windmühle (Mühle, Flügel, Wind, drehen).

6. e Dampfmaschine (Maschine, Räder, Dampf, bewegen). 7. e Untergrundbahn (Bahn, Gleise, Erde, liegen). 8. r Lungenkranke (Mensch, Lunge, krank). 9. r Hoffnungslose (Mensch, Hoffnung, zerstört). 10. r zerstreute Gelehrte (Gelehrter, Gedanken, zerstreut). 11. r weltbekannte Künstler (Künstler, Name, Welt, bekannt). 12. r vielgelesene Dichter (Dichter, Werke, viele Menschen, lesen). 13. r erfolgreiche Komponist (Komponist, Werke, großer Erfolg, haben).

Übung 206: Ergänzen Sie in folgenden Sätzen das Relativpronomen. 1. Die Herren, mit — ich gesprochen habe, waren Ausländer. 2. Der Reisende, — Geld gestohlen war, wandte sich an die Polizei. 3. Die Künstlerin, — Werke viel bewundert werden, ist gestorben. 4. Der Zug, mit — ich gefahren bin, hatte Verspätung. 5. Der Reiche, — alle beneideten, ist an einer schweren Krankheit gestorben. 6. Die Leute, bei — ich wohnte, sind umgezogen. 7. Die Unglücklichen, — Heimatstadt zerstört worden ist, müssen auswandern. 8. Menschen, — man nicht raten kann, kann man nicht helfen. 9. Ein Land, — Einwohnerzahl sich vergrößert, sucht nach neuen Quellen für Nahrungsmittel. 10. Eltern, — Kinder sich gut entwickeln, freuen sich.

* **Übung 207:** Ergänzen Sie in folgenden Sätzen das Relativpronomen. 1. München ist eine Stadt, — durch ihre Schönheit berühmt ist und — Museen viel besucht werden. 2. Hamburg und Bremen sind Häfen, — an der Nordsee liegen und in — viele Schiffe ankern. 3. Leipzig ist eine Handelsstadt, in — jährliche Messen stattfinden und — Buchhandel weltbekannt war. 4. Peter Henlein, von — die Taschenuhr erfunden wurde, war ein Zeitgenosse Luthers. 5. Die Arbeitslosen, — Zahl mehrere Millionen betrug, erhielten bald Arbeit. 6. Richard Wagner, — 1876 die Festspiele in Bayreuth begründete, wurde 1883 in dieser Stadt, — er berühmt gemacht hatte, begraben. 7. Mainz, in — — Mauern Johann Gutenberg seine Erfindung machte, hat ihrem berühmten Sohn 1837 ein Denkmal gesetzt, — Thorwaldsen geschaffen hat. 8. Unser Direktor ist ein Mann, auf — Gerechtigkeit man vertrauen kann. 9. Der Wanderer fand einen Verunglückten, — er sich erbarmte und — er half. 10. Die Frau, auf — Worte er baute und — er alles glaubte, hat ihn betrogen.

* **Übung 208:** Bilden Sie aus untenstehenden Sätzen Relativsätze nach folgendem Beispiel:

An der Spitze des republikanischen Staates steht ein Präsident = Der Staat, *an dessen Spitze* ein Präsident steht, ist eine Republik.

Beachten Sie die Wortstellung am Anfang des Relativsatzes: 1. Präposition (falls vorhanden); 2. Genitiv des Relativpronomens; 3. Substantiv ohne Artikel.

1. Mit Hilfe seines freundlichen Lehrers löste der Schüler die Aufgabe — Der Lehrer, ... 2. An den Ufern des breiten Flusses lag eine Stadt — Der Fluß, ... 3. Auf den Gipfeln der hohen Berge lag Schnee — Die Berge, ... 4. In dem Lesesaal der großen Bücherei sitzen viele Studenten — Die Bücherei, ... 5. In den Räumen der bekannten Universität findet eine Ausstellung statt — Die Universität, ... 6. Ich freue mich über die Erfolge des berühmten Künstlers — Der Künstler, ... 7. Ich bin dem Vater meines verstorbenen Freundes immer dankbar — Der Freund, ... 8. Wir werden unseres tapferen Retters immer gedenken — Der Retter, ... 9. Er erbarmte sich einer halberfrorenen Frau — Die Frau, ... 10. Der Arzt bediente sich der modernsten Instrumente — Die Instrumente, ...

§ 51. „Wer" — „Was" als Relativpronomen

1. *Wer* nicht hören will, (der) muß fühlen.
2. *Was* ein Narr in einer Stunde fragt, (das) können sieben Weise nicht in einem Jahr beantworten.

1. „w e r" statt „w e l c h e r" sagt man in dem Sinne von „jeder, der". Es bezieht sich also nicht auf eine bestimmte einzelne Person.

Deklination:

Nom.: *Wer* einmal lügt, dem glaubt man nicht.
Gen.: *Wes(sen)* Brot ich esse, des(sen) Lied ich singe.
Dat.: *Wem* nicht zu raten ist, dem ist nicht zu helfen.
Akk.: *Wen* die einen lieben, den hassen die anderen.

2. „w a s" anstatt „d a s" oder „w e l c h e s" sagt man, w e n n k e i n S u b s t a n t i v d a i s t, worauf sich das Relativpronomen („das" oder „welches") bezieht; beachten Sie folgende Fälle:

a) alles, was; nichts, was; manches, was; vieles, was; etwas, was (nach unbestimmten Zahlwörtern): Das ist *alles, was* ich bei mir habe. Dagegen: Alles Geld, *das* ich bei mir habe.

b) das Beste, was; das Schönste, was usw. (nach einem Superlativ). Dagegen: Das beste Bier, *das* ich getrunken habe.

c) Er sagte, es gehe ihm gut, *was* uns alle sehr erfreute. (Das Relativpronomen „was" bezieht sich auf einen ganzen Satz.)

* **Übung 209:** Benutzen Sie in folgenden Sätzen „wer", „was" oder „welcher". 1. Wenn einer nicht hören will, muß er fühlen. 2. Alle (diejenigen), denen das Buch nicht gefällt, sollen es nicht lesen. 3. Jeder, dessen Gefühl noch nicht erstorben ist, wird Mitleid mit ihm haben. 4. Keiner (!), der ihn gesehen hat, vergißt ihn. 5. Alles Gute wird sich immer behaupten. 6. Das Neue ist nicht immer gut, und das Gute ist nicht immer neu. 7. Wenn du einem nicht traust, bleibe ihm fern! 8. Jeder, der nicht für mich ist, der ist wider mich. 9. Wenn wir etwas hoffen, dann glauben wir es gern. 10. Ich habe niemals etwas Schöneres gesehen als dies. (Dies ist das Schönste, ... jemals [!] ...)

* **Übung 210:** Ebenso. 1. Alles Schöne wird immer bewundert. 2. Wenn wir etwas gern wollen, können wir es gewöhnlich auch. 3. Ich habe noch nie (!) etwas Schrecklicheres erlebt. 4. Unser Gast reist heute ab; wir bedauern es sehr. 5. Ich erinnere mich nicht genau daran (er hat etwas gesagt). 6. Erzähle mir alles (du hast in den Ferien etwas erlebt). 7. Keiner, der das gesehen hat, wird es jemals (!) vergessen. 8. Ich fühlte niemals (!) etwas Schmerzhafteres. 9. Das Teuerste ist nicht immer das Beste. 10. Einem Menschen, dem nicht zu raten ist, ist nicht zu helfen.

* **Übung 211:** Ebenso. 1. Es gibt viel(es) in der Natur (der Mensch versteht es nicht). 2. Alle Schüler haben eine gute Prüfung gemacht; es erfreut die Eltern und Lehrer sehr. 3. Ich habe noch niemals einen schöneren Saal (etwas Schöneres) gesehen. 4. Keiner, der im Glashause sitzt, soll mit Steinen werfen. 5. Erzähle sofort alles (du hast etwas getan). 6. Ich habe niemals von einem so schrecklichen Unglück gehört. 7. Wenn einer beneidet wird, braucht er noch nicht glücklich zu sein. 8. Kein Mensch weiß (die Zukunft bringt ihm etwas). 9. Ich habe nie ein langweiligeres Buch (etwas Langweiligeres) gelesen. 10. Denke nichts (nicht alle Menschen dürfen es wissen); rede nichts (nicht alle Menschen dürfen es hören); tue nichts (nicht alle Menschen dürfen es sehen).

E. Das Zahlwort

Vgl. Übersicht und Übungen für die Zahlen 1—1000: Vorstufe, S. 23.

§ 52. Die Grundzahlen über 1000

a) Übersicht:

1 000	tausend
1 001	tausend eins
1 022	tausend zweiundzwanzig
2 518	zweitausend fünfhundert achtzehn
10 732	zehntausend siebenhundert zweiunddreißig
23 412	dreiundzwanzig tausend vierhundert zwölf
120 308	einhundertzwanzig tausend dreihundert acht
1 000 000	eine Million, 1 000 000 000 eine Milliarde

im Jahre 1077 tausend siebenundsiebzig
im Jahre 1512 fünfzehnhundert zwölf
im Jahre 1929 neunzehnhundert neunundzwanzig.

1. Die Zahlen von 1100 bis 1900 kann man lesen (bei Jahreszahlen liest man immer): elfhundert, zwölfhundert, dreizehnhundert usw.

2. v. (n.) Zw. = vor (nach) der Zeitwende
   v. (n.) Chr. Geb. = vor (nach) Christi Geburt
   v. (n.) Chr. = vor (nach) Christus.

3. **Es heißt: im Jahre 1942 oder nur: 1942, nicht „in" 1942.**

b) Anwendung:

1. Eins und eins ist zwei (1 + 1 = 2).
2. Die Mutter gibt dem Knaben nur *einen* Ball, *eine* Tafel Schokolade, *ein* Stück Zucker.

Wieviel	Bälle	sind das?	*Einer*	(männlich)
„	Tafeln	„ „ ?	*Eine*	(weiblich)
„	Stücke	„ „ ?	*Eins*	(sächlich)

1. **Beim Zählen sagt man 1, 2, 3 usw. = eins, zwei, drei usw.**
2. **Vor einem Substantiv gebraucht man die Zahl 1 wie den unbestimmten Artikel, ohne Substantiv mit den Endungen des bestimmten Artikels.**

1. Diese Brücke ist das Werk *zweier (dreier)* Jahre (von zwei, drei Jahren).
2. Wir saßen *zu fünfen* am Tisch.

1. **Von 2 und 3 kann man den Genitiv auf -er und den Dativ auf -en bilden.**
2. **Von den Zahlwörtern 4 bis 12 und von 100 und 1000 kann man den Dativ auf -en bilden,** z. B. mit zwölfen, mit Hunderten, mit Tausenden.

Übung 212: Lesen Sie die Zahlen

a) 1350, 1471, 1555, 1648, 1728, 1942, 4819, 7201;
b) 10 732, 69 517, 100 075, 599 021, 953 889, 1 500 000;
c) 1 679 439, 1 920 899, 2 137 601, 4 762 521, 7 452 003, 10 275 315.

Übung 213: Lesen Sie die Zahlen in dem folgenden Abschnitt:

Berlin in Zahlen: 1. Berlin umfaßte am 1. April 1938 eine Fläche von 88 362 ha oder 883,62 qkm mit 4 306 584 Einwohnern.

2. Berlin ist seit Anfang des 19. Jahrhunderts schnell gewachsen:

im Dezember	1816	hatte Berlin	223 000	Einwohner,
am 1. Dezember	1871	hatte Berlin	931 984	Einwohner,
am 1. Dezember	1900	hatte Berlin	2 712 190	Einwohner,
Mitte	1913	hatte Berlin	4 026 000	Einwohner,
am 16. Juni	1925	hatte Berlin	4 024 286	Einwohner.

3. Am 1. Mai 1938 besaß Berlin 170 höhere Schulen mit 71 482 Schülern und 543 Volksschulen mit 259 128 Schülern.

4. Ferner gab es zu demselben Zeitpunkt viele verschiedenartige Fach- und Berufsschulen mit 4929 Klassen und 135 058 Schülern.

5. Endlich besuchten im Winterhalbjahr 1938/39 12 846 Studenten die 11 Berliner Hochschulen und 41 909 Hörer die 3 Volkshochschulen.

6. Der „Tagesspiegel" vom 15. August 1954 schreibt: 12 612 Personen studierten am 15. Juni an den sieben Universitäten und Hochschulen in West-Berlin. Von diesen Studenten sind rund 1000 beurlaubt. 5968 Studierende sind an der Freien Universität eingeschrieben, 3310 an der Technischen Universität, 624 an der Pädagogischen Hochschule, 426 an der Hochschule für Politik, 582 an der Hochschule für Bildende Künste, 483 an der Hochschule für Musik und 209 Studenten an der Kirchlichen Hochschule.

Die Uhrzeit

(Vgl. Vorstufe, S. 24)

Unterscheiden Sie noch folgende Bezeichnungen der Uhrzeit:

1^{15} ein Uhr fünfzehn oder: viertel zwei oder: viertel nach eins
1^{30} ein Uhr dreißig oder: halb zwei
1^{45} ein Uhr fünfundvierzig oder: dreiviertel zwei oder: viertel vor zwei
2^{15} zwei Uhr fünfzehn oder: viertel drei oder: viertel nach zwei
2^{30} zwei Uhr dreißig oder: halb drei
2^{45} zwei Uhr fünfundvierzig oder: dreiviertel drei oder: viertel vor drei
3^{15} drei Uhr fünfzehn oder: viertel vier oder: viertel nach drei usw.

Wann kommst du?

Ich komme *um* 5 oder *um* halb 6 (5^{30}), *um* viertel (auf) 7 (6^{15}) oder: *um* viertel nach 6.

Wann fängt die Vorstellung an? *Um* 7 oder *um* halb 8 (7^{30}), *um* 8, *um* dreiviertel 9 (8^{45}) oder: *um* viertel vor 9.

Übung 214: Lesen Sie die folgenden Uhrzeiten auf verschiedene Weise:

	1)	2)	3)	4)	5)	6)
a)	1^{05}	1^{15}	2^{25}	2^{35}	3^{45}	3^{55}
b)	4^{02}	4^{12}	5^{16}	5^{29}	6^{42}	6^{50}
c)	7^{10}	7^{15}	8^{20}	8^{30}	9^{45}	9^{51}
d)	10^{07}	11^{14}	12^{15}	3^{31}	14^{40}	15^{45}
e)	16^{55}	17^{59}	18^{00}	19^{27}	22^{18}	24^{00}

Übung 215: Beantworten Sie in gleicher Weise folgende Fragen mit den Uhrzeiten der Übung 214: 1. Wann müssen wir fortgehen? 2. Wann kommen die Gäste? 3. Um wieviel Uhr treffen wir uns morgen? 4. Wann beginnen die Kinos? 5. Um wieviel Uhr geht der Zug? 6. Wann essen Sie Frühstück, Mittag und Abendbrot? 7. Um wieviel Uhr gehen Sie schlafen? 8. Wann ist das Konzert? die Versammlung? die Sitzung? die Besprechung? der Empfang beim Minister?

§ 53. Ordnungszahlen

a) Übersicht 1—1000: vgl. Vorstufe, S. 23.

der, die, das
1 000. tausendste
10 000. zehntausendste
100 000. hunderttausendste
1 000 000. millionste

1. **Die Ordnungszahlen haben den bestimmten Artikel.**
2. **Die Zahlen von 2—19 werden auch in Zusammensetzungen mit -te gebildet:**
   102. der, die, das hundert zweite,
   1018. der, die, das tausend achtzehnte.
3. **Die Endungen -ste (-te) werden bei Ziffern nicht geschrieben; man setzt dafür einen Punkt, der bei den Ordnungszahlen nicht fehlen darf.**

b) Anwendung der Ordnungszahlen

1. Heute ist *der* 10. Mai (zehn*te* Mai).
2. Der Frühling beginnt *am* 21. März (einundzwanzig*sten* März).
3. Lessing, Goethe und Schiller lebten *im* achtzehn*ten* Jahrhundert, *der erste* wurde 1729, *der zweite (der andere)* 1749 und *der dritte (letzte)* 1759 geboren.
4. Wilhelm I. *(der Erste)* wurde am 18. Januar 1871 Deutscher Kaiser.

Deklination der Herrschernamen:

N. Wilhelm I. = Wilhelm der Erste
G. Wilhelms I. = Wilhelms des Ersten
D. Wilhelm I. = Wilhelm dem Ersten
A. Wilhelm I. = Wilhelm den Ersten.

Übung 216: Beantworten Sie folgende Fragen: 1. Welches Datum haben wir heute? 2. Der wievielte war gestern? 3. Wann sind Sie geboren? (Am wievielten sind Sie geboren?). 4. Wann haben Sie Geburtstag? 5. Wann wurde Gerhard Hauptmann geboren? (15. 11. 1862). 6. Wann starb Bismarck? (30. 7. 1898). 7. Der wievielte Monat ist der März, der August, der Oktober, der Dezember? 8. Der wievielte Wochentag ist der Montag, der Mittwoch, der Freitag? 9. Wann beginnt der Frühling, der Sommer, der Herbst, der Winter? 10. In welchem Jahrhundert leben wir? 11. In welchem Jahrhundert lebte Martin Luther? (* 1483, † 1546). 12. Wann wurde die erste Strecke der Bundes-Autobahn (Frankfurt—Heidelberg) eröffnet? (19. 5. 1935). 13. Deutschland war 1871—1918 ein Kaiserreich und hatte drei Kaiser: Wilhelm I., Friedrich III. und Wilhelm II. 14. Unter der Herrschaft Ludwigs XIV. wurde Frankreich von ganz Europa bewundert. 15. Seit der Absetzung Napoleons III. ist Frankreich eine Republik.

§. 54. Brüche und andere bestimmte Zahlwörter

> Bitte, geben Sie mir ein *viertel* Pfund Butter und ein *halbes* Pfund Zucker.

a) Brüche:

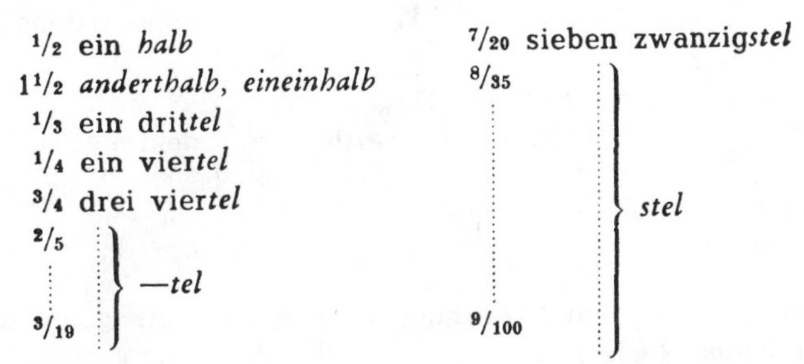

$1/2$ ein *halb*
$1\,1/2$ *anderthalb, eineinhalb*
$1/3$ ein drit*tel*
$1/4$ ein vier*tel*
$3/4$ drei vier*tel*
$2/5$ … $3/19$ } —*tel*

$7/20$ sieben zwanzig*stel*
$8/35$ … $9/100$ } *stel*

Übung 217: Wieviel ist:

a) $1/2 + 1/4 =$ $1/6 + 5/6 =$ $3/10 + 7/10 =$
$5/12 + 5/12 =$ $3/20 + 7/20 =$ $5/24 + 7/24 =$

b) $1/2 - 1/4 =$ $4/5 - 2/5 =$ $7/8 - 1/8 =$
$9/10 - 3/10 =$ $11/12 - 1/12 =$ $19/20 - 9/20 =$

c) $1/2 \cdot 1/2 =$ $1/3 \cdot 3/4 =$ $3/5 \cdot 3/5 =$
$2/7 \cdot 5/7 =$ $3/10 \cdot 5/8 =$ $9/20 \cdot 4/5 =$

b) andere bestimmte Zahlwörter:

> 1. *Wie oft* (wievielmal) waren Sie in Italien? *Viermal* (vier Mal).
> 2. *Wievielerlei* Farben hat das Kleid? *Dreierlei*, gelb, rot und blau.
> 3. Viele Waren haben heute den *vierfachen* Wert.
> 4. Er hat die Reise nicht gemacht, denn *erstens* war er krank, und *zweitens* hatte er kein Geld.

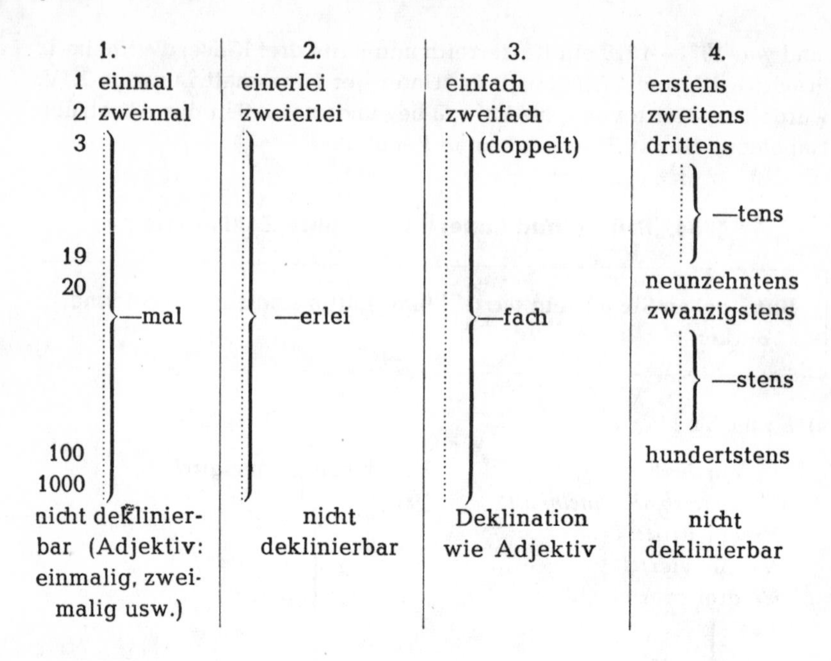

1.	2.	3.	4.
1 einmal	einerlei	einfach	erstens
2 zweimal	zweierlei	zweifach (doppelt)	zweitens
3			drittens
			—tens
19			
20			neunzehntens
—mal	—erlei	—fach	zwanzigstens
			—stens
100			hundertstens
1000			
nicht deklinierbar (Adjektiv: einmalig, zweimalig usw.)	nicht deklinierbar	Deklination wie Adjektiv	nicht deklinierbar

1. **Die Zahlwörter auf -mal bezeichnen eine Wiederholung auf die Frage: wievielmal? wie oft?**

2. **Die Zahlwörter auf -erlei bezeichnen die Zahl der verschiedenen Arten und Möglichkeiten, Frage: wie vielerlei?**

3. **Die Zahlwörter auf -fach bezeichnen Dinge der gleichen Art, Frage: wievielfach?**

4. **Die Zahlwörter auf -(s)tens bezeichnen die Reihenfolge und sind oft auch Adverbien oder Bindewörter (Konjunktionen).**

* **Übung 218:** Ergänzen Sie folgende Sätze: 1. Bis 20 g kostet der Brief im Ortsverkehr das — (1) Porto, über 20 g — (2), über 250 g — (3). 2. Die Straßenbahn gibt Monatskarten aus; wer die Strecke täglich nur — (1) fährt, hat keinen Nutzen, wer sie aber täglich — (2), — (3) oder noch öfter fährt, der fährt billiger. 3. Ich brauche Briefpapier, haben Sie gute Sorten? Ja, wir haben — (4) oder — (5) Sorten. 4. Die Mutter sagt zu dem Jungen: Deine Hose habe ich dir schon — (3) und — (4) geflickt, jetzt ist wieder ein großes Loch darin, und da hatte ich das Zeug sogar schon — (2) genäht. Jetzt habe ich solche Flicken nicht mehr und muß

sogar — (2) Stoff nehmen." 5. Ein Paket bis 5 kg kostet in der 1. Zone (bis 75 km) das — (1) Porto = 0.60 DM, bis 10 kg etwa das — (2), bis 15 kg — (4), bis 20 kg — (5) Porto. 6. Es gibt — (3) Sterne: Fixsterne, Planeten und Kometen. 7. Mein Onkel hat viele Reisen nach anderen Erdteilen gemacht; er war — (3) in Afrika, — (6) in Amerika, — (12) in verschiedenen Teilen Asiens, aber — (0, !) in Australien. 8. Wenn du die Prüfung bestehen willst, mußt du folgendes tun: 1. mußt du alle Kurse pünktlich besuchen, 2. alle Hausaufgaben genau machen, 3. schwierige Sachen für dich allein wiederholen, 4. in den letzten Tagen vor der Prüfung wenig und 5. in den letzten Nächten gar nicht arbeiten, sondern viel schlafen. 9. Wer ungerecht ist, von dem sagen die Menschen: Er mißt mit — (2) Maß. 10. Der Bunker hatte einen — (4) Schutz: Erde, Steine, Eisenschienen und Beton.

Ubung 219: Ebenso: 1. Es gibt — (2) Kamele, solche mit einem Höcker und solche mit zwei Höckern. 2. Die Mutter sagt: „Das ist einfach nicht zu glauben! Ich habe es dir nicht — (1), sondern — (100) und — (1000) gesagt, daß du hier vor dem Fenster spielen und nicht fortlaufen sollst. Daß ich das nicht noch — (1) sehe!" 3. Wenn jemand sehr erkältet ist, muß er gut schwitzen; dann deckt man ihn nicht nur — (1), sondern — (2) und — (3) zu. 4. Willst du mit den Menschen gut leben, so merke dir — (3): 1. Sei immer höflich, 2. bleibe immer ruhig und 3. verlange nichts von anderen Menschen! 5. Wenn es sehr kalt ist, trage ich — (2) Strümpfe und Handschuhe. 6. Dieser große Alpinist ist — (5) auf Berge über 4000 m gestiegen, — (8) auf Berge über 3500 m, — (12) auf Berge über 3000 und — (20) auf Berge über 2500 m. 7. Der Mond hat für uns — (4) Gestalt: Neumond, erstes Viertel, Vollmond und letztes Viertel. 8. Früher trugen auch die Männer Kleider in — (3) und — (4) Farben. 9. Eine Hausfrau, die ihre Wirtschaft gut führt, muß — (viel-) im Kopf haben. 10. Die Flieger mußten eine — (3) Wolkenschicht durchfliegen, bis sie das offene Meer sahen. 11. Hast du Stoff für dein Kleid gekauft? Nein, die Auswahl war nicht groß, der Kaufmann hatte nur — (3 oder 4) verschiedene Stoffe. 12. Bis zu seinem 35. Lebensjahr erhielt der Meisterschwimmer (6) den ersten Preis, (8) den zweiten und (5) den dritten Preis; (2) erhielt er eine goldene und (3) eine silberne Medaille. *

§ 55. Unbestimmte Zahlwörter

1. *Vieles* wünscht sich der Mensch, und doch bedarf er nur *wenig*.
2. *Einmal* ist *keinmal*.
3. *Doppelt (zweifach)* hält besser.

1. viel, mehr, die meisten, alle
   etwas, einiges, etliches, manches, ein paar,
   nichts, wenig, weniger, kein.

2. -mal: einmal, keinmal, vielemal, allemal, einigemal, ein paarmal, jedesmal, mehrmals, oftmals.
   -fach: einfach, doppelt, mehrfach, vielfach, mannigfach (mannigfaltig),
   -lei: allerlei, vielerlei, einerlei, mancherlei, keinerlei.

* **Ubung 220:** Suchen Sie aus den obigen unbestimmten Zahlwörtern das entsprechende und setzten Sie es ein: 1. Auf — Wunsch des Publikums wird das Konzert wiederholt. 2. Der bekannte Afrikaforscher hatte bei seinen Reisen — sonderbare Erlebnisse. 3. Es ist nicht — (nur —) Menschen bekannt, daß auch der Versuch des Verbrechens strafbar sein kann. 4. Ich war in dieser Woche — an der Theaterkasse, aber — vergebens: ich habe auch heute — Karte bekommen. 5. — Menschen wünschen sich Reichtum, noch — suchen ihn zu erlangen, aber nur sehr — verachten ihn. 6. Man muß mit — Menschen leben; — sind einem angenehm, — nicht angenehm, aber nur — ganz zuwider. 7. Damit — Irrtum entsteht, hat der Reiseführer Ort und Zeit der Abfahrt angeschrieben. 8. — Menschen, die glücklich sind, werden das Leben lieben, und — von ihnen wird sterben wollen. 9. — Menschen machen täglich — Fehler, aber — hört auf Warnungen; — wollen ihre Erfahrungen selber sammeln. 10. — wünschen und verlangen, — hoffen muß das Herz, — zu verlieren bangen und um — fühlen Schmerz (Rückert).

* **Ubung 221:** Wie vorher: 1. — Ausländer studieren in Deutschland. 2. — Ausländer müssen die deutsche Sprache lernen. 3. — müssen ein Gesuch um Erlaubnis zum Studieren einreichen. 4. — Ausländer haben eine Schule besucht, die zum Studium berechtigt. 5. — haben schon in ihrer Heimat studiert, — haben ihr Studium schon beendet. 6. Danach wollen — ihre Kenntnisse in Deutschland erweitern. 7. Darum besuchen

— die Universität, — die Technische Hochschule, — übrige Hochschulen. 8. Nur — Ausländer bleiben in Deutschland, die — gehen in ihre Heimat zurück. 9. Aber — Jahre bleiben fast — hier. 10. —, so hoffen wir, bereut seinen Aufenthalt in Deutschland.

F. Das Adverb

§ 56. Adverbien des Ortes

A. Bestimmte Ortsadverbien

a) Wo bin ich?	b) Wohin gehe ich?		c) Woher (von wo) komme ich?	d) Adjektiv
1. hier	hierhin (nach hier)		von hier	der / die / das } hiesige
2. dort	dorthin (nach dort)		von dort dorther	der dortige
3. da	dahin		von da, daher	
4. draußen außen auswärts	nach draußen, hinaus nach auswärts		von draußen von außen von auswärts	der äußere auswärtige
5. drinnen innen	nach drinnen, hinein		von drinnen von innen	der innere
6. oben	nach oben hinauf	aufwärts	von oben	der obere
7. unten	nach unten hinunter	abwärts	von unten	der untere
8. vorn	nach vorn	vorwärts	von vorn	der vordere
9. hinten	nach hinten	rückwärts	von hinten	der hintere
10. links rechts	nach links nach rechts	seitwärts	von links von rechts	der linke der rechte
11. drüben	nach drüben hinüber		von drüben herüber	(der jenseitige)

Ubung 222: Setzen Sie aus der bezeichneten Reihe das fehlende Adverb in folgenden Sätzen ein: 1. Wir fahren zum Theater nur 20 Minuten, also brauchen wir für den ganzen Weg — (c) bis — (a) nur eine halbe Stunde. 2. Beim Tanzen machen die Füße viele Schritte —, — und — (b). 3. Woher kommst du? Ich komme — und gehe gleich wieder — (4). 4. Wer nicht — kommt (= keine Fortschritte macht), der kommt — (b). 5. Das neue Haus ist — ganz fertig, aber — noch nicht (a). 6. Als die Sportvereine mit Musik in die Stadt einmarschierten, liefen die Menschen — und —, — und — zusammen (c). 7. Das Wetter ist schlecht, und die Autos fahren schnell, wir müssen uns vorsehen, daß wir nicht — (c) bis — (a) mit Schmutz bespritzt werden. 8. Im — Stockwerk des Hauses war eine große Feuersbrunst; aber aus dem — Stockwerk schauten die Leute der Arbeit der Feuerwehr ohne jede Furcht zu (d).

Hin oder her?

ich gehe	*hin*	-aus	-ein	-auf	-ab	-unter	-über	
er kommt	*her*	-aus	-ein	-auf	-ab	-unter	-über	-vor

hin: Bewegung in der Richtung vom Sprechenden oder vom Beobachter fort;

her: Bewegung in der Richtung zum Sprechenden oder zum Beobachter.

Ubung 223: Ergänzen Sie mit diesen Adverbien folgende Sätze: 1. Wo gehst du —? Wo kommst du —? 2. Morgen früh steige ich auf den Berg —, übernachte oben und komme übermorgen —. 3. Das ist unser Autobus, in den müssen wir —. 4. Wir fahren bis zur fünften Haltestelle, dort müssen wir —. 5. Die Dacharbeiter müssen auf alle Dächer und Türme —; ihr Beruf ist gefährlich, sie stürzen leicht —. 6. Wir gehen auf die andere Seite der Straße —. 7. Aus dem brennenden Hause kamen die Leute auf den Leitern der Feuerwehr —. 8. Die Brücke ist zerstört, kein Mensch kann noch — oder —.

Ubung 224: Gebrauchen Sie „hin-" und „her-" und geben Sie den Grund an: 1. Er geht aus der Tür —, steigt die Treppe —, öffnet die Haustür und tritt — auf die Straße. 2. Die Mutter öffnet das Fenster, schaut — und ruft ihr Kind: „Kommt schnell —." 3. Der Knabe sitzt auf dem Apfelbaum, sein Freund steht unten, schaut — und ruft: „Wirf mir einen Apfel —." 4. Der Wasserfall stürzt von dem Felsen —. 5. Die Maus kommt aus dem Loch —. 6. Der Selbstmörder sprang von dem dritten Stock auf die Straße —. 7. Der Bergsteiger klettert den steilen Felsen —. 8. Der Hund sprang über den Zaun —.

Übung 225: Gebrauchen Sie Ortsadverbien anstatt der adverbialen Ausdrücke: 1. Die Schüler gingen über die Brücke. 2. Der Polizist steht an der Ecke; jetzt kommt er von drüben zu uns. 3. Der Dieb steigt in das Fenster. 4. Der Luftballon steigt von der Erde in die Luft; dann senkt er sich wieder auf die Erde. 5. Die Hirsche kamen aus dem Walde; sie liefen schnell über das Feld. 6. Der Student arbeitet in der Stube; am Abend geht er an die frische Luft. 7. Wir gingen an einem Haus vorbei; aus dem Hause tönte Musik. 8. Auf dem Dach arbeiten Dachdecker; ein Stein fällt von dem Dach auf die Straße. 9. Auf dem Berge steht eine Kirche; ich steige auf den Berg. 10. Ein Auto fährt durch den Schmutz; ich trete schnell auf die Seite.

B. Unbestimmte Ortsadverbien

1. Auf der Erde findet man *überall* lebende Wesen.
2. Er war *nirgends* so glücklich wie in seiner Heimat.
3. Das Pferd verlor *unterwegs* ein Hufeisen.

wo?	**woher?**	**wohin?**
anderswo, woanders	anderswoher	anderswohin
irgendwo	irgendwoher	irgendwohin
nirgendwo	nirgendwoher	nirgendwohin
überall	überallher	überallhin

Übung 226: Suchen Sie das fehlende Wort aus den obigen Ortsadverbien und setzen Sie es ein: 1. Junge Menschen glauben, es ist — schöner als zu Hause. 2. Woher weißt du das? Ich habe es — gelesen oder gehört. 3. Der ruhelose Mensch sucht sein Glück — in der Welt; die Unruhe treibt ihn —, bis er erkennt, daß es auch — nicht besser ist. *

4. Wohin gehst du? Ich gehe —, ich bleibe zu Hause. 5. Woher kommst du? Ich komme —, ich war nicht fort. 6. Wir wissen nicht, — der Mensch gekommen ist und — er geht; aber — kommt er, und — geht er. 7. Heute ist ein herrlicher Sonntag, wir möchten — fahren. 8. Vielleicht fahren wir wieder in den Wald zu dem Förster? Meinetwegen —, nur nicht wieder zu dem Förster! Erst vor zwei Wochen sind wir dort gewesen, also lieber an den See oder sonst —. 9. Den Kindern schmeckt es immer — besser als zu Hause. 10. Wir bekommen unser Obst nicht mehr aus Werder bei Berlin; wir bekommen es jetzt —, ich weiß aber nicht genau —.

§ 57. Adverbien der Zeit

1. *Mittags* scheint die Sonne am wärmsten (wann?)
2. Der Student war *wochenlang* krank (wie lange?)
3. Wir machen *täglich* einen Spaziergang (wie oft?)

1. Zeitpunkt: Wann?

A. Bestimmte Zeitadverbien

a) Vgl. Übersicht über die Tageszeiten, Vorstufe S. 24.

Beachten Sie ferner folgende Zeitbestimmungen auf die Frage „wann?":

b) Es ist meist nur e i n e Tageszeit oder e i n Tag gemeint:

am Tage, am Morgen, am Vormittag, am Mittag, am Nachmittag, am (nächsten) Abend, **in der** (vorigen) Nacht

eines Tages, eines Morgens, eines Vormittags, eines Mittags, eines Nachmittags, eines Abends, eines Nachts

am Sonntag, am (vorigen, nächsten) Montag usw.

c) Es sind m e h r e r e s i c h w i e d e r h o l e n d e Tageszeiten oder Tage gemeint:

(des Tages), des Morgens, des Vormittags, des Mittags, des Nachmittags, des Abends, **des** Nachts

(tagsüber), morgens, vormittags, mittags, nachmittags, abends, nachts

des Sonntags, des Montags, des Dienstags usw.
an den Sonntagen, an den Montagen, an den Dienstagen usw.
sonntags, montags, dienstags usw.

d) (die) vorige, diese, (die) nächste Woche
(den) vorigen, diesen, (den) nächsten Sonntag, Monat
voriges, das vorige, — dieses, — nächstes, das nächste Jahr
in der vorigen, in dieser, in der nächsten Woche
im vorigen, in diesem, im nächsten Monat
im vorigen, in diesem, im nächsten Jahr, Sommer

Pl.: in den vorigen, in diesen, in den nächsten Wochen, Monaten, Jahren.

e)

vor (nach, in)	einer Minute,	vor (nach, in)	2, 5, 20 Minuten
„ „ „	einer Stunde,	„ „ „	2, 3, 5 Stunden
„ „ „	einem Tage,	„ „ „	2, 8, 14 Tagen
„ „ „	einer Woche,	„ „ „	2, 4, 6 Wochen
„ „ „	einem Monat,	„ „ „	2, 3, 6 Monaten
„ „ „	einem Jahr,	„ „ „	2, 5, 20 Jahren

Das Gegenteil von *„vor“* ist *„nach“* (oder: *„in“*).

Ubung 227: Suchen Sie das fehlende Wort aus den bestimmten Zeitadverbien und setzen Sie es ein (auch aus der Übersicht der Tageszeiten, Vorstufe S. 24): 1. Ich stehe — um 7 Uhr auf und gehe — um 11 schlafen. 2. Kann ich den Arzt heute sprechen? Nein, er ist schon — (1 Woche) verreist und kommt erst — (1 Woche) wieder. 3. — brennen auf den Straßen der Stadt viele Laternen, — werden sie angezündet und — ausgelöscht. 4. Wohin reisen Sie — (Sommer)? Wir fahren — (Jahr) an die See, — (Jahr) waren wir im Gebirge. 5. Ich mache — (Morgen, Abend) einen längeren Spaziergang. 6. — (vor 12 Uhr) und — (nach 12 Uhr) bin ich in der Universität; — (nach 7 Uhr) bin ich zu Hause. 7. Ich kann seit einiger Zeit — nicht gut schlafen; vielleicht muß ich — früher essen und noch etwas an die Luft gehen, auch darf ich — gar nicht schlafen. 8. — (Dienstag) und — (Freitag) bin ich 6 Stunden in der Universität, — (Montag) und — (Donnerstag) 4 Stunden, — (Mittwoch) nur 3 Stunden, und — (Sonnabend) bin ich ganz frei. *

B. Unbestimmte Zeitadverbien:

a) Es ist schon sehr lange her:
einst, einstmals, ehemals, einmal

b) Es ist schon ziemlich lange her:
damals, jemals, (niemals, nie), anfangs, früher, zuerst, zunächst

c) Es ist noch nicht lange her:
neulich, unlängst, bereits, kürzlich, vor kurzem, gestern

d) Es ist erst vor ganz kurzer Zeit geschehen:
soeben, eben erst, gerade

e) Es geschieht jetzt:
jetzt, gegenwärtig, augenblicklich, heute, heutzutage

f) Es wird (oder ist) in der nächsten Minute geschehen:
sofort, gleich, sogleich, unverzüglich

g) Es wird (oder ist) nach einiger Zeit geschehen:
bald, nächstens, künftig, dann, später, nachher, danach, darauf

h) Es wird (oder ist) zuletzt geschehen:
schließlich*, endlich*, zuletzt*

i) Die mit * versehenen Adverbien stehen meist nicht allein, sondern in Beziehung zu anderen:
erste Zeitstufe: anfangs, früher, zuerst, zunächst
spätere Zeitstufe: dann, später, nachher, danach, darauf
letzte Zeitstufe: schließlich, endlich, zuletzt, heute, jetzt.

* **Übung 228:** Suchen Sie das fehlende Wort aus den bestimmten und unbestimmten Zeitadverbien: 1. Haben Sie — Zeit? Ich hatte — so viel Zeit wie jetzt, nur — nicht, jedoch — den ganzen Tag. 2. Das norddeutsche Tiefland war — ganz mit Eis bedeckt. 3. Wo finde ich den Speisewagen? — kommen Sie zum Post- und Schlafwagen, — durch fünf Personenwagen und — zum Speisewagen. 4. Ist der Lehrer noch da? — (1 Minute) war er noch hier, — ist er fortgegangen, aber — (1 Stunde) kommt er zurück. 5. Ich bin zweimal monatlich — (Dienstag) im Theater, also — (voriger) und — (nächster Dienstag), aber — (dieser Dienstag) bin ich frei. 6. Wie geht das Geschäft? — (dieser Monat) haben wir sehr viel zu tun; — (voriger Monat) war es ganz still, — (nächster Monat) wird es auch ruhig sein. 7. Wann kann ich den Direktor sprechen? — außer (Mittwoch) — von 9 bis 11. Aber er ist — fortgefahren und kommt erst — (1 Woche) zurück. 8. Alter und Krankheit verändern den Menschen sehr; der Großvater war — ein blühender Mann, — ist er ein schwacher Greis. 9. — beleuchtete man Zimmer und Straßen mit Petroleum, — mit Gas, und — haben wir elektrische Lampen. 10. Ich werde dich — besuchen, denn ich möchte deine neue

Wohnung sehen; doch — und — kann ich noch nicht, aber vielleicht —. 11. Wie geht es unserm Freund Karl? Ich habe ihn — nicht gesehen. Aber ich habe ihn — gesprochen; er war — in Bremen und ist erst — zurückgekommen. 12. Waren Sie krank? Sie sehen nicht gut aus! Ich war wirklich — krank, aber — es geht mir besser.

2. Zeitdauer: a) Wie lange? — b) Seit wann? — c) Bis wann?

a) Wie lange?

C. Bestimmte Zeitbegriffe:

Es dauert einen Tag, eine Minute, ein Jahr, sechs Monate, hundert Jahre (Akk. der Zeit, § 40).

D. Unbestimmte Zeitadverbien:

Es dauert sehr lange:

lange	auf immer	beständig
stets	für immer	ewig
immer	immerfort	zeitlebens
immerzu	ununterbrochen	lebenslänglich

lang: tagelang, wochenlang, jahrelang usw.

Es geschieht vor einer gewissen anderen Zeit:
einstweilen, inzwischen, unterdessen, vorläufig.

Übung 229: Suchen Sie das fehlende Wort aus den obigen Adverbien und setzen Sie es ein: 1. Der junge Arbeiter hat sich beide Beine schwer verletzt; ich fürchte, er wird — ein Krüppel bleiben. 2. In den letzten Monaten vor der Prüfung habe ich — gearbeitet. 3. Der Mensch kann sehr — hungern, aber nicht so — dursten. 4. Wir müssen in Leipzig zwei Stunden auf unsern Zug warten; — können wir bequem Mittag essen. 5. Mein Bruder hatte eine leichte Nikotinvergiftung; der Arzt hat ihm das Rauchen — verboten. 6. Das ist für ihn sehr schwer, denn er war gewöhnt, — zu rauchen. 7. — rührt er keine Zigarette an. 8. Unser Arzt hatte einen schweren Autounfall: er und sein Fahrer sind noch — ohne Besinnung; ich fürchte, es wird — dauern, bis er gesund ist. *

b) Seit wann?

E. Bestimmte Zeitbegriffe:

seit heute, seit gestern (aber: **von** morgen **ab**, vgl. § 60 „seit")
seit Montag, seit Ostern, seit Mai, seit Sonnenaufgang

seit dem Morgen, seit dem Herbst, seit den Ferien
seit einer Minute, seit einem Jahr, seit Jahren
seit dem 25. April, seit dem letzten Sonntag.

F. Unbestimmte Zeitadverbien:

seitdem	seither	seit kurzer Zeit
seit damals	seit kurzem	seit langer (längerer) Zeit

c) Bis wann?

G. Bestimmte Zeitbegriffe:

bis gestern, bis heute, bis morgen
bis (zum) Montag, bis (zum) April, bis Weihnachten
bis zum Herbst, bis zu den Ferien
bis zum 27. September, bis zum nächsten Sonntag.

H. Unbestimmte Zeitadverbien:

bis jetzt	bis nachher, bis dann
bisher	bis dahin (auch örtlich)
bis vor kurzem	bis vor kurzer Zeit

* **Übung 230:** Suchen Sie das fehlende Wort aus den Adverbien E bis H und setzen Sie es ein: 1. Mein Onkel war — immer gesund. 2. Vor fünf Jahren verlor er seinen Sohn bei einem Eisenbahnunglück; — kränkelt er beständig, und sein Lebensmut ist — gebrochen. 3. Er versuchte, sich abzulenken und war deshalb — dauernd auf Reisen. 4. Vor zwei Monaten kam er nach Hause und wurde — ernstlich krank. 5. — lag er zu Bett und war ganz teilnahmslos. 6. — scheint endlich die Gefahr vorüber zu sein. 7. Nachdem er — nicht geschlafen hatte, schläft er — besser. 8. Der Arzt meint, daß er — zu Bett liegen muß. 9. Wie geht es unserm alten Großvater? — ging es ihm schlecht, — geht es ihm besser. 10. War der Briefträger schon da? — noch nicht. 11. Den starken Frost haben wir erst —. 12. Nach der Wetter-Ansage dauert er nur noch —.

3. Wiederholung: Wie oft?

a) oft: jedesmal, oftmals, häufig, immer wieder, unaufhörlich, stets, oft
b) ziemlich oft: mehrmals, meist, meistens, öfter(s)
c) nicht oft: selten, einmal, manchmal, nochmals, wieder, hin und wieder, dann und wann, ab und zu, mitunter, bisweilen, zuweilen
d) regelmäßige Wiederholungen: stündlich, täglich, wöchentlich, jährlich, vierteljährlich; — jeden Tag, Tag für Tag, alle Tage, alle zwei

Tage, einen Tag um den andern, jeden zweiten Tag, Tag und Nacht, jede Woche usw.

e) Die Adverbien oft, häufig, selten, können gesteigert werden.

Übung 231: Suchen Sie das fehlende Wort aus den obigen Adverbien der Wiederholung und setzen Sie es in den folgenden Sätzen ein: 1. Diese Arznei muß der Kranke — viermal nehmen. 2. Bei der Erziehung der Kinder muß man — Geduld haben; es genügt nicht, daß man nur — Geduld hat. 3. Die Zeitung kommt —, die Zeitschriften kommen verschieden, einige —, andere —. 4. Wir hatten einen milden Winter, es waren — über 6 Grad Kälte, und wir hatten einen kühlen Sommer, es waren nur — über 20 Grad Wärme. 5. Jetzt sind es zehn Jahre, daß unser Vetter nach Afrika gegangen ist; zuerst haben wir — von ihm gehört, dann hat er immer —, zuletzt gar nicht mehr geschrieben. 6. Der Student geht — in die Universität, — in ein Kino oder ein Theater, — in ein Café oder Restaurant. 7. Er fährt — mit der Eisenbahn in die Umgebung und — mit dem Dampfer heimwärts. 8. Wir reisen im Sommer — an die See, — in den Schwarzwald, — in die Alpen (3 Steigerungsstufen). 9. Der Briefträger kommt — viermal, vormittags — und nachmittags —. 10. Wer Schulden hat, muß die Zinsen regelmäßig bezahlen, meist — oder —. *

Übung 232: Wie vorher: 1. Die Amerikaner besuchten — Europa, besonders — Frankreich und Italien, — auch Deutschland. 2. Sie kamen — mit dem Dampfer, — auch mit dem Flugzeug. 3. In Europa benutzten sie — das Auto, — auch die Eisenbahn, aber natürlich — das Fahrrad. 4. Vor einigen Jahren war unser Vetter aus Amerika im Sommer hier und wollte im nächsten Sommer — kommen. 5. Er wohnte — in München und machte von dort mit seinem Auto — Fahrten nach den schönen alten Städten Süddeutschlands. 6. Er hat uns auch — in Berlin besucht und ist — an die schönen Seen in die Umgebung gefahren. 7. Er liebte alle Arten des Wassersports, wollte — schwimmen, angeln, rudern oder segeln; — war er — (Tag) am oder auf dem Wasser. 8. Wir sahen ihn — nur ein- bis zweimal — (Woche); ich verstehe nicht, wie einer — auf dem Wasser liegen kann. *

Übung 233: Beantworten Sie folgende Fragen: 1. Waren Sie während des Krieges in Deutschland? Nein, ich war — in —. 2. Wie lange sind Sie jetzt schon in Deutschland? 3. Wie lange dauert Ihr Kursus? 4. Wann ist kein Unterricht? 5. Wann arbeiten Sie im Kursus? 6. Wann * arbeiten Sie zu Hause? 7. Wie oft essen Sie am Tage? 8. Trinken Sie nachmittags Tee oder Kaffee? Nein, nur —. 9. Schlafen Sie tagsüber? Nein, nur wenn —. 10. Gehen Sie oft ins Kino? 11. Wann besuchen Sie ein Theater? 12. Wann spielen Sie Fußball oder Tennis? 13. Fahren Sie bald in die Heimat zurück? 14. Wie oft schreiben Sie einen Brief nach Hause? 15. Besuchen Sie Ihre Freunde niemals? 16. Wann reisen Sie nach Italien? 17. Wohin werden Sie am Sonntag fahren? 18. Waren Sie lange in München? 19. Was wollen Sie studieren? 20. An was für einen Beruf denken Sie für später?

§ 58. Modale Adverbien

a) Diese Studenten haben *fleißig (am fleißigsten)* gearbeitet.
b) *Glücklicherweise* hörte der Regen auf.

1. Die Adjektive können ohne Endung als Adverbien gebraucht und auch gesteigert werden, z. B. fleißig, fleißiger, am fleißigsten.

2. Adjektive werden besonders häufig als modale Adverbien gebraucht; beachten Sie ferner die folgenden Gruppen von modalen Adverbien:

1. Wie? Auf welche Art und Weise geschieht die Sache?

glücklicherweise	schriftlich	so, also
möglicherweise	brieflich	gerade so
natürlich(erweise)	absichtlich	anders
teilweise	auswendig	umsonst
stückweise	gern	vergebens

* **Übung 234:** Suchen Sie das fehlende Wort aus den angeführten modalen Adverbien und setzen Sie es in den folgenden Sätzen ein: 1. Das Kind war ins Wasser gefallen, wurde aber — gerettet. 2. Wer recht viele Wortverbindungen und nützliche Sätze — lernt, wird eine fremde Sprache bald erlernen. 3. Entschuldige, ich habe deinen Brief zerrissen, aber aus Versehen, nicht —. 4. Sein vieles Arbeiten ist leider —, er kommt nicht vorwärts. 5. Du ißt — langsam, wie du arbeitest. 6. Ich habe nicht gewußt, daß die Maschine — groß ist; wir müssen sie — schicken und später zusammensetzen. 7. Der Frühling ist sehr

früh gekommen, es wird — noch Frost und Schnee geben. 8. Es kommt im Leben meist —, als man denkt. 9. Viele Dinge kann man nicht mündlich erledigen, man muß es — (oder —) tun. 10. Hast du den Vortrag gut verstanden? Nur —, besonders gegen das Ende war alle meine Mühe —.

2. Wie? In welchem Grade geschieht die Sache?

sehr	nur	beinahe	viel
recht	etwas	fast	mehr — als
zu, allzu	außerordentlich	gänzlich	wenig
so — wie	ungewöhnlich	ganz	ziemlich

Übung 235: Wie vorher: 1. Der Student arbeitet — fleißig; er muß aber noch — fleißiger sein, wenn er die Prüfung bestehen will. 2. Der Vortrag war — langweilig, ich bin — eingeschlafen. 3. Ich habe jetzt leider — zu tun und habe — freie Zeit; erst im Sommer werde ich — Zeit haben. 4. Mozart war schon als Kind — musikalisch. 5. Das Auto fährt nicht — schnell — das Flugzeug. 6. Ich habe heute — länger geschlafen — sonst. 7. Wir hatten in diesem Jahre einen — kalten Winter. 8. Und jetzt haben wir — keinen Sommer, denn es ist — kalt mit — Sonne. 9. Der Student hat eine schlechte Prüfung gemacht, er wäre — durchgefallen. 10. Hast du die Aufgaben — gelöst? Ja, die ersten beiden waren — leicht, die beiden letzten leider — schwer. *

3. Ich bin derselben Meinung.

ja	freilich	natürlich
wirklich	allerdings	tatsächlich
gewiß	bestimmt	unbedingt
sicher	zweifellos	auf jeden Fall

Übung 236: Wie vorher, doch ohne eins der obigen Adverbien zu wiederholen: 1. Der Kranke muß — noch drei Tage ruhig im Bett bleiben. 2. Wenn es nicht — ist, ob du pünktlich kommst, so rufe doch — vorher an. 3. Hast du solche bösen Worte — zu ihm gesagt? —, ich habe sie — gesagt, und er verdient sie —. 4. Der Schüler ist — fleißig und befähigt, er wird die Prüfung — bestehen. 5. Da hat der Junge — wieder ein großes Loch in der Hose! Hast du mir nicht gestern — versprochen, daß du dich vorsehen willst? 6. Der Tote ist erstochen worden, Geld und Wertsachen fehlen: — ist er ermordet und beraubt worden. 7. Willst du mich nach dem Bahnhof begleiten? Ja, —, ich trage dir auch dein Gepäck. 8. Der Himmel wird immer dunkler, es gibt heute — noch Regen. *

4. Ich bin ganz anderer Meinung:

nein	wirklich nicht	keineswegs
nie, niemals	durchaus nicht	keinesfalls
gar nicht	im Gegenteil	auf keinen Fall

* **Übung 237:** Wie vorher, jedoch möglichst ohne Wiederholung der Adverbien: 1. Karl, hast du von deinem Nachbar abgeschrieben? —, ich habe — abgeschrieben. 2. Solche Menschen gibt es wahrscheinlich nicht, die in der Schule — von ihren Nachbarn abgeschrieben haben. 3. Wer seine Hausaufgaben — macht, wird — vorwärts kommen. 4. Warum kommt dein Bruder nicht mit dir zugleich vom Sportplatz? Ich habe ihn — gesehen; ich glaube, er war — da. 5. Wir ermahnen dich täglich, aber du willst — fleißiger werden. 6. Darf der kleine Fritz zur Großmutter fahren? Ja, aber nur mit der Schwester und — allein. 7. Hilde, hast du deinen Bruder geschlagen? —, er hat mich geschlagen. 8. Es ist — zu glauben, wie ungezogen die Kinder sind.

5. Ich bin nicht sicher, ich bin im Zweifel:

vielleicht	kaum	ungefähr
wahrscheinlich	etwa	wenigstens
vermutlich	allenfalls	höchstens
möglicherweise	wohl	mindestens

* **Übung 238:** Wie vorher: 1. Der Kranke kann — nach drei Tagen aufstehen. 2. Der Weg ist länger, als ich dachte; wir haben jetzt — die Hälfte hinter uns. 3. Ich weiß nicht genau, wann der Zug abfährt, — um 8 Uhr. 4. Hier steht ein fremder Schirm, — hat ihn jemand vergessen. 5. Ich weiß nicht, warum mein Freund nicht gekommen ist; — war er plötzlich verhindert, aber er mußte — anrufen. 6. Wie ist denn der Hund ins Zimmer gekommen? Hat — jemand die Tür offengelassen? 7. Ich werde — vor 10 Uhr zu Hause sein, aber — eine halbe Stunde später. 8. Der Zug hat Verspätung, und zwar sehr viel, — 40 Minuten.

Anmerkung: Die kausalen Adverbien sind wenig zahlreich, da der Grund meist durch ein Substantiv mit Präposition oder durch einen Adverbialsatz des Grundes ausgedrückt wird. Am häufigsten werden die demonstrativen und fragenden Kausaladverbien gebraucht, wie z. B. darum, deshalb, deswegen, dazu, warum, weshalb, weswegen, wozu u. a. m. Beispiele: Ich bin nicht darum (deshalb, deswegen, dazu) gekommen. Ich bin deshalb in Unruhe. Dazu habe ich immer Zeit. Ich habe euch nicht deswegen besucht. Ebenso die Fragen: Warum bist du gekommen? Weshalb bist du in Unruhe? Warum hast du uns nicht besucht? Wozu hast du das Messer gebraucht?

G. Die Präposition

§ 59. Übersicht

Es gibt Präpositionen

1. **mit dem Akkusativ:**
   durch, für, ohne, um,
   gegen, wider, bis, entlang
2. **mit dem Dativ:**
   aus, bei, mit,
   nach, seit, von, zu,
   außer, entgegen, gegenüber,
   gemäß, nächst, nebst, zuwider
3. **mit dem Dativ oder Akkusativ:**
   an, auf, hinter, in,
   neben, über, unter, vor, zwischen.

Der Dativ steht bei solchen Verben, die eine Ruhe oder Bewegung an einem Ort ausdrücken; der Akkusativ steht bei den Verben, die eine Bewegung von einem Ort zu einem anderen bezeichnen.

4. **mit dem Genitiv:**
   während, wegen, statt, anstatt,
   diesseits, jenseits, trotz,
   oberhalb und unterhalb, innerhalb und außerhalb
   (*trotz* hat auch den Dativ).

Zur Wiederholung und Vertiefung

Vgl. die früheren Übungen mit Präpositionen:

Vorstufe: Präpositionen: S. 19, 20 u. 21, Personal-Pronomen mit Präpositionen: S. 29.

Sprachlehre: Verben mit präpos. Objekt: § 32, Übung 99 bis 118; Adjektiv: § 37, Übung 132d, 134d, 137b, 139b, 142d, 144d; mit präpos. Objekt: § 43, Übung 161—163; Pronomen: § 47, Übung 180b, 181b, 183c; § 48, Übung 189.

Übung 239: Präpositionen mit Dativ und mit Akkusativ. Beantworten Sie folgende Fragen in vollständigen Sätzen, z. B.: Wovon träumen die Menschen? (Reise, Glück, Zukunft). Die Menschen träumen von der Reise, von dem Glück, von der Zukunft. 1. Wofür arbeitet der Student? (Beruf, Doktorarbeit, Prüfung). 2. Womit spielt das Kind? (Puppe, Spielzeug, Eisenbahn). 3. Wo fliegen die Schwalben? (um, Turm, Kirche, Haus). 4. Wogegen stößt das Schiff? (Fels, Ufer, Mauer des Hafens). 5. Bei wem wohnt die Studentin? (Kaufmann, arme Witwe, Eltern). 6. Wonach sehnt sich der Fremde? (schöne Heimat, alte Eltern, gute Freunde). 7. Bis wann macht der Student die Prüfung? (Ostern, Herbst, 1. Juni). 8. Woraus trinkt man Kaffee? Bier? Wein? (Kaffeetasse, Bierglas, Weinglas). 9. Wo laufen die Kinder? (entlang, Fluß, Wald, Straße). 10. Zu wem reist der Ausländer? (Freund, Schwester, Großeltern).

Übung 240: Ebenso: 1. Nach wem sehnt sich die Mutter? (Sohn, Kinder, jüngste Tochter). 2. Um was wetten die Freunde? (50 Zigaretten, 1 Flasche Wein). 3. Seit wann ist der Freund krank? (eine Woche, 5. Oktober, Ostern). 4. Wo gehen die Kurgäste spazieren? (Wald, Tal, Park). 5. Wie lange bleibt der Ausländer hier? (bis Ostern, nächster Sonntag, Anfang Mai). 6. Von wem haben Sie den Brief bekommen? (meine Schwester, alter Freund). 7. Wovon leben die Vögel? (kleine Insekten, verschiedene Samen). 8. Wo liegt das Theater? (gegenüber, großer Park, neuer Bahnhof, alte Post). 9. Durch wen schickten Sie die Nachricht? (Landsmann, Post, Studienfreund). 10. Gegen wen kämpft der fremde Boxer? (deutscher Meister, Weltmeister).

Übung 241: Ebenso: 1. Wie soll der Mensch sich verhalten? (gemäß, Natur, ärztliche Verordnung). 2. Für wen sorgen die Eltern? (alle Kinder, kleiner Sohn, junge Tochter). 3. Wem reist der Ausländer entgegen? (alte Mutter, deutscher Freund). 4. Wodurch erfuhren Sie das Unglück? (deutsche Zeitung, gestriger Brief). 5. Mit wem verheiratet sich die Sängerin? (berühmter Schauspieler, junger Dirigent). 6. Ohne wen werden die Alpinisten den Berg nicht ersteigen? (Bergführer, erfahrene Bewohner). 7. Wozu dient das Flugzeug? (schnelle Beförderung von Menschen und Waren). 8. Wie lebt der Verbrecher? (zuwider, gesetzliche Bestimmungen, polizeiliche Verordnungen). 9. Was wurde gestohlen? (nebst, Auto — viele Pakete, — mehrere Mäntel; Koffer — Inhalt). 10. Wen liebt die Mutter am meisten? (nächst, ihre Kinder — ihren Mann).

Übung 242: Präpositionen mit Dativ oder Akkusativ. Beantworten Sie die Fragen in ganzen Sätzen: 1. Wo sitzt der Vogel? (grüner Baum, kleines Nest, hohes Dach). 2. Wohin setzt sich der Vogel? (wie vorher). 3. Wo steht der Apfelbaum? (neben, kleines Haus, alter Brunnen). 4. Wohin pflanzt der Gärtner den Apfelbaum? 5. Wo steht der Gartenstuhl? (kühler Schatten, grüne Wiese, offenes Fenster). 6. Wohin stellt das Mädchen den Gartenstuhl? 7. Wo liegt der Bleistift? (großer Tisch, braune Bank, dickes Heft). 8. Wohin legt der Student den Bleistift? 9. Wo hingen Hut und Mantel? (großer Haken, weiße Wand, neuer Schrank). 10. Wohin hängte der Gast Hut und Mantel?

Übung 243: Ebenso: 1. Wohin stellt der Student die Bücher? (sein Schreibtisch, großer Bücherschrank). 2. Wo stehen seine Bücher? 3. Wohin steckt die junge Dame das Taschentuch? (kleine Jackentasche, braune Handtasche). 4. Wo steckt ihr Taschentuch? 5. Wo wachsen die Blumen? (unser Garten, grüne Wiese, hoher Berg). 6. Wohin stellt die Frau die Blumen? (Tisch, Fenster, neue Vase). 7. Wohin bauen Sie Ihr Sommerhaus? (großer See, schöner Park, kleiner Hügel). 8. Wo steht sein Sommerhaus? 9. Wohin fahren die Leute am Abend? (neues Theater, schöne Oper, großes Restaurant). 10. Wo verleben Sie den Abend?

Übung 244: Ergänzen Sie den Dativ oder Akkusativ: 1. Der Vater trat zwischen — streitend- Brüder. 2. Es besteht ein großer Charakterunterschied zwischen — Brüder-. 3. Vor — Gartenhaus steht zwischen — beid- Teich- eine Bank. 4. Der Gärtner hat einen Apfelbaum (wohin?) neben — Gartenhaus gepflanzt. 5. Ein kleiner Singvogel saß auf ein- Ast des Baumes, er flog schnell auf — Dach des Hauses. 6. Der Gärtner ging in — Haus, hängte den Hut an — Haken, stellte sein Werkzeug an — Wand und trat in — Zimmer. 7. Er nahm ein Glas aus — Schrank, ging in — Küche, hielt das Glas unter — Wasserhahn und ließ kaltes Wasser in — Glas laufen. 8. Er setzte das Glas an — Mund und trank es bis (wohin?) auf — Grund leer. 9. Eine alte Scheune steht an — Rand des Dorfes; auf — Dach hat ein Storch sein Nest gebaut. 10. Hinter — Scheune liegt eine große Wiese. Auf — Wiese leben viele Frösche; der Storch sucht in — Gras die Frösche, packt sie und erhebt sich in — Luft. 11. Hoch in — Luft kreist der Vogel über — Dorf; er läßt sich auf — Nest nieder und verteilt seine Beute unter (Akk.) — Jungen.

Übung 245: Wie vorher: 1. Der Student setzt sich auf sein- Platz, öffnet sein Buch, nimmt seinen Füller in — Hand, stützt den Arm auf (Akk.) — Buch, blickt auf — Tafel und schreibt die Wörter (wohin?)

in — Heft. 2. Neben — Schüler steht der Lehrer. Er hält ein Buch in — Hand; er beugt sich über (Akk.) — Schüler und verbessert die Fehler in — Heft. 3. Gestern abend ging ich in — Kino, löste eine Eintrittskarte an — Kasse, steckte die Geldtasche wieder in — Jacke und trat in — Zuschauerraum. 4. In — Saal war es dunkel; ein Mädchen führte mich auf — Platz; ich ließ mich (wohin?) auf — Klappsitz nieder; auf — Leinwand lief ein Film; vor — (ich) saß ein großer Herr; ich konnte nicht gut (wohin?) auf — Leinwand blicken.

Übung 246: Ergänzen Sie den Genitiv, Dativ oder Akkusativ: 1. Ein Gelehrter saß den ganzen Tag — Hause über (Dativ) sein- Büch-. 2. Für sein- Arbeit brauchte er Ruhe. 3. Aber wegen — Nachbarn konnte er nicht in Ruhe arbeiten. 4. Nämlich auf — link- Seite wohnte ein Schmied und rechts neben — ein Schlosser. 5. Der Lärm aus beid- Werkstätt- drang während — ganz- Tag an sein Ohr. 6. Leider konnte der Gelehrte selbst nicht ausziehen; denn das Haus, in welch- er wohnte, war sein Eigentum. 7. Da schickte er endlich einen Freund zu — lärmend- Nachbar-. 8. Dieser sagte zu — jed- von — (sie): „Wenn Sie aus Ihr- Wohnung ausziehen, so bekommen Sie von — Herr- Professor hundert Mark." 9. Am nächsten Morgen saß der Gelehrte in sein- Studierzimmer; da klopfte es an — (Akk.) Tür. Er rief: „Herein!" 10. Beide Handwerker traten in — Zimmer, nahmen die Mütze von — Kopf und sagten: „Wir wollen ausziehen; wir haben eine neue Wohnung gefunden." 11. Der Gelehrte war hocherfreut; er griff in sein- Brieftasche und drückte jedem die versprochene Belohnung in — Hand. 12. Dann geleitete er die beiden Besucher nach — Tür, und bei — Abschied fragte er: „Wohin ziehen Sie denn jetzt?" 13. Da antwortete der Schmied: „Der Schlosser zieht in mein- Wohnung, und ich ziehe in — seinig-."

Übung 247: Ergänzen Sie den Genitiv. Beantworten Sie folgende Fragen: 1. Wann haben Sie Ferien? (während, Sommer). 2. Warum wird das Kind gescholten? (Ungehorsam). 3. Wo liegt Bayern? (diesseits, Alpen). Und Italien? 4. Wo befindet sich das Gasthaus? (oberhalb, Wasserfall). 5. Wo findet das Fest statt? (außerhalb, Stadt). 6. Innerhalb welcher Zeit müssen Sie die Schulden abzahlen? (innerhalb, während, Jahr). 7. Nimmt Ihr Freund an dem Ausflug teil? Ja, (trotz, seine Erkältung). 8. In welcher Zeit hat der Ausländer die Sprache gelernt? (innerhalb, ein Jahr). 9. Was gebe ich dem Jungen für das Tragen des Koffers? (lieber Geld, anstatt, Zigaretten). 10. Wo ist die Quelle des Flusses? (unterhalb, Schloß).

§ 60. Bedeutung der Präpositionen

A. Mit dem Akkusativ:

1. durch

bezeichnet eine Bewegung mitten durch einen Raum oder Gegenstand:

a) räumlich: der Ball flog durch das Fenster, durch das Zimmer; die Kugel ging durch den Hut, durch das Herz; er schwamm durch den Fluß; wir gingen durch das Haus, durch den Garten, durch den Wald;

b) zeitlich: durch die ganze menschliche Geschichte, durch die Jahrhunderte, durch den Winter;

c) das Mittel (vgl. „mit") bei Personen und Sachen: Ich schicke die Nachricht durch einen Boten, durch meinen Bruder Karl, durch die Post;

d) die Ursache: Er wurde durch einen Schuß, durch einen Unfall getötet; die Sachen werden durch die Post, durch das Schiff, durch das Auto befördert; das Unglück entstand durch die Krankheit, durch den Krieg, durch die Frau; er hat sein Vermögen durch Fleiß und Arbeit erworben.

e) Beim Passiv bedeutet „durch" das Mittel und die Ursache (vgl. „von"), Beispiele oben unter d.

2. für

hat zwei Hauptbedeutungen:

a) anstatt eines andern, als Ersatz für Personen und Sachen (vgl. „anstatt"): Die Krankenschwester schreibt den Brief für den schwer verletzten Autofahrer; ich unterschreibe die Quittung für den abwesenden Bruder; ich halte ihn für einen tüchtigen Menschen; ebenso bei Bezeichnung des Preises (für = anstatt des Geldes): Er kaufte für 10 Mark Blumen, für 30 Mark Bücher, für 6000 Mark ein Auto; er arbeitet für Geld, für nichts;

b) zum Besten, zum Nutzen einer Person oder Sache (Gegensatz: gegen, wider): Er sorgt und arbeitet für die Kinder, für die Familie, für seine Fabrik, für unsere Partei, für Haus und Hof, für die Gesundheit; er kämpft für eine bessere Zukunft, bürgt für seinen Freund, dankt für die Glückwünsche, für das Geschenk zum Geburtstag.

3. ohne

d. h. jemand oder etwas ist nicht vorhanden, ist nicht dabei (Gegensatz: mit): Er ist ohne Weib und Kind, ohne Wohnung, ohne Geld, aber nicht ohne Hoffnung; er handelt ohne Zweifel falsch, ohne Überlegung, ohne Vernunft, ohne jede Rücksicht auf mich, auf andere Menschen.

4. um

d. h. etwas umgibt Personen oder Sachen gleichsam kreisförmig im Zustand der Ruhe oder Bewegung:

a) Die Erde bewegt sich um ihre Achse, um die Sonne; die Mauer zieht sich (geht) um die Stadt, den Friedhof, das Gefängnis; es steht gut (schlecht) um ihn, um die Sache; sie weint, klagt, trauert um den Toten; er bittet um Rat und Hilfe; er kümmert sich, bemüht sich um die Freunde, um die Arbeit.

b) z e i t l i c h : um fünf Uhr, um halb vier; um Mitternacht, um die Mitte des Jahrhunderts.

5. gegen

bedeutet: Personen oder Sachen bewegen sich gegeneinander oder stehen einander gegenüber:

a) f r e u n d l i c h : herzlich sein, gut sein gegen seine Kinder, gegen seine Eltern, Freunde, Bekannten (auch: „zu");

b) f e i n d l i c h (Gegensatz: für): herzlos, unfreundlich, grob sein gegen seine Freunde, gegen seine Bekannten; er handelt gegen meinen Willen, gegen seine Überzeugung; er tut etwas gegen die Familie, gegen den Staat; er schwimmt gegen den Strom; er kämpft gegen die Feinde, gegen die Wellen; wer kennt ein gutes Mittel gegen die Krankheit, gegen die Erkältung?

c) b e i Z e i t u n d Z a h l e n = fast, annähernd: gegen Abend, gegen 10 Uhr; er ist gegen 30 Jahre alt; es kostet gegen 100 Mark (vgl. „an").

6. wider

bedeutet: gegen, aber stets feindlich, wird meist nur in dichterischer Sprache gebraucht (Gegensatz: für):

Man muß das Für und Wider der Sache betrachten; wer nicht für mich ist, der ist wider mich; er handelt wider alle Vernunft; die Ernte war wider (alles) Erwarten gut.

7. bis

bezeichnet die Ausdehnung oder Bewegung zu einem Ziel, örtlich und zeitlich:

a) ohne Artikel, mit Akkusativ bei Orts-, Preis-, Zahl- und Zeitangaben: bis Hamburg, bis 100 DM, 8 bis 10 Stück, bis Neujahr, bis (nächsten) Sonntag, bis (Ende) Januar, zwei bis drei Tage, bis hier, bis morgen;

b) mit Artikel und einer zweiten Präposition zur genaueren Bestimmung: Der Stein flog bis an das Haus, bis auf das Haus, bis über das Haus, bis hinter das Haus, bis in das Haus; das Flugzeug flog bis an, bis in, bis über die Wolken; ich geh mit dir bis an das Ende der Welt; wir wanderten bis zum alten Friedhof; ich bleibe hier bis zur nächsten Woche, bis nach den Ferien; er hat alles bis zum (bis auf den) letzten Pfennig bezahlt.

8. entlang

bezeichnet die Ausdehnung oder Bewegung in der Längsrichtung; **steht hinter dem Substantiv;** anstatt des Akkusativs bei „entlang" kann man oft auch „an" mit dem Dativ gebrauchen:

Der Weg führt den (an dem) Wald, den (an dem) Bach entlang; wir fuhren, liefen, gingen die Straße entlang, den (an dem) Fluß, den (an dem) Kanal entlang, den (an dem) Zaun entlang.

Übung 248: Ergänzen Sie die Präposition und den Akkusativ: 1. Die Eisenbahn fährt — langer Tunnel, — große Stadt, — dunkler Wald. 2. Der Mensch kann nicht leben — frische Luft, — gesunde Nahrung, — warme Kleidung. 3. Der Vater arbeitet — große Familie, — kleine Kinder, — tägliche Brot. 4. Das Schiff fährt — schöne Insel; die Ringbahn fährt — ganze Stadt; der Weg führt — steiniger Berg; die Mauer geht — alte Burg. 5. Was kostet das große Wörterbuch? Ich weiß es nicht genau, ich glaube — 12 Mark; ich habe es alt — 4 Mark gekauft. 6. Die Kinder werden oft — die Eltern gestraft, die Eltern aber auch oft — ihre Kinder. 7. Wo kleine Kinder in der Familie sind, dreht sich alles — (Kinder). 8. Er hat seine Fabrik — Fleiß und Tüchtigkeit in die Höhe gebracht; — Krankheit und Unglück ging er zugrunde. *

Übung 249: Wie vorher. 1. Ein Stein flog — offenes Fenster — die Zimmerdecke. 2. Der Zug geht pünktlich — 7.10 morgens ab, ein zweiter fährt — Mittagszeit und ein dritter abends — 20 Uhr. 3. Der flüchtende Dieb lief zuerst Häuser —, dann — Ecke, danach — mehrere *

Straßen — Bahnhof, wo er unter den vielen Menschen verschwand. 4. Das ist die Aufgabe des Menschen, sich zu bemühen — gute und nützliche Tätigkeit, zu sorgen und zu arbeiten — seine Familie, zu kämpfen — alle Widerstände, und das alles — Ende seines Lebens. 5. Die Schüler wanderten eine Stunde Fluß —, dann zwei Stunden — Wald — Eisenbahn. 6. Der Dichter ist — Mitte des vorigen Jahrhunderts geboren und ziemlich jung — Ende des Jahrhunderts gestorben. 7. Ich möchte gern — mein Bruder die Fabrik leiten. 8. Die Leiden eines Gefangenen sind schwer: er muß — seine Familie, — seine Freunde, — seine Arbeit eine Zeitlang in der Fremde oder im Gefängnis leben.

B. Präpositionen mit dem Dativ

1. aus

bezeichnet die Bewegung aus einem geschlossenen Raum oder aus der Mitte mehrerer gleichartiger Dinge (Gegensatz: in):

a) Er kommt aus dem Zimmer, aus dem Haus, der Stadt, aus München, aus Deutschland; es kommt etwas aus dem Herzen; er zieht die Uhr aus der Tasche; er kommt aus dem Regen in die Traufe; ein Buch aus dem Russischen ins Deutsche übersetzen; der Ruf kam aus der Menschenmenge;

b) zeitlich: aus alter Zeit, aus der Jugend, aus dem vorigen Jahrhundert;

c) stofflich: Der Ring ist aus Gold, der Apparat ist aus Aluminium, das Jahrhundert aus Stahl und Eisen;

d) bezeichnet den Grund: Er tut es aus Ärger, Freude, Nachlässigkeit, aus Gedankenlosigkeit; er spricht aus Erfahrung.

2. bei

bezeichnet die Nähe:

a) räumlich: Etwas steht oder liegt bei dem Schrank, bei der Tür, bei dem Haus, bei der Stadt; Potsdam liegt bei Berlin; die Schlacht bei Leipzig; bei uns in der Stadt, bei uns zu Hause;

b) zeitlich: bei Beginn des Konzerts, bei gutem Wetter, bei Gelegenheit; ich bin bei der Arbeit, beim Packen des Koffers, beim Anziehen; er ist (bleibt) nicht bei der Sache.

3. mit

bezeichnet bei Personen: die Gemeinschaft, die Begleitung (Gegensatz: ohne):

a) Die Mutter geht mit den Kindern spazieren, der Lehrer mit den Schülern; das Schiff geht mit der gesamten Besatzung unter; der Verkehr mit Deutschen ist für Ausländer, die Deutsch lernen, sehr nützlich; man macht etwas mit Absicht, mit Hilfe eines anderen, mit Geduld, mit Leidenschaft; man streitet, man versöhnt sich mit den Freunden;

b) bei Sachen: die Begleitung oder meist: das Mittel oder Werkzeug (vgl. „durch"): die Handwerker arbeiten mit den Händen, mit ihren Werkzeugen, die Gelehrten mit dem Kopf; wir sehen mit den Augen, fahren mit dem Auto, bezahlen mit Geld; wir fangen mit der Arbeit an, beschäftigen uns lange mit einer Sache, hören damit auf.

4. nach

bezeichnet die Richtung, das Streben wohin (Gegensatz: von):

a) Wir fahren nach Hause, nach der Stadt, nach Bremen, nach Deutschland (aber: in die Schweiz), nach Europa; wir fragen, erkundigen uns nach dem Weg, nach der Abfahrt des Zuges; die Fenster gehen nach Norden, nach der Straße; wie komme ich nach dem Zoo? nach dem Kurfürstendamm? Wir streben (sehnen uns) nach Ansehen, nach Ehre und Ruhm, nach Reichtum; wir handeln nach dem Gesetz, nach den Vorschriften des Arztes, nach bestem Wissen und Gewissen;

b) zeitlich: was schon vorüber ist (Gegensatz: vor): nach dem Konzert, nach der Hochzeit, nach Neujahr, nach der Arbeit, nach einer Minute, einem Jahr; ein Viertel nach zwölf;

c) ähnlich: einer nach dem andern; nach dem Alphabet, nach dem Gesetz, nach meinem Wunsch, nach meiner Meinung, nach meiner Ansicht (auch: meiner Ansicht nach), vgl. „gemäß".

5. seit

bedeutet: vom angegebenen Zeitpunkt bis jetzt, nur zeitlich: Er ist in Berlin seit drei Stunden, seit einer Woche, seit einem Monat, seit einem Jahr; etwas geschieht seit dem Kriege, seit langer Zeit, seit dem vorigen Jahrhundert, seit der Krankheit, seit der Reise, seit gestern, seit damals.

„seit" bezieht sich auf die Vergangenheit: seit gestern, seit heute morgen, seit Montag liegt der Kranke zu Bett; auf die Zukunft bezieht sich: *von* heute *ab*, *von* morgen *ab*, *vom* nächsten Montag *ab* darf der Kranke aufstehen.

6. von

sagt, woher (von wo) etwas kommt (Gegensatz: nach, zu):

a) Er kommt von Hause, vom Sportplatz, vom Bahnhof, vom Ufer, von der Nordsee, von den Eltern, vom Arzt; ein Gedicht von Schiller, eine Zeichnung von Menzel; von Hohenzollern (als Adelsbezeichnung); es kommt von Herzen; der Brief befreit mich von meinen Sorgen;

b) zeitlich: Von April bis September läuft das Sommersemester; er hat Urlaub vom 1. bis 22. August; eine Pause von zehn Minuten entstand;

c) die Ursache: Die Ernte hängt vom Wetter ab; er wurde von der Mutter gerufen, geschickt, gewarnt; er wird von dem Lehrer, von den Eltern gelobt; der Hund wurde von dem Stein, von der Peitsche getroffen;

d) als Ersatz für den Genitiv: Er ist ein Mann von Ehre; sie ist eine Frau von Geschmack; Menschen von solchem Reichtum können sich eine Weltreise erlauben; diese Art (von) Menschen ist an Arbeit gewöhnt; einer von ihnen, von vielen; das schönste von allen Geschenken; der König von Preußen; die Bevölkerung von Berlin (oder: Berlins); das sind Verwandte von uns, von meiner Mutter; er ist Vater von vielen Kindern; die Beförderung von Menschen und Sachen durch die Eisenbahn.

e) Beim Passiv bedeutet „von" die Herkunft, den Ursprung, die Ursache (vgl. „durch", Beispiele unter c).

7. zu

bezeichnet, wohin sich etwas bewegt, besonders zu Personen hin (Gegensatz: von):

a) Die Straße führt zur Universität, zum Theater; der Minister spricht zum Volk; wir gehen zu den Eltern, zur Großmutter, zur Freundin, zum Arzt; das ist der Weg zum Glück;

b) bezeichnet auch die Ruhe: viele Vororte gehören zu Berlin; ferner in festen Wortverbindungen: ich bin zu Hause, er liegt zu Bett, er war zu Pferde, wir gingen zu Fuß;

c) Zeit und Zahl: zu Mittag, zu Ostern, bis zu den Ferien; das Pfund zu 3 Mark, 3 Briefmarken zu 15 (Pfennig); zum ersten-, zum letztenmal.

8. außer

bedeutet: etwas ist ausgeschlossen, ausgenommen, nicht einbegriffen:

Außer dem Kapitän wurden alle gerettet; außer dem Rathaus ist die ganze Stadt verbrannt; er ist Oberst a. D. = außer Dienst; diese Geldscheine sind außer Kurs (gesetzt); die Sache ist außer Zweifel; der Kranke ist außer Gefahr.

9. entgegen

bedeutet: etwas bewegt sich zu einer Person oder Sache hin, die sich nähert, bis zur Begegnung oder ohne diese; **oft dem Substantiv nachgestellt:**

Die Kinder laufen, gehen, fahren, reisen dem Vater entgegen; der tapfere Mensch geht dem Gegner, einer Gefahr, dem Tode mutig entgegen; das Angebot des Kaufmanns kommt unseren Wünschen entgegen. In diesen Beispielen ist die Präposition trennbar mit den Verben verbunden; selbständig: du bist meinen Absichten, Wünschen, Hoffnungen stets entgegen. Es kam, entgegen meiner Erwartung, ganz anders.

10. gegenüber

bedeutet: etwas befindet sich auf der entgegengesetzten (gegenüberliegenden) Seite oder bewegt sich dorthin; **wird oft nachgestellt:**

Koblenz gegenüber liegt auf der anderen Seite des Rheins die alte Festung Ehrenbreitstein. In der Straßenbahn, in der Eisenbahn sitzt oder steht man vielen Menschen gegenüber, setzt oder stellt man sich den Menschen gegenüber; dem Klavier gegenüber steht (stellen wir) das Sofa.

11. gemäß

bedeutet: etwas entspricht dem richtigen Maß, dem Wesen, der Natur einer Person oder Sache; **vor- oder nachgestellt** (Gegensatz: zuwider):

Er handelt seinen Anlagen gemäß, seiner Natur, seinem Charakter gemäß, er handelt nicht unseren Wünschen gemäß, unserer Verabredung gemäß, auch nicht gemäß den Gesetzen, vgl. „nach" c).

12. nächst

bedeutet: in der Reihenfolge das erste, was unmittelbar danach kommt:

Nächst dem Englischen sind das Deutsche und Französische am meisten in der Welt verbreitet; nächst den Eltern verdankt er seinem verstorbenen Onkel das meiste; nächst der Kirche und dem Bahnhof ist das Gymnasium das höchste Gebäude in unserer Stadt.

13. nebst

bedeutet: zugleich mit:

Der Mantel nebst Hut und Schirm war aus dem Auto verschwunden; der Koffer nebst Inhalt wurde gestohlen; die Mutter nebst allen Kindern war schwer erkrankt; das Schiff nebst der ganzen Ladung ging verloren.

14. zuwider

bedeutet: feindlich entgegen sein; **wird nachgestellt** (Gegensatz: gemäß):

Diese grellen Farben sind meinem Geschmack zuwider; der scharfe Geruch ist meiner Nase, dieser Mensch und seine Handlungsweise sind meinem Gefühl zuwider; der Kranke rauchte dem Verbot des Arztes zuwider, der Verbrecher handelt dem Gesetz zuwider.

15. trotz s. Präpositionen mit dem Genitiv

* **Übung 250:** Ergänzen Sie die Präpositionen und die Dative: 1. Wie soll der Mensch leben? — Gesetze der Natur. 2. Was erhalten wir — Kuh? — Schaf? — Huhn? 3. Wer war zu Hause? Es war niemand zu Hause — Mutter, — Mädchen, — Kinder. 4. Der Schneider arbeitet — Schere, der Schmied — Hammer, der Tischler — Säge. 5. Das Brot kaufen wir — Bäcker, den Zucker — Kaufmann, den Kuchen — Konditor, die Bücher — Buchhändler. 6. Der Ausländer hat seine Heimat — viele Wochen, — 10 Monate, — drei Jahre nicht gesehen. 7. Die Menschen handeln schlecht — reine Bosheit, — große Not, — böse Absicht, — schlechtes Herz. 8. Die Eisenbahn fährt — eisiger Wind, — strömender Regen, — gutes Wetter, — schlechtes Wetter, — jedes Wetter.

* **Übung 251:** Wie vorher, Ergänzung mit den Dativpräpositionen: 1. Wohin reisen Sie? Ich fahre — meine Frau und meine Kinder aufs Land — mein Bruder, der — drei Jahre — Bremen wohnt. 2. In der Eisenbahn saß ein Herr (ich) —, der große Ähnlichkeit — mein Vater hatte. 3. Ist der Arzt zu Hause? Nein, er ist — vorige Woche verreist. 4. Das schreckliche Erdbeben zerstörte — einige kleine Häuser die ganze Stadt. 5. — Fuße des Berges — Spitze dauert der Weg länger als — Spitze des Berges — unten. 6. Die Flugzeuge baute man früher — Holz — wenig Eisen; jetzt baut man sie — Aluminium oder — andere Leichtmetalle. 7. — Donau ist der Rhein der längste Fluß Deutschlands. 8. Wann kommt der Vater? Er kommt meist — vier

Uhr. 9. Woher kommt er? Er kommt — Gericht. 10. Kommt er allein? Nein, er kommt immer — zwei Freunde.

Übung 252: Wie vorher: 1. Gestern war ein großer Brand auf einem Bauernhof nicht weit — Stadt (ganz nahe — Stadt); das Wohnhaus und alle Gebäude — alles Vieh und — alle Sachen sind verbrannt. 2. Ein Reisekoffer — wertvoller Inhalt wird vermißt; gegen Belohnung abzugeben — Professor Müller. 3. Sein Vermögen verdankt unser Freund — seine Sparsamkeit vor allem seiner großen Tüchtigkeit. 4. Wer Gesetze — lebt und nicht — Gesetze handelt, wird — alle Menschen und — Polizei in Frieden leben. 5. Wohin gehen Sie? Ich gehe — Arzt; — eine Erkältung habe ich auch noch Augenschmerzen. Wo wohnt er? Auf der anderen Seite der Straße, gerade (wir) —. 6. Die historischen Romane nehmen ihre Stoffe — Geschichte, meist — neue, aber manchmal auch — alte Zeit. 7. Mein Großvater war ein schöner Mann — große Gestalt — helle, blaue Augen und — ganz weißes Haar. Wir Kinder liefen gern — (er) und waren immer gern — (er). 8. Wer einen gesunden Körper hat, — Vorschriften des Arztes und Natur nicht — lebt, der kann hundert und mehr Jahre alt werden. *

Wiederholung

der Präpositionen mit Akkusativ und mit Dativ

Übung 253: Setzen Sie von den beigefügten Präpositionen die richtige ein: 1. Die Kinder liefen mitten — Wasser und machten sich Kleider und Schuhe naß (nach, zu, durch). 2. — Menschenmenge (von, aus, durch) brachte man einen Verunglückten, der — seine Unvorsichtigkeit (durch, mit, bei) — ein Auto (mit, durch, von) überfahren worden war. 3. Das Wörterbuch ist — Alphabet geordnet (gemäß, mit, nach), aber ich suche — eine halbe Stunde (seit, von, gegen) ein Wort und kann es nicht finden. 4. Wann haben Sie Urlaub (Ferien)? — 1. Juni (aus, von, seit) — 5. Juli (bis, nach, zu), und Sie? Ich werde — Pfingsten (seit, nach, von) Urlaub haben. 5. Wohin reisen Sie? Ich fahre — mein Bruder (bei, nach, zu); er hat — Nürnberg (zu, bei, um) ein hübsches Sommerhäuschen. 6. Bitte, geben Sie mir 5 Briefmarken — 15 und 3 — 25 Pfennig (für, zu, von); wieviel kostet ein Brief — 15 g (bei, von, zu) — das Ausland (nach, für, zu)? — 20 g kostet der Auslandsbrief 40 Pfennig (von, zu, bis, für). 7. Das kann keinem Menschen nützen: eine Uhr — Zeiger, eine Brille — Glas, ein Auto — Räder, ein Polizist — Mut * und — Waffen; aber das ist nützlich und brauchbar: eine Uhr — zwei Zeiger, eine Brille — gute Gläser, ein Auto — vier feste Räder, ein Polizist — großer Mut und gute Waffen. 8. — wann sind Sie im Kursus? — Ostern (— Herbst, — 1. Oktober; von, seit, um). 9. Wir gingen zwei Stunden — Wald spazieren (durch, in, nach), fast immer der Fluß — (bei, nach, entlang); dann kamen wir — ein Bahnhof (zu, bei, nach) und fuhren — Hause (zu, nach). 10. Meine Eltern wohnen — meine Geschwister (mit, nebst) nahe — Lübeck (nicht weit — Lübeck) unmittelbar — Ostsee (von, bei, an mit Dativ).

C. Präpositionen mit Dativ oder Akkusativ

1. an

bezeichnet die Berührung einer senkrechten (wirklichen oder gedachten) Fläche oder die Bewegung gegen sie:

a) Das Bild hängt an der Wand; der Stuhl steht am Tisch, am Fenster; ebenso: ich hänge das Bild an die Wand, ich stelle den Stuhl an den Tisch, an das Fenster; der Garten ist an dem Haus, an dem Ufer, an dem Berg; die Bank steht am Wege, am Walde, am See, am Fluß; Frankfurt (liegt) am Main; wir gehen an die Arbeit; ich schreibe den Brief an die Eltern; er ist Professor an der Universität, Lehrer an einer Schule; ich werfe den Ball an die Wand, an das Fenster, an den Spiegel. Viele Verben werden mit „an" verbunden: denken, glauben, sich erinnern, sich gewöhnen, schreiben an (mit Akkusativ); teilnehmen, zweifeln, erkennen, sich stoßen, leiden, sterben, sich rächen an (mit Dativ);

b) Zeit und Zahl: Am Morgen, am Sonntag, an diesem Tage (s. „in"); ich bin an drei Stunden gegangen; es kostete an 100 Mark, es waren an dreißig Menschen dort (s. „gegen");

c) Berührung „oben", aber von innen sowie die Bewegung dorthin: Die Lampe hängt an der Decke, die Sonne steht hoch am Himmel; der Ball fliegt an die Decke.

2. auf

bezeichnet die Berührung einer waagerechten Fläche von oben oder die Bewegung gegen sie:

Das Buch liegt auf dem Tisch, auf dem Sofa; der Schnee liegt auf dem Dach, auf der Erde, auf dem Berg; wir fahren auf der Straße, auf dem See; auch: ich war auf dem Rathaus, auf dem Bahnhof, auf der Post, auf der Universität; ferner: auf einer Reise, auf dem Lande (Gegensatz: in der Stadt), auf dem Ball, auf der Jagd, auf Urlaub. Auf Wiedersehen! Wie heißt das auf (nicht: „in") deutsch? Ich steige auf das Dach, auf die Mauer, auf den Zaun, auf den Stuhl, auf die Leiter. — Häufige Verben mit „auf" sind: warten, sich freuen, achten, hoffen, rechnen, sich verlassen, sich besinnen, verzichten auf (alle mit Akkusativ).

3. hinter

bedeutet auf der entgegengesetzten (nicht sichtbaren) Seite, der Rückseite (Gegensatz: vor):

Das Kind versteckt sich hinter dem Schrank, hinter der Tür, hinter dem Haus; die Wiese liegt hinter dem Garten, die Stadt hinter dem Berge; ich will die Arbeit hinter mir haben; er hat schwere Zeiten hinter sich. Ich stelle mich hinter den Baum, hinter das Sofa, hinter die Gardine, hinter die Tür.

4. in

bezeichnet einen Ort innerhalb eines geschlossenen Raumes, wo sich etwas befindet oder wohin es sich bewegt:

a) Ich habe das Geld in der Hand, in der Tasche, in meinem Zimmer, in meinem Hause; ich hänge den Mantel in den Schrank; der Baum wächst im Garten, im Walde; ich stecke das Geld in die Tasche, den Füller in die Mappe, den Schlüssel in das Schloß; ich verliebe mich in einen Menschen, vertiefe mich in eine Wissenschaft; ich irre mich in meiner Ansicht, in einem Menschen; er lebt seit einem Jahr im Ruhestand (i. R.);

b) in der Kunst, in der Sprache, in der Wissenschaft gibt es mehrere Richtungen (Ansichten, Theorien); ich habe das Klingeln in der Aufregung nicht gehört; ich war in Unruhe und Sorge, in der Arbeit, in Gedanken;

c) zeitlich: in diesen Tagen (Sing.: „an" diesem Tag), in diesem Jahr; in 6 Tagen, in 3 Monaten, in (= nach) 24 Stunden bin ich wieder in der Heimat.

5. neben

bedeutet: an der Seite einer Person oder einer Sache sein oder sich dahin bewegen:

Der Stuhl steht neben dem Schrank; das Hotel ist neben dem Bahnhof; er stand neben mir, er stellte sich neben mich, neben den Tisch, neben das Klavier, neben die Mutter.

6. über

bedeutet: höher sein als etwas anderes (Gegensatz: unter):

a) Die Lampe hängt über dem Tisch, das Bild über dem Klavier; der Vogel fliegt über dem Wald, dem See, dem Dach (= hin und her), über den Wald, den See, das Dach (= hinüber); ich trage einen Mantel über der Jacke; der Weg führt über den Berg, die Wiese, über die Grenze; ich fahre über Frankfurt nach Basel; er lebt über seine Mittel; das geht über seine Kraft, seinen Verstand;

b) k a u s a l : ich klage, weine, ärgere mich, wundere mich über das Unglück; ich freue mich über den Zufall, beklage mich, beschwere mich über die Unordnung; ich rede, schreibe über das Problem, herrsche, siege über die Feinde;

c) Z a h l u n d Z e i t : Ich reise erst über 8 Tage, über 4 Wochen, über zwei Monate (= nach); er ist über 60 (Jahre); der Brief wiegt über 20 g (=mehr als); er war über 8 Tage, über 4 Wochen bei uns (= länger als, mehr als).

7. unter

bedeutet: niedriger sein als etwas anderes (Gegensatz: über):

a) Der Hund liegt unter dem Tisch; der Brief liegt unter dem Buch; das Flugzeug fliegt unter der schwarzen Wolke; er liegt seit 8 Tagen unter der Erde; der ewige Ärger bringt mich unter die Erde; kriechen unter die Bettdecke, unter das Sofa; unter der Regierung (Herrschaft) Wilhelms (des!) II., unter Wilhelm (dem!) II.;

b) in einer großen Menge einzelner Personen oder Sachen: Ich war unter den Zuschauern, unter den Gästen, unter der Menge; unter den Geschenken war der Ring am wertvollsten; er ist unter den Künstlern der bedeutendste; mit jemand unter vier Augen sprechen; unter dieser Bedingung bin ich einverstanden;

c) Z e i t u n d Z a h l : Unter 4 Wochen fahre ich nicht fort, unter 2 Monaten komme ich nicht zurück; sie ist noch unter 20 (Jahren); der Brief wiegt unter 20 g (= weniger als); etwas unter dem Wert kaufen, verkaufen.

8. vor

bedeutet: auf dieser, der sichtbaren Seite, auf der Vorderseite sein oder sich dahin bewegen (Gegensatz: hinter):

a) Vor dem Klavier steht der Klaviersessel; vor der Tür, vor dem Haus, vor dem Dorf steht eine alte Linde; ich habe vor Gott und der Welt nichts zu verbergen; er gehört vor den Richter; ich gehe vor die

Tür, vor die Stadt, vor das Haus; sein Sohn fiel vor dem Feind, vor Moskau;

b) kausal: Blaß vor Ärger, vor Furcht, rot vor Erregung; ich konnte vor Freude, vor Schmerzen, vor Sorgen nicht schlafen; sich fürchten, sich ängstigen vor der Prüfung, vor der Zukunft; die Kinder warnen, schützen vor schlechten Menschen;

c) zeitlich: Er ist vor 5 Minuten fortgegangen, vor 14 Tagen, vor einem Jahr umgezogen; vor Neujahr; ein Viertel vor 6 (Gegensatz: nach).

9. zwischen

bedeutet: inmitten zweier oder mehrerer Personen oder Sachen sein, sich dahin bewegen oder von ihnen begrenzt werden; wird räumlich und zeitlich gebraucht:

Der Stuhl steht zwischen dem Schrank und dem Klavier; der Hirsch läuft dort zwischen den Bäumen; das Flugzeug stürzte zwischen die Klippen, zwischen die Häuser, zwischen die Fabriken; der Ball fiel zwischen die Sträucher, zwischen die Blumen; das Geschäft ist in der Friedrichstraße, zwischen der Leipziger- und Jägerstraße; Potsdam liegt zwischen Berlin und Brandenburg; zwischen meinem Bruder und mir gibt es keinen Streit; er ist zwischen 40 und 50 (Jahren); ich saß zwischen zwei Studenten, zwischen zwei jungen Damen; zwischen heut und morgen kann viel geschehen; ich reise zwischen dem 1. und 3. Mai ab.

Übung 254: Benutzen Sie die Präpositionen aus § 60, C und setzen Sie den Dativ oder Akkusativ: 1. Die Kleider hängen — Haken, Wand, Tür, Schrank. 2. Das Mädchen hängt die Kleider — (wie vorher). 3. Die Arbeiter steigen — Turm, Schornstein, Dach, Keller. 4. Die Arbeiter stehen — (wie vorher). 5. Die Kinder verstecken sich (wo?) — Tür, Haus, Keller, Tisch. 6. Ich stelle den Sessel — Zimmer, Klavier, Tisch, Fenster. 7. Der Koffer steht — Schlafzimmer, Vorhang, Fenster, oben — Schrank. 8. Am Sonntag gehen die Leute — Kirche, Wald, See, Stadt. 9. In der Stadt gehen viele Leute — Gehweg oder quer — Straße; sie stehen — Schaufenster, sitzen — Kaffee- und Bierstuben, warten — Straßenbahn. 10. In der Eisenbahn sitzen die Leute — Bänke, stehen — Gänge, — Fenster, gehen — ihr Abteil, — ihr Platz, essen — Speisewagen, schlafen — Schlafwagen. *

Übung 255: Wie vorher. 1. — große Wand stehen zu viele breite Möbel: zuerst das Klavier, — Klavier steht das lange Sofa und — Sofa * der breite Schrank. 2. Wenn man — andere Seite des Flusses will, muß man flußabwärts gehen; da kommt man — 20 Minuten — Brücke, die — Fluß führt. 3. Wir haben — und — Haus einen Garten, auch rechts und links — Haus; es steht also mitten — Garten. 4. Der gute Schwimmer kann stundenlang — Wasser sein, aber — Wasser (ohne Art.) kann er nur eine bis zwei Minuten schwimmen. 5. — jeder Sonntag machen wir einen Ausflug — Umgebung der Stadt. 6. Oft fahren wir — Waldsee, der — Mitte — Stadt und Berge liegt, und zwar — Fluß, der hier einen großen See, den Waldsee, bildet. 7. — Ufer (Plural) des Waldsees liegt eine Gaststätte — die andere, ein Badeplatz und Bootshaus — das andere (neben). 8. — Sonnabende und Sonntage sind hunderte — Boote — schönes Wetter — Waldsee.

* **Übung 256:** Wie vorher mit denselben Präpositionen: 1. Diese kleine Stadt hat einen schönen, großen Platz; — eine Seite des Platzes steht das Rathaus, — Rathaus ist das Gymnasium und — dieses das Gericht; — andere Seite, Rathaus gerade —, steht die alte Kirche und — (sie) das neue Postgebäude. 2. — Wand — Sofa hängen zwei große Bildnisse; — eine ist der Großvater, als er schon weit — 40 Jahre alt war, — andere die Großmutter, die aber damals noch weit — 40 war. 3. — Weihnachten und Neujahr war es — voriges Jahr nicht sehr kalt, aber kurz — Neujahr hatten wir — 10 Grad Kälte. 4. Wir wohnen — ein großes Haus; rechts und links — (wir) haben wir sehr stille Nachbarn; aber — und — (wir) wohnen Leute mit vielen Kindern, die schrecklichen Lärm machen. 5. Gestern hatte ich — Kino einen schlechten Platz: — (ich) saß ein großer, dicker Herr, der die halbe Leinwand verdeckte; rechts und links — (ich) saßen Kinder, die fortgesetzt fragten: „Mutti, was hat der Mann gesagt?" Und — (ich) saß eine Dame, die ihrer halbtauben Mutter alle Gespräche wiederholen mußte. 6. Wir wohnten — letzten Sommer ganz nah — Tegernsee — ein Gasthaus, das eine herrliche Lage hatte: — das Haus sah man den ganzen schönen See, — das Haus, also — die entgegengesetzte Seite, ging der Blick — lange Kette der Voralpen und die Zugspitze; — Haus und See betrug die Entfernung nur fünf Minuten. 7. Als wir gestern — Theater waren, gab es — 1. und 2. Aufzug eine lange Pause — 25 Minuten; — Bühne — Vorhang war ein Feuer entstanden. 8. — diese breite Wand haben wir fünf Bilder von großen Musikern gehängt: — Mitte das große Bildnis Beethovens, rechts und links — (es!) die Bildnisse Bachs und Mozarts; ganz oben — alle Bilder hängt das Bild Wagners, und (unten) — Bild Beethovens hängt das Bildnis von Richard Strauß.

Wiederholung der Präpositionen

mit Akkusativ, mit Dativ und mit Akkusativ oder Dativ

Übung 257: Setzen Sie von den in Klammern beigefügten Präpositionen die richtige ein: 1. Wenn der Student — Hause kommt (in, zu, nach), hängt er Hut und Mantel — Haken (auf, an, über), nimmt seine Bücher — Mappe (aus, von, in) und legt sie — sein Arbeitstisch (an, auf, über). 2. Wenn er — eine Pension wohnt (auf, bei, in), geht er — Speisesaal (nach, in, zu) und setzt sich — Tisch (an, auf, hinter). 3. Das Mädchen bringt das Besteck — (er; zu, für, nach) und legt es — (er; neben, bei, vor) — Tisch (auf, an, vor). 4. Danach bringt es die Suppe — Schüssel (auf, in, mit), den Braten — Kartoffeln und Gemüse (bei, nebst, mit) und stellt alles — die Nachspeise (zu, mit, nebst) — Tisch. 5. Wenn er gegessen hat, geht er — sein Zimmer (nach, auf, in), legt sich — Sofa (in, auf, über) und schläft ein bißchen oder liest — seine Bücher (aus, in, auf). 6. Dann setzt er sich — Schreibtisch (hinter, bei, an) und fängt — Arbeit an (mit, bei, von). 7. Wer — Kino geht (nach, zu, in), kauft zuerst — Kasse (in, bei, an) eine Eintrittskarte. 8. Der Ausländer soll sich auch — 15 Pfennig eine „Filmzeitung" kaufen; — diese Zeitung findet er den kurzen Inhalt und einige Bilder — Film (von, aus, in). 9. Wenn er den Inhalt — Besuch des Kinos (nach, nächst, seit) oder noch besser — Besuch (für, vor, zu) liest, wird er die Schauspieler viel besser verstehen. 10. Wenn der Besucher die Karte — Kasse (in, an, bei) gekauft hat, geht er — Theaterraum (nach, zu, in) und setzt sich — ein freier Platz (in, auf, an). 11. Es kommen noch sehr viele Leute — (er; hinter, mit, nach), und bald sind alle Plätze —, — und — (er) besetzt (bei, hinter, an, vor, neben). *

Übung 258: Setzen Sie die Präpositionen ein: 1. Heute ziehen — unser Haus neue Mieter — leere Wohnung ein. 2. Zwei große Möbelwagen fahren eben — Haustür. 3. Sechs oder acht starke Männer steigen — Wagen und beginnen — Arbeit. 4. Sie nehmen die Sachen — Wagen und tragen sie — Haus. 5. Da heben sie gerade einen großen Schrank — Wagen und tragen ihn langsam — Haustür und dann zwei Treppen hinauf — Schlafzimmer. 6. Dort stellen sie ihn — breite Wand, genau — Mitte. 7. Jetzt kommen zwei große, dicke Männer — sehr schweres Klavier; sie steigen langsam immer höher — Treppe und bringen es glücklich — Flur — Wohnzimmer. 8. Sie stellen es rechts — Fenster — Ecke des Zimmers. 9. Andere Männer bringen Tische, Stühle, Kisten und *

Körbe und setzen ein Stück — das andere mitten — größtes Zimmer. 10. Die Mieter werden die kleinen Sachen später selber — richtiges Zimmer — richtiger Platz bringen. 11. Auch die Bilder werden nicht gleich — Wand gehängt und die Teppiche nicht — (wo?) Fußboden ausgebreitet; die Männer stellen alles — Seite und — Ecken, wo es niemand — Wege ist. 12. So steigt einer — der andere die Treppe hinauf und geht einer — der andere — Zimmer hinein, bis alle Sachen — Wagen genommen und — neue Wohnung gebracht sind. 13. Dann bekommen sie ihre Bezahlung — ein gutes Trinkgeld, wünschen: „Viel Glück — neue Wohnung!" und fahren — Haus.

D. Präpositionen mit Genitiv

1. während

bedeutet: etwas geschieht gleichzeitig, es dauert innerhalb einer Zeit an:

Während des Winters schließen die meisten Kurorte; während des Gewitters ist niemand gern draußen; während des Krieges, des Sommers, der Ernte; während des Urlaubs, während der Ferien.

2. wegen

bezeichnet den Grund, die Ursache; **vor- oder nachgestellt:**

Wegen Todesfalles, wegen Umbaus ist das Geschäft geschlossen; wegen der Überschwemmung ist der Eisenbahnverkehr gestört, sind viele Straßen nicht befahrbar; der Student hat wegen Krankheit, wegen seines Urlaubs, wegen seines Fehlens viel versäumt; die Eltern sind ihrer Kinder wegen in Sorge.

3. statt = anstatt

bezeichnet die Stellvertretung (s. „für"):

Anstatt des Bruders kam, bezahlte, schrieb die Schwester; statt der Apparate, die gestohlen waren, befanden sich Steine in der Kiste, anstatt (der) Diamanten sind unechte Steine in dem Ring.

4. diesseits — jenseits

bedeutet: auf dieser, auf unserer (oder auf jener, auf der anderen) Seite einer Scheidewand, die den Raum gleichsam in zwei Teile teilt:

Diesseits des Flusses (der Grenze) ist Deutschland, jenseits des Flusses (der Grenze) ist Österreich, aber beiderseits des Flusses (der Grenze) sprechen die Bewohner Deutsch; diesseits der Alpen ist ein anderes Klima als jenseits (der Alpen); wir haben Verwandte jenseits der Grenze, jenseits des Gebirges, des Ozeans oder: diesseits der Grenze usw.

5. trotz

heißt: im Gegensatz zu ..., im Widerspruch mit ..., bezeichnet den Widerstand, den Gegensatz (auch mit Dativ):

Trotz seiner Krankheit, trotz schlechter Vorbereitung, trotz seiner Faulheit meldete sich der Student zur Prüfung; trotz seines Widerstandes wurde der Verbrecher verhaftet; trotz seines weißen Haares ist er noch nicht 50 Jahre alt; trotz hohen Alters ging der Förster täglich durch seinen Wald.

6. oberhalb — unterhalb

bedeutet: in der oberen oder unteren Hälfte eines Raumes, der gleichsam durch eine waagerechte Scheidewand geteilt ist:

Der Weg führt oberhalb der Kirche, der Post, des Gasthauses nach rechts in den Wald; oberhalb des großen Felsens ist ein schöner Aussichtspunkt; unterhalb der Spitze des Berges befindet sich eine Höhle; unterhalb Wiens wendet sich die Donau nach Süden.

7. innerhalb — außerhalb

bedeutet: etwas ist eingeschlossen oder nicht eingeschlossen von etwas Umgrenzendem; innerhalb wird auch zeitlich gebraucht (= während):

Innerhalb der Stadtmauern war im Mittelalter die Sicherheit ebenso groß wie die Unsicherheit außerhalb (der Mauern); innerhalb Berlins findet man nur noch wenige alte Bauten; viele Stätten innerhalb Süd- und Westdeutschlands erinnern an die Zeit der Römer; ich habe einen großen Teil meines Lebens außerhalb Berlins, Deutschlands, Europas verbracht; innerhalb eines Jahres hat er zweimal die Prüfung nicht bestanden.

Übung 259: Setzen Sie die Präpositionen mit den Genitiven ein: *
1. (Auf dieser Seite) des Flusses ist ein schöner Weg; (auf der anderen Seite) des Wassers ist der Wald so dicht, daß man dort nicht gehen

kann. 2. (Über) dem Wald sind weite Bergwiesen, (tiefer als) dieser Wald sind Weinberge und Obstgärten. 3. (Im) Festungsgebiet ist das Photographieren verboten. 4. — Taschenuhren tragen jetzt die meisten Leute Armbanduhren. 5. Warum kommt der Student nicht in die Universität? (Krankheit, Todesfall in der Familie, kurzer Urlaub in die Heimat). 6. — das vergangene Jahr bin ich jede Woche im Theater gewesen, — das jetzige erst zwei-, dreimal. 7. — schlechte Wetter feierten die Bauern das Erntefest im Saal. 8. — Atlantischer Ozean liegt Amerika, — Mittelländisches Meer liegt Afrika; — beide Meere liegt Europa.

* **Übung 260:** Ebenso: 1. Mein Vetter war in den letzten Jahren — sein gesundes Aussehen recht krank. 2. Der Afrikaforscher fand bei den Negern — Widerstand und große Feindschaft nur Hilfe und Freundlichkeit. 3. Gesetze und Einrichtungen sind — Grenzen eines Staates anders als — (Grenzen). 4. In diesem Jahr hatten wir — Sommer viel Regen und feuchtes Wetter, — Winter viel Schnee und Kälte. 5. Die südliche Halbkugel liegt —, die nördliche — Äquator. 6. Die schönsten Aussichtspunkte für diese wunderbare Berglandschaft befinden sich — und — Wasserfall. 7. Der Student bestand die Prüfung — seine Jugend, lange Krankheit und kurze Vorbereitung. 8. — seine Familie, seine Heimatstadt, sein Vaterland fühlt sich kein Mensch so sicher und ruhig wie — diese Gemeinschaften.

Für die Wiederholung der Präpositionen

* **Übung 261:** Ergänzen Sie in folgenden Sätzen Präpositionen, Artikel, Endungen: 1. Der Bau des Panama-Kanals dauerte — Jahr 1881 — Jahr 1914. 2. Der Student rauchte — Hörsaal — Verbot. 3. München liegt — Isar. 4. Er geht — Haus — sein Vater. 5. Er wohnt — Haus — sein Vater. 6. Reist du — Ausland? Ja, ich reise — Schweden. 7. Der Diener wurde — Diebstahl — 3 Monate Gefängnis verurteilt. 8. Der Dichter ist — sein letztes Drama berühmt geworden. 9. In den Kinos ist der Zutritt nur für Personen — 16 Jahre erlaubt (Dativ). 10. Das Wohnzimmer (alle Fenster) geht — Straße. 11. Mein Freund wird — Deutschland kommen; er wird — Ostern — München ankommen. 12. Wir übersetzen das Buch — Russische — Deutsche. 13. Das Messer gebraucht man — Schneiden. 14. Der Student verkehrte nur — seine Landsleute. 15. Er wohnt — eine Witwe.

Übung 262: Ebenso: 1. Der Besucher klopft — Tür. 2. Diese Arbeit geht — meine Kräfte. 3. Die Fremden gehen — Straße spazieren. 4. Ich habe diese Oper heute — erstes Mal gehört. 5. Der Mann sitzt ganz allein; — ihm ist niemand — Zimmer. 6. Der Lehrer steht — Schüler; er erzählt ihnen Geschichten — alte Zeit. 7. Der Kranke stützte sich — ein Stock. 8. Beim Regen sucht man Schutz — Bäume. 9. Er füllte sein Glas — Wein. 10. Wir gehen — Fuß — Universität. 11. Der Gefangene schlug — Faust — Tür. 12. Die Fensterscheiben bestehen — Glas. 13. Er ist — 1. Oktober gekommen, er ist also — 3 Monate in Bonn. 14. Der Student verschwendete sein Geld — nutzlose Dinge. 15. Ich habe dich nicht — Absicht verletzt. *

Übung 263 a: Ebenso: 1. — Anfang und — Ende der Vorstellung drängen sich die Menschen — Garderobe des Theaters. 2. — Universität dauert das Sommersemester — 1. Mai — 1. August und das Wintersemester — 1. November — 1. März. 3. — letzter Frühling sind — späte Nachtfröste viele Blüten erfroren. 4. Der Kranke liegt — Sofa, aber es ist besser, wir legen ihn — Bett. 5. — 14 Tagen fangen endlich die Ferien an, dann fahren wir — Berge oder — Nordsee. 6. — Tod ist kein Kraut gewachsen. 7. Die vorjährige Ernte war — große Hitze und lange Trockenheit ziemlich gut. 8. Es ist keine Kunst, große Reisen — viel Geld zu machen, aber ganz — Geld kann man auch nicht reisen. 9. Die Macht eines Staates ist auch — seine Grenzen nicht immer zu Ende. 10. Viele Planeten bewegen sich — Sonne; aber bewegt sich auch die Sonne — Zentralsonne? *

Übung 263 b: Beantworten Sie folgende Fragen: Beispiel: Wo ist (steht) der Sessel? (Wand, Fußboden, Ecke, großer Tisch). Antwort: Der Sessel steht **an** der Wand, **auf** dem Fußboden, **in** der Ecke, **neben** (an, vor, hinter) dem großen Tisch. — 1. Wo ist die Uhr? (Tasche, Armband, Uhrmacher, weiße Wand). 2. Der Ring? (Finger, Waschtisch, mein Buch, Leihhaus). 3. Der Apfel? (Baum, Teller, Korb, die anderen Äpfel). 4. Das Geld? (Bank, Geldschrank, Sparkasse, meine Handtasche). 5. Der Vogel? (Käfig, unser Dach, Fenster, Turm). 6. Das Photo? (Buch, dein Tisch, Album, Wand). 7. Das Kind? (Schule, Bett, Hof, großer Fluß, hohe Mauer). 8. Das Hemd? (Waschfrau, Koffer, Körper, meine Jacke). 9. Die Schuhe? (Schuhschrank, Füße, Schuhmacher, sein Bett). 10. Das Flugzeug? (Flughafen, Wolken, Erde, Frankfurt, weiter Ozean). 11. Das Hotel? (Bahnhof, Berg, Autobahn, Tal, großer See). 12. Die Fliege (Zeitung, Fenster, Lampe, ihre Nase). *

H. Die wichtigsten Regeln der Wortfolge im deutschen Satz

§ 61. Im Hauptsatz

I. Grundstellung = G: 1 — 2 — 3 — 4.

1. Subjekt	2. Personalform	3. Objekte oder adverbiale Ausdrücke	4. Partiz., Inf., Prädikatsnomen
Das Pferd	*zieht*	den Wagen	
Das Pferd	*hat*	den Wagen	gezogen
Das Pferd	*wird*	den Wagen	ziehen
Das Pferd	*muß*	im Sommer schwer	arbeiten
Das Pferd	*ist*	nach der Arbeit	müde
Das Pferd	*dient*	dem Menschen	als Zugtier

Am Anfang stehen: Subjekt und Personalform (1, 2).

Am Ende stehen: Infinitiv, Partizip, Prädikatsnomen (Adjektiv, Substantiv) (4).

Dazwischen stehen: Objekte und adverbiale Ausdrücke (3).

II. Umstellung = U: 2 — 1 — 3 — 4.

	2!	1!	3.	4.
a)	*Zieht*	das Pferd	den schweren Wagen?	
	Hat	das Pferd	den schweren Wagen	gezogen?
	Ist	das Pferd		ein Zugtier?
b) im Sommer	*muß*	das Pferd	den schweren Erntewagen	ziehen
c) Weil es stark ist,	*muß*	das Pferd	schwer	arbeiten

Die Personalform tritt vor das Subjekt:

a) Im Fragesatz (Ausnahme: Wenn das Fragepronomen Subjekt ist oder es begleitet);

b) wenn ein adverbialer Ausdruck oder ein Objekt vorausgeht; auch nach vielen Konjunktionen (s. § 89 B);

c) wenn ein Nebensatz vorausgeht.

§ 62. Wortfolge im Nebensatz

III. Endstellung = E: 1 — 3 — 4 — 2.

1.	3.	4.	2.
a) Das Pferd, *welches*	den Wagen		*zieht, zog, . . .*
Das Pferd, *welches*	den Wagen	gezogen	*hat, hatte, . . .*
Das Pferd, *welches*	den Wagen	ziehen	*wird, . . .*
b) **Bei trennbaren Verben:**			
Das Pferd, *welches*	den Wagen		*hereinzieht, -zog, . . .*
Das Pferd, *welches*	den Wagen	hereingezogen	*hat, hatte, . . .*
Das Pferd, *welches*	den Wagen	hereinziehen	*wird, . . .*
c) **Bei modalen Verben:** 1 — 3 — (2) — 4 — 2			
Das Pferd, *welches*	den Wagen		*hereinziehen muß, mußte, . . .*
Das Pferd, *welches*	den Wagen	hat, hatte	*hereinziehen müssen, . . .*
Das Pferd, *welches*	den Wagen	wird	*hereinziehen müssen, . . .*

1. **Die Personalform des Verbs tritt an das Ende des Nebensatzes (a).**
2. **Das geschieht auch bei den trennbaren Verben; deshalb dürfen sie in Nebensätzen nicht getrennt werden (b).**
3. **Bei den modalen Verben (§ 24) ist es in den einfachen Zeitformen ebenso (Präsens, Imperfekt); bei den zusammengesetzten Zeitformen dagegen (Perfekt, Plusquamperfekt, Futur) wird die Personalform des Hilfsverbs (haben, werden) vor den Infinitiv und das Modalverb gestellt. Hier steht also nicht die Personalform am Ende des Nebensatzes, sondern das modale Verb im Infinitiv (c).**
4. **Ebenso ist es bei den Verben: lassen, sehen, hören, helfen, lernen, gehen (§ 24)**

Übungen zur Umstellung (U)

Übung 264 a: Setzen Sie in folgenden Sätzen die adverbiale Bestimmung an den Anfang: 1. Die Sonne sinkt am Abend an den Rand des Himmels. 2. Kühle Luft weht über die Wiese. 3. Der Nebel erhebt sich über dem Wasser. 4. Die Vögel singen in den Büschen ihr letztes Lied. 5. Die Frösche quaken in den Sümpfen, und Mücken spielen in der Luft. 6. Eine letzte Biene summt hier u n d d o r t ; alles ist b a l d ganz still. 7. Niemand arbeitet mehr a u f d e m F e l d e ; alle Arbeiter sind s c h o n l ä n g s t zu Hause. 8. Der Mond steigt l a n g s a m empor, tiefer Friede liegt ü b e r d e r W e l t.

Übung 264 b: Setzen Sie in folgenden Sätzen adverbiale Bestimmungen oder Objekte an den Anfang: 1. Die Störche ziehen am Ende des Sommers nach dem warmen Süden. 2. Die Schwalben fliegen gleichfalls in großen Scharen dorthin. 3. Die Nächte werden schon im September immer länger und kälter. 4. Die Sonnenstrahlen verlieren langsam ihre Wärme. 5. Dichte Nebel liegen morgens und abends auf den Feldern. 6. Die Blätter werden in Wäldern und Gärten täglich bunter. 7. Die Farben in der Natur sind im Herbst am schönsten. 8. Dieses farbenreiche Bild dauert leider nicht lange. 9. Die Herbstwinde und Herbstregen werden allmählich immer stärker. 10. Die bunten Blätter fallen täglich nach und nach auf die Erde. 11. Sie bedecken den Waldboden ganz dick wie eine Decke. 12. Die kleinen Pflanzen und Tiere werden dadurch vor der Kälte des Winters geschützt.

Übungen für Nebensätze mit modalen Verben

* **Übung 265:** 1. Niemand weiß, daß wir von diesem Fenster alles sehen und hören können. 2. Die Straßen sind voll Menschen, die den Festzug sehen wollen. 3. Den alten Großvater macht es traurig, daß er vieles nicht essen und trinken darf. 4. Der Junge ist ungeschickt; er lernt niemals Schlittschuh laufen. 5. Verstehst du gar nicht, warum ich das alles wissen muß? 6. Ich glaube, daß der Kaufmann nicht lange auf das Geld warten mag (möchte). 7. Frieda liebt ihre Tante, weil diese ihr nähen hilft (§ 24 b). 8. Es beunruhigt mich, daß ich die Kinder von hier nicht beobachten kann. 9. Die Sekretärin denkt, daß der Rechtsanwalt alle Briefe selbst öffnen will. 10. Vieles in dem Prozeß versteht man erst, wenn man die Zeugen sprechen hört (§ 24 b). 11. Die Maschine wird nicht rechtzeitig fertig, obwohl man die Arbeiter Tag und Nacht daran arbeiten läßt. 12. Der Kranke ruft den Arzt, weil er ihn von den Schmerzen befreien soll. 13. Die Kinder sind glücklich, weil sie ins Kino gehen dürfen. 14. Es freut mich, wenn ich die Kinder mit den neuen Spielsachen spielen sehe (§ 24 b). 15. Ich vermute, sie hilft mir den verlorenen Ring suchen (§ 24 b).

Aufgaben: 1. Bilden Sie bei den Verben der Nebensätze das Perfekt, z. B.: Niemand weiß, daß wir von diesem Fenster alles haben sehen und hören können.

2. Bilden Sie bei den Verben der Nebensätze das Futur, z. B.: Niemand weiß, daß wir von diesem Fenster alles werden sehen und hören können.

3. Bilden Sie bei den Verben der Hauptsätze das Imperfekt, bei den Verben der Nebensätze das Plusquamperfekt, z. B.: Niemand wußte, daß wir von diesem Fenster alles hatten sehen und hören können.

4. Bilden Sie von den Verben in den Sätzen § 24 b das Präsens, Imperfekt, Perfekt und Futur, z. B.: Der Kranke darf die Reise nicht machen usw.

5. Bilden Sie aus denselben Sätzen (auch in anderen Zeiten) Nebensätze, die mit „weil" beginnen (ohne Hauptsätze!), z. B.: Weil der Kranke die Reise nicht hat machen dürfen. Weil der Lehrer usw.

J. Arten der Nebensätze, ihre Bedeutung und Bildung

§ 63. Relativsätze

1. a) *Der* Student, *der*
   b) *Die* Studentin, *die* } sehr fleißig *war*, wurde oft gelobt.
   c) *Das* Kind, *das*
   d) *Die* Kinder, *die* sehr fleißig *waren*, wurden oft gelobt.
2. a) *Der* Student, *dessen* Eltern ich gut kannte, ist gestern nach Amerika geflogen.
   b) *Der* Student, *dem* ich oft in der Universität *begegnete*, ist gestern nach Amerika geflogen.
   c) *Der* Student, *den* ich oft in der Universität *traf*, ist gestern nach Amerika geflogen.

1. **Das Relativpronomen verbindet den Nebensatz mit dem Hauptsatz; solche Nebensätze nennt man Relativsätze.**
2. **Im Relativsatz hat das Verb Endstellung.**
3. **Das Relativpronomen richtet sich in Geschlecht und Zahl nach dem Substantiv, zu dem es gehört** (Beispiele 1, a—d).
4. **In seinem Fall richtet sich das Relativpronomen danach, welchen Satzteil es in dem Relativsatz darstellt** (Beispiele 2, a—c und § 50).

5. Leichtere Formen zur Bildung des Relativsatzes bieten die Übungen 197 bis 206.

Übung 266: Bilden Sie Relativsätze: Der alte Seemann erzählte: 1. Ich fuhr auf einem Schiff (es ging bei einer Insel im Stillen Ozean unter). 2. Ich schwamm zu der Insel (sie wurde von keinem Menschen bewohnt). 3. Es war ein schönes Land (in diesem wuchsen viele herrliche Früchte). 4. Auch fand ich die Eier vieler Seevögel (sie hatten überall ihre Nester am Ufer). 5. Ich fing auch Fische (sie kamen in großer Zahl in die Nähe des Landes, und ich ernährte mich von ihnen). 6. Ich fand eine Höhle (ich konnte darin sehr gut wohnen). 7. Oft sah ich Schiffe (die meisten von ihnen fuhren in weiter Ferne vorüber). 8. Dann machte ich immer ein großes Feuer (der Rauch des Feuers wurde endlich auf einem Schiff gesehen). 9. Es war ein deutscher Ozeandampfer (wir fuhren darin nach Hamburg). 10. Er brachte mich in die Heimat (ich hatte sie fast ein Jahr nicht gesehen).

Übung 267: Ebenso: 1. In diesem schönen Hause ist ein bekannter Dichter geboren (in den Räumen befindet sich jetzt ein Museum). 2. Die Großmutter ist 80 Jahre alt geworden (wir feierten ihren Geburtstag). 3. Der Suez-Kanal verbindet den Atlantischen mit dem Indischen Ozean (seine Bedeutung ist sehr groß). 4. Viele begabte Künstler sind jung gestorben (ihren Tod beklagen wir tief). 5. Wir besichtigen eine Kirche aus dem 13. Jahrhundert (ihr Stil ist rein gotisch). 6. Der Mann will den Direktor der Fabrik sprechen (der Sohn des Mannes ist verunglückt). 7. Viele Völker des Altertums haben herrliche Bauwerke errichtet (ihre Größe und Schönheit setzt uns in Erstaunen). 8. Die Luft wird nach oben immer dünner (wir kennen ihre Bestandteile genau). 9. Die gärtnerischen Anlagen dienen der Erholung der Bewohner (ihre Zahl ist in allen Städten groß). 10. Rudolf Virchow war ein bedeutender Anthropologe (sein Name ist als Arzt bekannt). 11. Zeitungen gibt es bei uns seit 350 Jahren (ihre Anfänge waren unregelmäßig erscheinende Einzelblätter). 12. Gutenberg vollendete 1455 den Druck der ersten Bibel (wir verdanken ihm die Erfindung des Buchdrucks). 13. Wuppertal ist eine Stadt im Ruhrgebiet (sie wurde 1929 aus Elberfeld, Barmen u. a. [und anderen] Städten zu einer neuen Stadt vereinigt). 14. Phidias erbaute berühmte Tempel und schuf herrliche Bildwerke (durch ihn kam die griechische Kunst zur höchsten Blüte). 15. Magellan unternahm 1519 die erste Reise um die Erde (er wurde unterwegs getötet).

§ 64—65. Haupt- und Nebensätze des Grundes

(kausale Sätze)

§ 64. denn — weil (da)

1.	Der Gelehrte konnte *wegen* des Lärmes nicht arbeiten.	G.
2.	Der Gelehrte konnte nicht arbeiten; *denn* der Lärm war zu groß.	G-G.
3.	Der Gelehrte konnte nicht arbeiten, *weil (da)* der Lärm zu groß war.	G-E.
4.	*Weil (da)* der Lärm zu groß war, konnte der Gelehrte nicht arbeiten.	E-U.

Der Lärm ist der Grund oder die Ursache der Störung.

Die Ursache kann man ausdrücken:

1. **durch die Präposition „wegen" (mit Genitiv);**
2. **durch einen Satz mit dem Bindewort (Konjunktion) „denn"; „denn" beginnt einen Hauptsatz und hat G! (Grundstellung). Zwei Hauptsätze trennt man durch ein Semikolon (;);**
3. **durch einen Satz mit dem Bindewort „weil" oder „da"; „weil" (da) beginnt einen Nebensatz, darum E! (Endstellung); dieser Nebensatz heißt Kausalsatz oder Nebensatz des Grundes.**
4. **Wenn der Nebensatz an erster Stelle steht, folgt im Hauptsatz zuerst die Personalform, also U! (Umstellung).**

Übung 268: Beantworten Sie die folgenden Fragen mit „weil" oder „da": 1. Warum reisen jetzt viele Menschen im Flugzeug? (schneller und nicht mehr gefährlich). 2. Weswegen verreisen viele Kranke nach dem Süden? (Klima dort besser und gesunder). 3. Warum müssen manche Menschen eine Brille tragen? (können nicht gut sehen). 4. Weshalb besuchen viele Amerikaner Europa? (wollen alte europäische Kultur kennenlernen). 5. Weshalb liest man die Zeitung? (man möchte die neusten Nachrichten erfahren). 6. Warum füllt man ein Luftschiff mit Gas? (leichter als Luft). 7. Warum ist Professor Röntgen berühmt? (Röntgenstrahlen entdeckt). 8. Warum gibt es in Deutschland viele Wälder? (regenreich). 9. Warum lieben die Deutschen den *

Rhein? (ihr schönster und größter Fluß). 10. Warum hat Hamburg den größten deutschen Hafen? (die günstigste Lage).

* **Übung 269:** Beantworten Sie die Fragen der Übung 268 so, daß der Nebensatz an der ersten Stelle steht, z. B.: Da (weil) es kalt ist (E!), trägt man (U!) einen Mantel.

* **Übung 270:** Beantworten Sie folgende Fragen mit „denn" und mit „weil": 1. Warum tragen viele Gelehrte eine Brille? (kurzsichtig). 2. Warum benutzt der Großstädter so viele Verkehrsmittel? (Entfernungen sehr weit). 3. Warum schickt man Kohlen, Sand und Steine lieber im Schiff als in der Eisenbahn? (Beförderung billiger). 4. Warum lieben die Deutschen die Alpen? (das schönste und größte Gebirge Deutschlands). 5. Warum ist der Kieler Kanal von Bedeutung? (Nordsee und Ostsee verbinden). 6. Weshalb studieren viele Ausländer an den deutschen Hochschulen? (deutsche Wissenschaft sehr entwickelt). 7. Warum haben Alexander und Wilhelm von Humboldt Denkmäler vor der Berliner Universität? (berühmte Gelehrte). 8. Warum haben viele Leute einen Radioapparat? (wollen Nachrichten aus der Welt hören). 9. Weshalb arbeiten die Bauleute Tag und Nacht an dem Theater? (soll bis zum Herbst fertig sein). 10. Warum haben wir elektrische Beleuchtung statt der Gasbeleuchtung? (bequemer und weniger gefährlich).

* **Übung 271:** Beantworten Sie folgende Fragen mit *„wegen"*, *„denn"*, und *„weil"*.

Beachten Sie: Die Substantive mit der Endsilbe -heit, -keit sind immer weiblich (s. § 90, 7):

1. Warum wurde der Schüler gelobt? (Klugheit, klug). 2. Warum ist das Gemälde überall bekannt und berühmt? (Schönheit, schön). 3. Warum konnte Beethoven seine letzten Werke nicht selbst hören? (Taubheit, taub). 4. Weshalb werden manche Menschen von einem Hunde geführt? (Blindheit). 5. Warum geht man nachts nicht gern durch einen Wald? (Dunkelheit und Unsicherheit). 6. Weswegen sind arabische Pferde berühmt? (Schnelligkeit). 7. Warum ist der Student vor seinen Büchern eingeschlafen? (Müdigkeit). 8. Weshalb hat der junge Mann so viel Geld verloren? (Sorglosigkeit). 9. Warum bewundern wir den Handwerker bei seiner Arbeit? (Geschicklichkeit, geschickt). 10. Warum beobachten wir die Kinder so gern? (Fröhlichkeit und Offenherzigkeit).

§ 65. Weil — darum

1. Ich gehe zum Arzt, *weil* ich krank bin.	G — E.
2. Ich bin krank; *darum* gehe ich zum Arzt.	G — U.

1. Nach „weil" folgt ein Nebensatz mit Endstellung — E.

2. Nach „darum" folgt ein Hauptsatz mit Umstellung — U.

3. Darum = deshalb, deswegen, daher, also, folglich (Fragewörter: warum? weshalb? weswegen?).

Übung 272: Beantworten Sie folgende Fragen in den genannten zwei Formen: 1. Warum tragen wir im Winter einen Mantel? (frieren). 2. Warum gibt es im Sommer viele Gewitter? (Luft mit Elektrizität geladen). 3. Weswegen ist Gutenberg berühmt? (Buchdruck erfunden). 4. Warum ließ der Kaiser den General Wallenstein ermorden? (zu mächtig). 5. Weswegen studieren Sie Maschinenbau? (später Fabrik des Vaters übernehmen). 6. Warum schreibt die Krankenschwester den Brief für den Kranken? (zu schwach). 7. Warum ging Goethe nach Weimar? (vom Herzog eingeladen). 8. Warum haben Schiller und Goethe ein gemeinsames Denkmal in Weimar? (die beiden größten Dichter Deutschlands, dort als Freunde gelebt). *

§ 66 – 67. Nebensätze der Absicht

(finale Nebensätze)

§ 66. Unterscheiden Sie „weil" und „damit"

1. Ich trage eine Brille, ich will besser sehen.
2. „ „ „ „ , *damit* ich besser sehe.
1. Ich trage einen Mantel, *weil* es kalt ist.
2. „ „ „ „ , *damit* ich nicht friere.

1. „Weil" sagt den Grund, die Ursache; es ist eine kausale Konjunktion;

2. „damit" sagt die Absicht, den Zweck; es ist eine finale Konjunktion; nach „damit" steht das Verbum ebenfalls am Ende — E!

3. Dieser Nebensatz heißt Finalsatz oder Nebensatz der Absicht.

✶ **Übung 273:** Beantworten Sie folgende Sätze mit „weil" und „damit": 1. Warum gehen wir zum Arzt? (weil, krank — damit, helfen). 2. Warum sammeln die Bienen viel Honig? (im Winter davon leben — fleißig). 3. Warum trägt der Arbeiter eine Gasmaske? (Beruf gefährlich — schützen gegen giftige Gase). 4. Weshalb fährt man im Sommer an die See? (kühl — sich erholen). 5. Weshalb stehen Verkehrspolizisten auf den großen Plätzen der Stadt? (Unglücksfälle verhüten — Verkehr lebensgefährlich). 6. Warum gibt es viele Denkmäler für die Gefallenen in der Welt? (immer an sie denken — für die Heimat gestorben). 7. Warum baut man in Japan viele Häuser aus Holz? (viele Erdbeben — Menschen nicht verunglücken). 8. Warum liegen die großen Häfen an den Mündungen der Flüsse? (die Waren leicht in das Hinterland befördert werden — diese Lage günstig).

§ 67. Damit — um ... zu

1. *Ich* komme nach Berlin, *damit ich* hier Medizin studiere.
   " " " " , *um* hier Medizin *zu studieren*.
2. *Wir* tragen das Geld auf die Bank, *damit es* Zinsen bringt.
3. *Das Geld* wird auf die Bank getragen, { *damit es* Zinsen bringt. / *um* Zinsen *zu bringen*. }

1. **Statt eines Nebensatzes mit „d a m i t" kann man einen I n f i n i t i v mit „u m — z u" setzen (Satz 1, 3). Bei diesem Infinitiv steht kein Subjekt, man denkt an das gleiche Subjekt wie im Hauptsatze.**

2. **Darum kann man „um — zu" n i c h t anwenden, wenn das Subjekt der beiden Sätze v e r s c h i e d e n ist (Satz 2!).**

3. **Bei mehreren Infinitiven muß „zu" bei jedem neuen Infinitiv stehen.**

✶ **Übung 274:** Bilden Sie den Infinitiv mit „um — zu" von folgenden Sätzen (der Infinitiv steht immer am Ende! Achten Sie auf trennbare und untrennbare Verben!): 1. Ich arbeite Tag und Nacht, damit ich mein Ziel schneller erreiche und besser vorwärts komme. 2. Ich beschäftige mich mit den Werken Theodor Storms, damit ich seine Erzählungen in meine Muttersprache übersetze. 3. Ich gehe in das Warenhaus, damit ich mir einen neuen Hut aussuche und neue Handschuhe kaufe. 4. Ich nehme ein Auto, damit ich nicht zu spät auf den

Bahnhof komme. 5. Ich ziehe den Wintermantel an, damit ich mich bei dem schlechten Wetter nicht erkälte. 6. Der Arbeiter trägt eine Schutzbrille, damit er seine Augen schont und schützt. 7. Der Verbrecher reist ins Ausland, damit er von der Polizei nicht verhaftet wird. 8. Der Kutscher fährt ganz rechts, damit er den vielen Autos ausweicht, die ihm entgegen fahren. 9. Der Ausländer reist auf vier Wochen in seine Heimat, damit er seine Freunde wiedersieht. 10. Die Dame kauft sich ein Programm, damit sie die Namen der Sänger und Sängerinnen weiß.

Übung 275: a) Lesen Sie die Sätze in einer anderen Person (unverkürzt und verkürzt), z. B.: Du arbeitest Tag und Nacht usw., — Sie arbeiten Tag und Nacht usw. *

Übung 276: Lesen Sie die Sätze in einer anderen Zeit (die Nebensätze nur verkürzt), z. B.: Ich habe Tag und Nacht gearbeitet, um mein Ziel schneller zu erreichen usw. *

Übung 277: Beantworten Sie die folgenden Fragen mit „damit" und „um — zu": 1. Weshalb spielt man in der Lotterie? (Geld gewinnen). 2. Wozu baut man Düsenflugzeuge? (schneller fliegen). 3. Weshalb braucht ein Land eine Handelsflotte? (Handel treiben). 4. Warum muß man auf dem Gehweg bleiben? (nicht überfahren werden). 5. Warum benutzt man einen Fernsprecher? (schneller mit Bekannten sprechen). 6. Wozu benutzt man die Wasserkraft? (Maschinen treiben und Elektrizität erzeugen). 7. Wozu benutzt der Chemiker die Luft? (Stickstoff gewinnen). 8. Weshalb fordert die Polizei einen Paß? (Person feststellen können). 9. Weshalb leihen wir uns im Theater ein Opernglas? (Schauspieler besser beobachten). 10. Weshalb flüchtet man bei einem Gewitter in ein Haus? (nicht vom Blitz erschlagen werden). *

Übung 278: Verwandeln Sie folgende Sätze nach diesem Beispiel: *

Das Heer eilte heran; es wollte die Stadt befreien.

1. „ „ „ „ , *um* die Stadt *zu* befreien.
2. „ „ „ *zur* Befreiung *der* Stadt heran.

Beachten Sie: Viele Verben bilden ein Substantiv mit „-ung"; diese Substantive sind immer weiblich (s. § 90,6); sie können (wie hier) ein Attribut im Genitiv bei sich haben.

1. Der alte König regierte sein Land mit großer Umsicht; er wollte den Wohlstand des Landes vergrößern. 2. Er mußte viele Kriege führen; er wollte sein Land verteidigen. 3. Nach den Kriegen arbeitete er eifrig; er hoffte, die Wunden des Krieges zu heilen. 4. Er gab Geld ins Land; er wünschte, die Bewohner zu unterstützen. 5. Er selbst machte viele Reisen; er beaufsichtigte seine Beamten und ihre Tätigkeit. 6. Er ließ Fabriken bauen; er wollte die Industrie heben. 7. Er legte Kanäle an; er dachte, damit Schiffahrt und Handel zu fördern. 8. Er ließ Sümpfe austrocknen; er wollte neues Land gewinnen und die Einnahmen des Staates erhöhen. 9. Er zog fremde Ansiedler heran; er hoffte, die Landwirtschaft zu entwickeln. 10. Er gab wichtige Gesetze; dadurch förderte er die Sicherheit und den Wohlstand.

Wiederholung

* **Übung 279 a:** Verwenden Sie in jedem Satz nacheinander die Bindewörter denn, weil, darum, damit und (wenn möglich) um — zu: 1. Ich nehme Unterricht; ich lerne schnell Deutsch. 2. Alle verhalten sich ruhig; der Kranke schläft. 3. Der Mensch lebt; der Mensch muß essen. 4. Der Lehrling lernt fleißig; der Lehrling wird später Geselle und Meister. 5. Die Frau begießt die Blumen täglich; die Blumen wachsen und blühen. 6. Der Student arbeitet Tag und Nacht; er wird die Prüfung gut bestehen. 7. Der Professor macht eine Reise; er studiert fremde Völker und ihre Sprachen. 8. Der Reisende beeilt sich sehr; er erreicht den Zug rechtzeitig. 9. Der Arzt tat alles; er wollte den Verunglückten retten. 10. Wir müssen den Ofen stärker heizen; wir wollen das große Zimmer erwärmen.

* **Übung 279 b:** Ebenso: 1. Der Vater arbeitet von früh bis spät; er muß seine große Familie ernähren. 2. Ich bleibe noch eine Stunde auf; ich will mein Buch zu Ende lesen. 3. Viele Häuser werden abgerissen; die Stadt soll verschönert werden. 4. Der Kranke erhält sehr gutes Essen; sein Zustand muß sich schnell bessern. 5. Ich packe meinen Koffer heute abend; ich will morgen sehr früh abreisen. 6. Der alte Mann geht langsam; er muß sein Herz schonen. 7. Der junge Mensch muß fleißig sparen; er möchte bald heiraten. 8. Wir lesen die Zeitung täglich; wir wollen wissen, was in der Welt vorgeht. 9. Morgen kommt der Dachdecker; er soll das Dach ausbessern. 10. Geh zum Zahnarzt; er allein kann dich von deinen Schmerzen befreien.

§ 68 – 70. Nebensätze des Zugeständnisses

(konzessive Nebensätze)

§ 68. Trotz — obwohl

1. *Trotz* aller Gefahren wagte er den Versuch. 2. *Obwohl* der Versuch sehr gefährlich war, wagte er ihn doch.

1. **Statt der Präposition „trotz" (mit dem Genitiv) kann man die Konjunktion „obwohl" mit einem folgenden Nebensatz gebrauchen; diesen Nebensatz nennt man konzessiven Nebensatz oder Nebensatz des Zugeständnisses.**
2. **Statt „obwohl" kann man auch sagen: „trotzdem", „obgleich", „obschon", „wenngleich". Nach allen diesen Konjunktionen steht E.**

Übung 280: Verwandeln Sie in folgenden Beispielen den präpositionalen Ausdruck in einen Nebensatz: 1. Trotz seiner Unschuld wurde er bestraft. 2. Die Kinder spielten trotz des Verbotes mit dem Feuer. 3. Trotz seiner Krankheit besuchte er die Vorlesungen. 4. Die Pflanzen gedeihen trotz des Regens nicht. 5. Trotz seiner Armut war er stets zufrieden und glücklich. 6. Trotz der großen Entfernung besuchte er mich häufig. 7. Trotz des drohenden Gewitters fuhren die Segler über den See. 8. Trotz des hohen Preises kaufte er das Buch. 9. Trotz sorgfältiger Arbeit kam er nicht zum Ziel. 10. Trotz des hohen Seegangs fuhr das Schiff ruhig. *

Übung 281: Bilden Sie einen Nebensatz aus dem präpositionalen Ausdruck: 1. Trotz seines Fleißes machte er keine Fortschritte. 2. Trotz seiner Klugheit und Vorsicht wurde der Reisende betrogen. 3. Trotz seiner Schnelligkeit wurde der Dieb von der Polizei gefangen. 4. Trotz seiner Aufmerksamkeit versteht der Schüler den Lehrer nicht. 5. Trotz seiner Güte und Wohltätigkeit hat der reiche Mann viele Feinde. 6. Trotz seiner Ehrlichkeit kam er nicht vorwärts. 7. Trotz des hellen Sonnenscheins war es kalt. 8. Trotz aller Hilfe ging das Schiff unter. 9. Trotz seiner Gerechtigkeit wurde der Richter gehaßt. 10. Trotz aller Liebe konnte die Mutter das Vertrauen ihrer Kinder nicht gewinnen. *

§ 69. Obwohl — aber — dennoch

1. *Obwohl* der Versuch sehr gefährlich war, wagte er ihn doch.	E—U.
2. Der Versuch war *(zwar)* sehr gefährlich; *aber* er wagte ihn doch.	G—G.
3. Der Versuch war sehr gefährlich; *dennoch* wagte er ihn.	G—U.

1. **Nach „obwohl" steht ein Nebensatz mit Endstellung — E.**
2. **Nach „aber" („allein") steht ein Hauptsatz mit Grundstellung — G.**
3. **Nach „dennoch" steht ein Hauptsatz mit Umstellung — U.**
4. **Statt „dennoch" kann man auch sagen: „gleichwohl", „trotzdem".**
5. **Die Umstellung erfolgt nur, wenn diese Konjunktionen am Anfang des Hauptsatzes stehen (er wagte ihn dennoch — G!).**
6. **Die Konjunktion „trotzdem" kann bei Neben- und Hauptsätzen gebraucht werden. Ein Hauptsatz mit „trotzdem" steht nur an zweiter Stelle.**

* **Übung 282:** Bilden Sie Sätze in den beiden anderen der drei obigen Formen: 1. Du bist zwar mein Freund; aber ich kann dir nicht alle Geheimnisse verraten. 2. Obwohl das Eis nicht sehr dick war, liefen die Kinder darauf Schlittschuh. 3. Der Flug über den Ozean war lebensgefährlich; dennoch unternahmen ihn verschiedene mutige Männer. 4. Obgleich du gelogen hast, will ich dir verzeihen. 5. Der Autofahrer war zwar schwer verwundet; aber der Arzt gab die Hoffnung nicht auf. 6. Das Flugzeug ist schwerer als die Luft; gleichwohl erhebt es sich mit großer Leichtigkeit vom Boden. 7. Man bot dem Künstler viel Geld; trotzdem nahm er die Einladung nicht an. 8. Obschon er mich kannte, grüßte er mich nicht. 9. Wenngleich er sehr reich war, war er doch nicht glücklich. 10. Alle Freunde verließen ihn; dennoch verlor er den Mut nicht.

* **Übung 283:** Bilden Sie die oben genannten 3 Formen aus folgenden Sätzen: 1. Trotz seiner großen Kenntnisse strebte er unaufhörlich nach neuem Wissen. 2. Trotz aller Anstrengungen (sich sehr anstrengen)

konnte er die Prüfung nicht bestehen. 3. Trotz sofortiger Verfolgung (Passiv!) entkam der Verbrecher. 4. Trotz der Hilfe durch viele Schiffe (zu Hilfe kommen) ging der Dampfer unter. 5. Trotz heftigen Widerstandes (Widerstand leisten) wurde der Gegner besiegt. 6. Trotz des Mißlingens seiner ersten Versuche verlor der Erfinder die Hoffnung nicht. 7. Trotz der sofortigen Benachrichtigung der Polizei (Passiv!) konnte der Verbrecher die Grenze überschreiten. 8. Trotz größter Aufmerksamkeit konnte ich kein Wort verstehen. 9. Trotz des gegebenen Versprechens ließ er den Freund in der Not allein. 10. Trotz langer Verhandlungen einigten sich die Gegner nicht.

§ 70. Schwierigere Formen der Konzessivsätze

1. *Wenn* der Versuch *auch noch so* gefährlich war, 2. *War* der Versuch *auch noch so* gefährlich, 3. *Wie* gefährlich der Versuch *auch* war, 4. *Mochte* der Versuch *auch noch so* gefährlich *sein*,	(so) wagte er ihn doch; er wagte ihn doch

Beachten Sie die Wortstellung in den verschiedenen Sätzen!

Übung 284 a: Bilden Sie aus den folgenden Sätzen die drei anderen Formen nach den vier obigen Beispielen: 1. War die Straße auch noch so schlecht, er fuhr rasend schnell. 2. Wie schlecht das Wetter auch war, der Großvater ging immer eine Stunde spazieren. 3. Wenn ein Baum auch noch so hoch war, die Jungen kletterten doch hinauf. 4. Mochte das Wasser auch noch so breit sein, die guten Schwimmer erreichten doch das andere Ufer. 5. War es auch noch so warm, er trug stets seine wollene Weste. 6. Wenn ein Berg auch noch so steil ist, die Bergsteiger versuchen doch, ihn zu bezwingen. *

Übung 284 b: Bilden Sie die obigen vier Formen aus folgenden Sätzen: 1. Trotz seines Fleißes kam er nicht vorwärts. 2. Trotz seines freundlichen Wesens hatte er viele Gegner. 3. Trotz großer Bemühungen (sich sehr bemühen) erreichte er sein Ziel nicht. 4. Trotz aller Reklame (machen) wollte die Fabrik nicht blühen. 5. Trotz des Sturmes flog das Luftschiff ab. 6. Trotz aller Vorsicht des Arztes starb der Kranke. 7. Trotz großer Ermüdung schleppten sich die Reisenden weiter. 8. Trotz häufiger Ermahnungen (Passiv!) beachteten die Kinder das Verbot nicht. *

§ 71–72. Nebensätze der Art und Weise
(modale Nebensätze)

§ 71. Nebensätze des Vergleichs

1. *Wie* man in den Wald ruft, *so* schallt es heraus.
2. Er war klüger, *als* ich dachte.
3. *Je* näher das Licht ist, *desto* heller leuchtet es.

1. „so" — „wie" bezeichnen die Gleichheit;
2. „klüger" (Komparativ!) — „als" bezeichnen die Ungleichheit;
3. „je" — „desto": Die Steigerung im 1. Satz bewirkt die Steigerung auch im 2. Satz.

Beachten Sie die Wortstellung bei „je" — „desto".

* **Übung 285:** Bilden Sie Sätze mit Anwendung der genannten Konjunktionen: 1. Die Eltern machen es vor; die Kinder machen es oft nach. 2. Er kam schnell zurück; man hatte es nicht (!) geglaubt. 3. Die Glokken sind näher; sie klingen lauter (je — desto; achten Sie auf die Wortstellung!). 4. Der Herr arbeitet fleißig; der Knecht arbeitet auch fleißig. 5. Ein Mensch hat viel Geld; er will immer mehr haben. 6. Die Saat ist gut; die Ernte ist auch gut. 7. Die Arbeit ist schwerer; die Freude über den Erfolg ist größer. 8. Die Reise war billig; ich hatte es nicht (!) erwartet. 9. Die Sonne steigt höher am Himmel; die Tage werden länger. 10. Man steigt tiefer in das Innere der Erde; die Temperatur wird heißer.

* **Übung 286:** Bilden Sie Sätze mit denselben Konjunktionen: 1. Du bist gut zu mir, deshalb bin ich gut zu dir. 2. Der jüngere Mensch ist hoffnungsvoller. 3. Das Wasserflugzeug erhob sich unvermutet schnell vom See. 4. Die älteren Menschen sind die vernünftigeren. 5. Wenn die Arbeit gut ist, ist auch der Lohn gut. 6. Der Erfolg der Expedition war über Erwarten gut. 7. Größere Hitze macht stärkeren Durst. 8. Die Antwort richtet sich nach der Frage. 9. Die von der Sonne entfernteren Planeten haben größere Umlaufzeiten. 10. Seine Fortschritte übersteigen alle Erwartungen.

§ 72. Nebensätze der Folge
(konsekutive Nebensätze)

1. Das Auto fuhr *so* schnell, *daß* wir noch zur Zeit kamen.
2. Das Auto fuhr mit *solcher* Schnelligkeit, *daß* wir zur Zeit kamen.
3. Das Auto fuhr *zu* schnell, *als daß* wir jemand (!) erkennen konnten, d. h. wir konnten *niemand* (!) erkennen.

1. a) **„so" kann auch im Nebensatz stehen:** Das Auto fuhr schnell, so daß wir noch zur Zeit kamen.

   b) **Anstatt „so" kann man auch sagen „derartig", „dermaßen", aber nur im Hauptsatz:** Das Auto fuhr dermaßen (derartig) schnell, daß wir noch zur Zeit kamen.

2. **Vor einem Substantiv (ohne Adjektiv) steht nicht „so", „dermaßen", „derartig", sondern „(ein) solcher", „solch einer" oder „(ein) derartiger":** Das Auto fuhr mit solcher (solch einer, einer solchen, mit derartiger, einer derartigen) Schnelligkeit, daß wir noch zur Zeit kamen.

Übung 287: Bilden Sie Sätze mit Hilfe der genannten Konjunktionen: * 1. Er spricht schlecht; man kann ihn nicht verstehen. 2. Er hatte große Angst; die Knie zitterten ihm. 3. Die Bakterien sind klein; man kann sie mit bloßem Auge nicht sehen. 4. Der Schüler war müde; er schlief im Sitzen ein. 5. Er spricht leise; ich kann kein Wort verstehen. 6. Das Geschenk ist mir wertvoll; ich möchte es nicht verlieren. 7. Diese Entdeckung ist bedeutend; man kann sie niemals vergessen. 8. Ich liebe ihn sehr; ich kann ihn niemals betrügen.

Anmerkung: In den Sätzen nach „als daß" benutzt man gern den irrealen Konjunktiv, weil diese Sätze einen negativen, irrealen Sinn haben. Vgl. dazu § 85 und 86: Der irreale Konjunktiv.

Übung 288: Ebenso: 1. Der Wanderer war müde fast zum Umfallen. * 2. Der langweilige Vortrag war zum Einschlafen. 3. Das Museum hat große Kunstschätze; sehr viele Fremde wollen es besuchen. 4. Der alte Herr war sehr frisch, er machte täglich einen großen Spaziergang. 5. Die Nachricht war sehr überraschend, niemand wollte sie glauben. 6. Der Weg war sehr nah, alle wollten zu Fuß gehen. 7. Wasser und Luft waren sehr kalt; keiner wollte sich zum Baden ausziehen. 8. Der Berg war sehr hoch, und wir waren sehr müde; keiner konnte hinaufsteigen. 9. Das Wetter ist schlecht; man jagt keinen Hund auf die Straße. 10. Die Novellen von Storm, Keller und C. F. Meyer sind sehr billig; jeder kann sie kaufen.

§ 73—75. Nebensätze der Zeit
(temporale Nebensätze)

§ 73. „Als" und „wenn"

a) W i e d e r h o l t e H a n d l u n g : „wenn" (= immer wenn, jedesmal wenn).

1. *Wenn* man heute reist, benutzt man die schnelle Eisenbahn.	*wenn* = Wiederholung (Gegenwart und Zukunft).
2. *Wenn* man früher reiste, benutzte man die langsame Postkutsche.	*wenn* = Wiederholung (Vergangenheit).

b) E i n m a l i g e H a n d l u n g : „als" oder „wenn".

3. *Wenn* du nach Berlin reist, wirst du dort deinen alten Lehrer besuchen.	*wenn* = einmalig (Gegenwart und Zukunft).
4. *Als* ich im letzten Jahr nach Berlin reiste, besuchte ich dort meinen alten Lehrer.	*als* = einmalig (Vergangenheit).

1. Zum Ausdruck einer w i e d e r h o l t e n Handlung benutzt man „wenn". „Wenn" steht also für eine Wiederholung in Gegenwart, Zukunft (1) und Vergangenheit (2). Statt „wenn" kann man auch „sooft, „immer wenn" sagen.

2. Zum Ausdruck einer e i n m a l i g e n Handlung benutzt man: für die Gegenwart und Zukunft „wenn" (3), für die Vergangenheit „als" (4).

Übung 289: Beantworten Sie die folgenden Fragen mit „wenn" oder „als".

Beachten Sie: Ich frage mit „wann", ich antworte mit „wenn".

1. Wann zünde ich das Licht an? (dunkel). 2. Wann lege ich mich ins Bett? (müde). 3. Wann hast du deine Schlüssel verloren? (ich war gestern abend im Theater. 4. Wann trauern wir? (Verwandter oder guter Freund gestorben). 5. Wann bist du gefallen? (gestern abend die Treppe hinuntergelaufen). 6. Wann hat man Husten und Schnupfen? (erkältet). 7. Wann fallen die Äpfel von den Bäumen? (reif oder krank).

8. Wann kamen diese Kinder in das Waisenhaus? (Vater und Mutter gestorben). 9. Wann wurde das Dorf vernichtet? (Wasser des großen Stromes, immer höher steigen). 10. Wann ist dieser Knopf abgerissen? (ich wollte mich umziehen).

Übung 290: Ebenso: 1. Wann betreten wir unsern Hörsaal? (Arbeit beginnen). 2. Wann trafst du unsern Freund? (ich Universität verlassen). 3. Wann wurde dein Bruder verwundet? (gestern mit Auto gegen Baum fahren). 4. Wann sind die Straßen naß? (geregnet). 5. Wann stürzte der Flieger ab? (der Motor plötzlich still stehen). 6. Wann machen wir eine Rundreise durch Deutschland? (Prüfung bestanden). 7. Wann kommen die Kinder in die Grundschule? (6 Jahre alt). 8. Wann sind Ihr Vater und Ihre Mutter gestorben? (ich war 3 Jahre alt, 5 Jahre alt). 9. Wann darf man die Hochschule besuchen? (Reifezeugnis einer neunklassigen höheren Schule besitzen). 10. Wann mußte dein Freund das Studium aufgeben? (sein Vater war gestorben). *

Übung 291: Verbinden Sie folgende Sätze durch „wenn" oder „als": 1. Ich verließ gestern das Haus; ich traf vor der Tür einen Landsmann. 2. Mein Freund besteht die Prüfung; er wird die Hochschule besuchen. 3. Das Feuer brach gestern aus; alle Männer mußten sogleich löschen helfen. 4. Ein Feuer brach aus; alle Männer müssen (jedesmal) löschen helfen. 5. Deutschland war eine Monarchie; es hatte einen Kaiser. 6. Die Kinder sind sechs Jahre alt; sie müssen die Grundschule besuchen. 7 Sie sind fleißig; sie können nach vier Jahren in eine höhere Schule eintreten. 8. Das Semester begann; der Student ließ sich zum erstenmal immatrikulieren. 9. Das Semester begann; jedesmal mußte der Student seine Eltern verlassen. 10. Das Semester hört auf; die meisten Studenten fahren nach Hause. *

Übung 292: Beantworten Sie folgende Sätze durch einen Nebensatz mit „als" oder „wenn": 1. Wann geht man zum Arzt? (krank sein). 2. Wann wurden die ersten Flugzeuge gebaut? (Benzinmotor war erfunden). 3. Wann ertönten früher die Glocken? (Feuer ausbrechen). 4. Wann fliegen die Schwalben nach Süden (Winter beginnen). 5. Wann sprachen alle Zeitungen vom Zeppelin? (1929 zum erstenmal um die Erde fliegen). 6. Wann schrieb Schiller sein erstes Drama? (Militär-Akademie in Stuttgart besuchen). 7. Wann erwarteten die Menschen früher ein großes Unglück? (die Sonne sich verfinstern). 8. Wann schneiden die Bauern das Korn? (reif sein). 9. Wann werden Sie mich besuchen? (Zeit haben). 10. Wann haben Sie ihn zum letztenmal gesehen? (ich studierte in Heidelberg). *

§ 74. Andere temporale Konjunktionen

(in ihrer Beziehung zu entsprechenden Präpositionen)

1. Während seiner Krankheit ... oder:
   Während (solange) er krank war, konnte er nicht arbeiten.
2. Bei seiner Ankunft ... oder:
   Als er ankam, begrüßten ihn seine Verwandten.
3. Vor seinem Tode ... oder:
   Bevor (ehe) er starb, schrieb er sein Testament.
4. Nach seinem Tode ... oder:
   Nachdem (als) er gestorben war, teilten die Söhne das Erbe.
5. Gleich nach seiner Ankunft ... oder:
   Sobald (sowie) er angekommen war, suchte er einen Arzt auf.
6. Seit seiner Ankunft ... oder:
   Seitdem (seit) er hier angekommen ist, besucht er das Institut für Ausländer.
7. Bis zu seinem Tode ... oder:
   Die Schwester pflegte den Kranken, *bis* er starb.

Unterscheiden Sie die Präpositionen und Konjunktionen:

Präp.:	während,	bei,	vor,	nach,	seit,	bis zu,
Konj.:	während,	als,	bevor,	nachdem,	seitdem,	bis.

* **Übung 293:** Verwandeln Sie in folgenden Sätzen den präpositionalen Ausdruck in einen Nebensatz: 1. Vor dem Beginn der Operation prüft der Arzt seine Instrumente. 2. Während unserer Reise durch das Ruhrgebiet hatten wir schlechtes Wetter. 3. Nach seiner Ankunft besuchte der Ausländer zuerst seinen deutschen Freund. 4. Seit dem ersten Schlaganfall wurde mein Vater wieder ganz gesund. 5. Er war bis zu seinem Tode körperlich und geistig vollständig frisch. 6. Gleich nach dem Tode des Millionärs begann der Streit um die große Erbschaft. 7. Bei dem Einzug der siegreichen Fußballmannschaft waren Tausende auf den Straßen. 8. Während meines Aufenthalts in München will ich viele Museen besuchen. 9. An dem „Requiem" arbeitete Mozart in den letzten Wochen bis zu seinem Tode. 10. Vor Beginn des Winters muß man für warme Kleider sorgen.

Übung 294: Ebenso: 1. Seit der Entdeckung des Diphtherie-Serums ★ durch Emil von Behring im Jahre 1894 sterben nur wenige Kinder an dieser schrecklichen Krankheit. 2. Während unseres Ausfluges waren Diebe in unserer Wohnung und stahlen Geld und Wertsachen. 3. Bis zu seiner Abreise nach Afrika schrieb mein Bruder mir monatlich 1—2mal; nach seiner Ankunft in Südafrika erhielt ich jährlich 3—4 Briefe. 4. Bei dem Besuch des fremden Ministers waren der Bahnhof und die Hauptstraßen mit vielen Fahnen geschmückt. 5. Gleich nach seiner Ankunft im Hotel begab sich der Minister ins Auswärtige Amt. 6. Vor seiner Erkrankung und nach seiner Gesundung besuchte der Dichter häufig Theater und Konzerte. 7. Bei unserm Besuch im Krankenhaus sagte die Mutter: „Es geht mir etwas besser". 8. Seit der Entdeckung des dynamoelektrischen Prinzips durch Werner von Siemens im Jahre 1866 hat der Bau elektrischer Eisenbahnen große Fortschritte gemacht. 9. Vor der (Bis zur) Anwendung des im Jahre 1917 entdeckten Germanins starben zahllose Neger in Afrika an der Schlafkrankheit. 10. Während seiner langen (25jährigen) Taubheit schuf Beethoven noch viele seiner herrlichsten Werke.

§ 75. Gleichzeitigkeit und Vorzeitigkeit in Haupt- und Nebensatz

A. Gleichzeitigkeit von Haupt- und Nebensatz:

1. Während die Musik *spielt, schweigen* die Zuhörer.
   Präs. — Präs.
2. Während die Musik *spielte, schwiegen* die Zuhörer.
   Imperf. — Imperf.
3. Während die Musik *gespielt hat, haben* die Z. *geschwiegen.*
   Perf. — Perf.
4. Während die Musik *spielen wird,* / Während die Musik *spielt,* } *werden* d. Z. *schweigen.*
   Fut., Präs. — Fut.

B. Vorzeitigkeit des Nebensatzes:

1. Nachdem die Glocke *geläutet hat, hebt* sich der Vorhang.
   Perf. — Präs.
2. Nachdem die Glocke *geläutet hatte, hob* sich der Vorhang.
   Plusqpf. — Vergh.
3. Nachdem die Glocke *geläutet hat, wird* sich der V. *heben.*
   Perf. — Fut.

1. Gleichzeitigkeit: Gleiche Zeiten in Haupt- und Nebensatz.

2. Vorzeitigkeit:

a) Hauptsatz im Präsens oder Futur — Nebensatz im Perfekt;

b) Hauptsatz in einer Form der Vergangenheit — Nebensatz im Plusquamperfekt.

3. Die 5 Zeitformen des deutschen Verbs haben folgende Bedeutung:

Präsens = Dauer in der Gegenwart,
Imperfekt = Dauer in der Vergangenheit,
Futur = Dauer in der Zukunft,
Perfekt = Vollendung in der Gegenwart und Zukunft,
Plusqpf. = Vollendung in der Vergangenheit.

* **Übung 295:** a) Übertragen Sie die Gleichzeitigkeit in folgenden Sätzen auch ins Imperfekt, Perfekt und Futur: 1. Während er arbeitet, raucht er eine Zigarre. 2. Wenn er nach Berlin reist, besucht er seinen alten Lehrer. 3. Indem sie spricht, kommen ihr die Tränen. 4. Solange er schweigt, schweige ich auch. 5. Wenn der Frühling kommt, kehren die Schwalben zurück.

b) Übertragen Sie die Vorzeitigkeit in folgenden Sätzen auch in die Vergangenheit: 6. Seitdem er gestorben ist, denkt niemand an ihn. 7. Nachdem er mich verlassen hat, schreibe ich ihm nicht mehr. 8. Seitdem ich ihn gesehen habe, liebe ich ihn. 9. Seitdem er krank gewesen ist, kann er nicht mehr schnell gehen. 10. Nachdem das Flugzeug gelandet ist, steigen die Reisenden aus.

* **Übung 296:** Ergänzen Sie in folgenden Sätzen das Verb (Imperfekt oder Plusquamperfekt?): 1. Als Graf Zeppelin sein erstes Luftschiff — (bauen), wurde er von vielen verlacht. 2. Als er den ersten glücklichen Flug — (beenden), fing man an, ihn zu bewundern. 3. Nachdem eine Explosion 1908 das lenkbare Luftschiff — (zerstören), wurden im ganzen Reiche 6 Millionen gesammelt. 4. Als das neue Schiff über Norddeutschland — (fliegen), kam es auch nach Berlin. 5. Als (nachdem) man viele Erfahrungen — (sammeln), konnte man dieses neue Verkehrsmittel häufiger benutzen. 6. Als unser Sohn das 6. Lebensjahr (erreichen), kam er in die Grundschule. 7. Als er sie 4 Jahre (besuchen), kam er ins Gymnasium. 8. Während er die dortigen Klassen (besuchen), lernte er immer gut. 9. Nachdem er das Gymnasium (beenden), ging er auf die Universität. 10. Als er 2 Jahre (studieren), reiste er 1 Jahr nach den Vereinigten Staaten.

Übung 297: Verwandeln Sie die adverbialen Ausdrücke in Nebensätze: 1. Beim Essen soll man nicht lesen. 2. Nach dem Essen ging er spazieren. 3. Während seines Aufenthaltes in Europa lernte er mehrere neue Sprachen. 4. Am Anfang des Frühlings kehren die Zugvögel nach Deutschland zurück. 5. Nach Beendigung seines Studiums wird mein Vetter ins Ausland gehen. 6. In seiner Jugend will der Mensch auf Warnungen nicht hören. 7. In seiner Jugend machte der Prinz eine längere Reise ins Ausland. 8. Bei gutem Wetter wollen wir einen Ausflug machen. 9. Auf dem Heimweg von der Universität treffe ich meistens Bekannte. 10. Nach dem Sturm fuhren die Fischerboote auf die See. 11. Gestern ging ich schon bei Sonnenuntergang zu Bett. 12. Bei Sonnenaufgang erwachen die Vögel. *

Der junge Mozart

Übung 298: Aufgabe wie in der vorigen Übung: 1. Beim Hören von Musik vergaß der junge Mozart alle Kindereien und Spiele. 2. Im Alter von 5 Jahren schrieb er die ersten kleinen Kompositionen in sein Übungsheft. 3. Mit dem 6jährigen Knaben und seiner 10jährigen Schwester unternahm der Vater Konzertreisen durch halb Europa. 4. Auch auf der Reise erhielten die Kinder vom Vater Unterricht in Theorie und Praxis. 5. Beim Spielen an Fürstenhöfen und in der vornehmen Gesellschaft fanden sie stürmischen Beifall. 6. Der 10jährige Knabe schrieb seine erste Symphonie, und der 12jährige dirigierte eine feierliche Messe in einer neuen Kirche in Wien. 7. Beim Auftreten als 14jähriger in Italien wurde er überall begeistert gefeiert. 8. Auch nach seiner Rückkehr aus Italien zog es ihn immer wieder nach diesem Lande der Kunst. 9. Die ersten Aufführungen seiner Werke und besonders seiner späteren Opern waren fast immer große Erfolge. 10. Sein musikalisches Gedächtnis war so stark, daß er nach einmaligem Hören ein Musikstück spielen und aufschreiben konnte. *

§ 76–80. Infinitivsätze

§ 76. Der Infinitiv als Substantiv

Das Schwimmen ist eine gesunde Bewegung.
Beim Retten des Kindes kam der Retter selbst in Gefahr.

1. **Jeder Infinitiv kann als Substantiv gebraucht werden.**
2. **Er hat den Artikel „das", keinen Plural, immer einen großen Anfangsbuchstaben und fordert den Genitiv.**

Übung 299: Beantworten Sie folgende Fragen: 1. Wozu dient das Messer? (Brot schneiden). 2. Wozu gebraucht man ein Streichholz? (Zigarette anzünden). 3. Wozu benutzt man eine Bürste? (Kleider abbürsten). 4. Wodurch lernt man eine fremde Sprache? (gute Vorträge anhören). 5. Wobei (wann) stürzte das Flugzeug ab? (Alpen überfliegen). 6. Wodurch kann man sich bilden? (fremde Sprache erlernen und viel lesen). 7. Wofür erhielt der Sänger eine große Geldsumme? (drei Lieder singen). 8. Wobei (wann) kann man seine Umgebung vergessen? (Bild betrachten, gutes Buch lesen). 9. Wogegen kämpfen die Ärzte? (viel trinken und rauchen). 10. Worauf hofft man gern? (unsere Zukunfts-Pläne gelingen).

* **Übung 300:** Bilden Sie mit Benutzung des Infinitivs aus zwei Sätzen einen Satz: 1. Der Schüler zeichnete sich aus; er arbeitete sorgfältig (durch). 2. Das Unglück ereignete sich, weil das Automobil zu schnell wendete (infolge: mit Genitiv). 3. Der Fahrer wurde bestraft; er fuhr zu schnell (wegen). 4. Der Schüler wird gelobt, er beträgt sich gut (wegen). 5. Manches Zugunglück ist entstanden, weil man die Türen vorzeitig öffnete (durch). 6. Man erweitert seinen Gesichtskreis, wenn man gute Zeitschriften liest (durch). 7. Es gehört viel Zeit dazu, um ein fremdes Volk zu verstehen (zum). 8. Der Sportsmann kommt nicht zum Erfolg, wenn er nicht häufig und energisch übt (ohne). 9. Er kam an die Reihe, nachdem er lange gewartet hatte (nach). 10. Seine Krankheit kommt daher, daß er übermäßig geraucht hat (vom).

§ 77. Der Infinitiv mit „zu" anstatt des Subjekts

Seine Rettung war unmöglich. *Es* war unmöglich, ihn *zu retten.*

1. **Anstatt des Subjekts („seine Rettung") kann man oft einen Infinitiv mit „zu" gebrauchen („zu retten").**
2. **Man stellt diesen Infinitiv an das Ende des Satzes; an den Anfang stellt man dann ein „es" (grammatisches Subjekt).**

3. Den Infinitiv mit „zu" trennt man von dem übrigen Satz durch ein Komma, wenn er durch andere Satzteile erweitert ist; man nennt ihn dann einen erweiterten Infinitiv oder Infinitivsatz.

4. Bei mehreren Infinitiven muß „zu" jedesmal wiederholt werden.

Übung 301: Verwandeln Sie in folgenden Sätzen das Subjekt in einen Infinitiv mit „zu": 1. Die richtige Erziehung und gute Pflege der Kinder ist oft schwer. 2. Selbstbeherrschung ist nicht immer leicht. 3. Der Besuch dieses Museums und das Studium der Kunstwerke ist für mich ein großer Genuß. 4. Gutes und sicheres Reiten ist eine Kunst. 5. Das Bergsteigen ist für den Menschen eine gesunde Bewegung. 6. Das Studium fremder Sprachen und das Reisen in fremden Ländern ist nicht nur nützlich, sondern auch bildend. 7. Die tägliche Wiederholung des Gelernten ist anfangs notwendig. 8. Die Eroberung eines Landes ist oft leichter als seine Verwaltung. 9. Die dauernde Bekämpfung des Ungeziefers ist nützlicher als die einmalige Vernichtung. 10. Die völlige Beherrschung einer fremden Sprache durch Lernen außerhalb des Landes ist fast unmöglich. *

§ 78. Der Infinitiv mit „zu" anstatt des Objekts

A. Gleiches Subjekt in Haupt- und Nebensatz

Er beabsichtigte eine Reise nach Afrika.
Er beabsichtigte, nach Afrika zu reisen.

1. Der Infinitiv ohne „zu" steht nur nach den modalen Hilfsverben sowie nach lassen, sehen, hören, helfen, lernen, gehen (s. § 24 a); andere Verben haben den Infinitiv mit „zu".

2. Über die Bildung der Infinitivsätze s. § 67. Beachten Sie also:

a) Ich hoffe bestimmt, dich bald wiederzusehen = *ich* hoffe bestimmt, daß *ich* dich bald wiedersehe: gleiches Subjekt in Haupt- und Nebensatz.

b) *Ich* hoffe, daß *du* bald wiederkommst = ungleiches Subjekt in Haupt- und Nebensatz, daher ist hier der Infinitiv nicht möglich.

3. **Häufige Verben mit Infinitivsätzen sind:** hoffen, wünschen, glauben, sich freuen, sich fürchten, sich bemühen, ersuchen, versuchen, vergessen, beabsichtigen, beginnen, anfangen, aufhören, fortfahren, sich gewöhnen, scheinen, brauchen, wagen.

* **Übung 302:** Bilden Sie Infinitivsätze aus den Objekten: 1. Der Student beginnt mit der Arbeit für die Prüfung. 2. Die Schwester fürchtet sich vor der Abreise. 3. Du vergißt das Erzählen von deiner Reise. 4. Wir beabsichtigen nach dem Essen einen Spaziergang. 5. Wir hoffen auf das baldige Wiedersehen mit den Ausländern (darauf). 6. Ich höre (!) das Bellen des Hundes vor der Tür. 7. Der Student gewöhnt sich allmählich an freies Sprechen (daran). 8. Die Kinder helfen (!) den Eltern bei der Arbeit im Garten. 9. Ich freue mich auf das lange Schlafen in den Ferien (darauf). 10. Wir sehen (!) das eilige Laufen der Leute zum Theater.

* **Übung 303:** Wie vorher: 1. Der fremde Student fängt jetzt mit der Übersetzung des deutschen Romans in seine Muttersprache an. 2. Die Schwester hörte erst spät in der Nacht mit dem Lesen des neuen Buches auf. 3. Die Kinder fuhren mit dem vierhändigen Spiel der Sonate fort. 4. Der fremde Gelehrte ersuchte um seine Anmeldung beim Minister. 5. Die Mädchen wagen solch hohen Sprung über die Mauer nicht. 6. Die Leute wünschen eine baldige Wiederholung des schönen Konzerts. 7. Die Anmeldung meines Bruders bei der Universität ist in diesem Jahr noch nicht möglich. 8. Der Student bemüht sich sehr um die Erlangung einer gut bezahlten Abendbeschäftigung. 9. Die Großeltern freuen sich über das Wiedersehen mit ihren Kindern und Enkeln. 10. Der tapfere Mensch fürchtet den Tod nicht.

B. Verschiedenes Subjekt in Haupt- und Nebensatz

Ich bitte *dich,* daß *du mich* morgen besuchst. Ich bitte *dich, mich* morgen zu besuchen.

1. **Verben, deren Handlung auf eine andere Person gerichtet ist, die also ein Personen-Objekt nötig haben, gestatten auch Infinitivsätze, die sich auf dieses Objekt (also nicht nur auf das Subjekt) beziehen:** „Ich" bitte „dich", daß „du" usw.
2. **Hierher gehören die Verben des Bittens und Befehlens:** bitten, befehlen, bewegen (o, o), empfehlen, erlauben, ermahnen, ersuchen, auffordern, helfen, raten, verbieten, warnen, zwingen.

Übung 304: Bilden Sie Sätze nach obigem Muster a) mit „daß", b) mit Infinitiv: 1. Die Eltern erlauben den Kindern den Besuch des Kinos. 2. Der Professor rät dem Studenten die spätere Meldung zur Prüfung. 3. Der Meister befiehlt dem Lehrling die schnelle Beendigung der Arbeit. 4. Der Vater warnt den Sohn vor Verschwendung seines Geldes. 5. Die gute Erziehung verbietet den Leuten das Lärmen nachts auf den Straßen. 6. Der Winter zwingt die Menschen zum Tragen wärmerer Kleidung. 7. Die Kinder bitten die Großmutter um die Erzählung eines Märchens. 8. Der Hauswirt fordert von dem Mieter die pünktliche Bezahlung der Miete. 9. Der Lehrer empfiehlt dem ausländischen Studenten den Kauf eines guten Wörterbuches. 10. Der Arzt ermahnt den Kranken zur sofortigen Unterlassung des Rauchens und Trinkens (aufhören). *

Übung 305: Benutzen Sie in folgenden Sätzen den Infinitiv mit „zu" und verwenden Sie die Verben in der Klammer: 1. Hoffentlich sehe ich dich bald wieder (hoffen, Hoffnung haben). 2. Ich will eine längere Reise machen (beabsichtigen, Absicht haben). 3. Er soll (§ 25, 6 B) ziemlich reich sein (scheinen). 4. Er raucht immer nach dem Essen (Gewohnheit haben, pflegen). 5. Nach dem Unglück mußte er seinen Besitz verkaufen (das Unglück zwingt ihn). 6. Es ist besser, du befragst sofort einen Arzt (ich, Rat geben, bitten). 7. Der Arzt wollte nicht (!), daß der Kranke aufstand (verbieten, nicht erlauben). 8. Der Flieger fürchtete den Flug über die Wüste (sich fürchten, Furcht haben, nicht wagen). 9. Es ist besser, du verkehrst nicht (!) mit diesem Menschen (warnen, abraten). 10. Wenn du immer mehr Geld forderst (fortfahren), werde ich dich nicht (!) weiter unterstützen (aufhören). *

Übung 306: Benutzen Sie den Infinitiv mit „zu": 1. Das Luftschiff machte auf dem Eise den Versuch einer Landung. 2. Der Beamte äußerte den Wunsch nach Versetzung (bitten, wünschen; benutzen Sie den Infinitiv des Passivs!). 3. Er freut sich auf das Wiedersehen mit den Freunden. 4. Er gewöhnt sich an regelmäßige Arbeit. 5. Er begann erst spät die Beschäftigung mit der Philosophie. 6. Der Student vergißt das Schreiben des Geburtstagsbriefes an seine Schwester. 7. Ich bemühe mich um das Verständnis der fremden Dichter. 8. Der Vater beabsichtigt in diesem Sommer einen Besuch seiner Heimat. 9. Ich hoffe auf die rechtzeitige Beendigung meiner Doktorarbeit (glauben, rechnen). 10. Erfreulicherweise fand der Arzt den Zustand des Kranken heute besser (sich freuen, erfreut sein). *

§ 79. Der Infinitiv nach: um zu, ohne zu, anstatt zu

Der Polizist stürzte sich ins Wasser, *um* das Kind *zu* retten. Der Polizist stürzte sich ins Wasser, *ohne* sich *zu* besinnen. Die Leute standen am Ufer, *anstatt* dem Kinde *zu* helfen.

1. **Für „ohne zu", „anstatt (statt) zu" kann man auch sagen: „ohne daß", „anstatt (statt) daß", für „um zu" — „damit" oder: „daß". Diese Formen mit „daß", „ohne daß", „anstatt (statt) daß" und „damit" müssen benutzt werden, wenn das Subjekt im Haupt- und Nebensatz verschieden ist** (s. § 67).
2. **Die Infinitive mit „um zu", „ohne zu" und „anstatt zu" werden immer durch ein Komma vom Hauptsatz getrennt.**
3. **Die Bedeutung:**
   „um zu" bezeichnet das Wollen, die Absicht;
   „ohne zu" bezeichnet, daß die Handlung „ohne" etwas ganz Bestimmtes geschieht;
   „anstatt zu" bezeichnet, daß an Stelle (*„anstatt"*) **des Erwarteten etwas anderes geschieht.**

* **Übung 307:** Benutzen Sie a) „damit" (oder „daß"), „ohne daß", „anstatt daß", b) „um zu", „ohne zu", „anstatt zu" in folgenden Sätzen: 1. Er ging vorüber und grüßte mich nicht. 2. Er arbeitete nicht, sondern verschwendete sein Geld. 3. Der Student arbeitete bis abends spät an seiner Doktorarbeit; er wollte sie schnell beenden. 4. Er hat mir nicht geholfen, sondern geschadet. 5. Er antwortete, aber er war nicht gefragt. 6. Er dankte ihm nicht, sondern verspottete ihn. 7. Er arbeitete viel, aber er kam nicht vorwärts. 8. Ich wollte besser sehen und hören; ich nahm deshalb einen Platz in der ersten Reihe. 9. Er verurteilt mich, aber er hat mich nicht gehört. 10. Er unterstützt mich nicht, er fordert Geld von mir.

* **Übung 308:** Wie vorher: 1. Der Fahrer hielt nicht an, sondern fuhr weiter und half dem Verunglückten nicht. 2. Er arbeitete Tag für Tag und ruhte sich an keinem (!) einzigen Sonn- oder Feiertag aus. 3. Die Kinder schliefen nicht; sie lärmten und warfen sich mit den Kissen. 4. Da die Mutter sehr zankte, legten sie sich schlafen und sagten kein (!) Wort. 5. Der Fußgänger sprang schnell zur Seite; er wollte nicht von dem Auto überfahren werden. 6. Der Polizist ging ohne

Furcht auf den Verbrecher zu. 7. Der Sohn folgte dem Rate des Vaters nicht, sondern er ging seine eigenen Wege. 8. Zur besseren Heilung des gebrochenen Armes macht der Arzt einen Gipsverband. 9. Der wahrhaft große Mensch geht seinen Weg; er kümmert sich nicht um das Geschrei der Menge. 10. Der Gelehrte ruhte sich in den Ferien nicht aus, sondern übersetzte ein Buch aus dem Deutschen in seine Muttersprache.

§ 80. Infinitiv mit „zu" nach „sein" oder „haben"

Der Wagen muß gut gereinigt werden = der Wagen ist gut zu reinigen.

Der Arbeiter muß den Wagen gut reinigen = der Arbeiter hat den Wagen gut zu reinigen.

1. **Der Infinitiv mit „zu" nach „sein" oder „haben" bedeutet etwas, was geschehen kann, soll oder muß.**
2. **Bei Sätzen im Aktiv wird „haben", bei Sätzen im Passiv wird „sein" gebraucht.**
3. **Sätze im Aktiv werden auch mit „sein" gebildet, wenn man sie vorher ins Passiv verwandelt** (besonders häufig bei Sätzen mit „man"); **das Akkusativobjekt des aktiven Satzes wird das Subjekt des passiven und des Satzes mit „sein"**, z. B.: Man kann *diesen Sänger* nicht vergessen (aktiv) = *dieser Sänger* kann nicht *vergessen werden* (passiv) = *dieser Sänger* ist nicht *zu vergessen* („sein" mit „zu").

Übung 309: a) Bilden Sie Sätze mit „sein" oder mit „haben": 1. Kinder sollen sofort kommen, wenn man sie ruft. 2. Die Arznei soll täglich dreimal genommen werden. 3. Schüler müssen fragen, wenn sie etwas nicht verstehen. 4. Was kannst du darauf erwidern? 5. Die ganze Arbeit muß abgeschrieben werden. 6. Du mußt gehorsam sein! 7. Der Richter sagt zu dem Angeklagten: „Wenn ich Sie frage, müssen Sie anworten." 8. Während der Fahrt durch den Eisenbahntunnel müssen die Fenster geschlossen werden. 9. Die Schüler sollen ihre häuslichen Arbeiten fleißig machen. 10. Die Anordnungen der Bahnbeamten müssen von den Reisenden befolgt werden. *

b) Bilden Sie Sätze mit „sein" unter Beachtung der Regel 3 (bei Satz 4, 6, 9 ist die Form mit „haben" die bessere): 1. Das kann man nicht * glauben. 2. Diesen Arbeiter kann man nicht entbehren. 3. Man muß den Arzt so schnell wie möglich rufen. 4. Die Eltern müssen den Arzt so schnell wie möglich rufen. 5. Man soll Kinder niemals mit Härte strafen. 6. Die Eltern sollen ihre Kinder niemals mit Härte strafen. 7. Man kann ihn nicht verstehen. 8. Dieses Gedicht kann man leicht lernen. 9. Die Schüler müssen dieses Gedicht lernen. 10. Man kann jeden Rat und jede Hilfe von ihm erwarten.

* **Übung 310:** Wie 309a: 1. Die Schwester muß die Vorschrift des Arztes befolgen. 2. Die Schwester soll, solange Ärzte da sind, nicht selbständig, sondern nach deren Anweisung handeln. 3. Erst wenn sie ganz allein steht, muß sie nach bestem Wissen und Können alles, was sie tun kann, selbständig unternehmen. 4. Da kann man nichts machen (konnte man, wird man . . . können). 5. Das Schweigen der Behörden kann man nicht begreifen (konnte man). 6. Manche Sätze einer fremden Sprache kann man nicht wörtlich, sondern nur dem Sinne nach übersetzen. 7. In solcher Dunkelheit konnte man nichts sehen und nichts erkennen oder finden. 8. Der Student muß fleißig und ohne Unterbrechung arbeiten, wenn er seine Prüfung bestehen will. 9. Man konnte das Lärmen und Toben der Kinder nicht mehr dulden und ertragen. 10. Das ist unbegreiflich. 11. Das ist einfach unverständlich. 12. Die bestehenden Gesetze soll man beachten, und vor allem müssen die Richter jedes Gesetz genau befolgen.

K. Der Konjunktiv und seine Anwendung

§ 81. Die Formen des Konjunktivs (Möglichkeitsform)[1])

schwach: fragen; stark: schlagen; gemischt: bringen.

Aktiv (Tatform) — Passiv (Leideform)

Präsens (Gegenwart)				
ich frag*e*	schlag*e*	bring*e*	ich werd*e*	gefragt geschlagen gebracht
du frag*est*	schlag*est*	bring*est*	du werd*est*	
er frag*e*	schlag*e*	bring*e*	er werd*e*	
wir frag*en*	schlag*en*	bring*en*	wir werd*en*	
ihr frag*et*	schlag*et*	bring*et*	ihr werd*et*	
sie frag*en*	schlag*en*	bring*en*	sie werd*en*	

[1]) Vgl. dazu die Formen des Indikativs § 1.

Aktiv (Tatform)			Passiv (Leideform)	
Imperfekt (Dauer der Vergangenheit)				
ich frag*te*	schl*üge*	br*ä*ch*te*	ich w*ü*rd*e*	gefragt
du frag*test*	schl*ügest*	br*ä*ch*test*	du w*ü*rd*est*	geschlagen
er frag*te*	schl*üge*	br*ä*ch*te*	er w*ü*rd*e*	gebracht
wir frag*ten*	schl*ügen*	br*ä*ch*ten*	wir w*ü*rd*en*	
ihr frag*tet*	schl*üget*	br*ä*ch*tet*	ihr w*ü*rd*et*	
sie frag*ten*	schl*ügen*	br*ä*ch*ten*	sie w*ü*rd*en*	
Perfekt (Vollendung in der Gegenwart)				
ich hab*e*	gefragt		ich *sei*	gefragt worden
du hab*est*	geschlagen		du *seiest*	geschlagen worden
er hab*e*	gebracht		er *sei*	gebracht worden
wir hab*en*			wir *seien*	
ihr hab*et*			ihr *seiet*	
sie hab*en*			sie *seien*	
(*ich sei gegangen usw.*)				
Plusquamperfekt (Vollendung in der Vergangenheit)				
ich h*ä*tte	gefragt		ich w*ä*re	gefragt worden
du h*ä*tt*est*	geschlagen		du w*ä*r*est*	geschlagen worden
er h*ä*tte	gebracht		er w*ä*re	gebracht worden
wir h*ä*tt*en*			wir w*ä*r*en*	
ihr h*ä*tt*et*			ihr w*ä*r*et*	
sie h*ä*tt*en*			sie w*ä*r*en*	
(*ich wäre gegangen usw.*)				
Futur I (Dauer in der Zukunft) [1]				
ich werde	fragen		ich werde	gefragt werden
du werd*est*	schlagen		du werd*est*	geschlagen werden
er werde	bringen		er werde	gebracht werden
wir werd*en*			wir werd*en*	
ihr werd*et*			ihr werd*et*	
sie werd*en*			sie werd*en*	

[1]) Zum Fut. II vgl. die Anmerkung zu § 1.

Konditional (Bedingungsform)

Aktiv — 1. Gegenwart und Zukunft — Passiv

Aktiv		Passiv	
ich würd*e* du würd*est* er würd*e* wir würd*en* ihr würd*et* sie würd*en*	fragen schlagen bringen	ich würd*e* du würd*est* er würd*e* wir würd*en* ihr würd*et* sie würd*en*	gefragt werden geschlagen werden gebracht werden

2. Vergangenheit

Aktiv		Passiv	
ich würd*e* du würd*est* er würd*e* wir würd*en* ihr würd*et* sie würd*en*	gefragt haben geschlagen haben gebracht haben	ich würd*e*	gefragt geschlagen gebracht worden sein
(ich würde gegangen sein usw.)		(ersetzt durch Konjunktiv Plusquamperfekt)	

Bildung des Konjunktivs

I. Konjunktiv Präsens

Infinitiv:	tragen		lesen		haben		sein		werden	
	Ind.	Konj.	Ind.	Konj.	Ind.	Konj.	Ind.	Konj.	Ind.	Konj.
ich	trage	trag*e*	lese	les*e*	habe	hab*e*	bin	*sei*	werde	werd*e*
du	trägst	trag*est*	liest	les*est*	hast	ha*best*	bist	*seiest*	wirst	werd*est*
er	trägt	trag*e*	liest	les*e*	hat	ha*be*	ist	*sei*	wird	werd*e*
wir	tragen	trag*en*	lesen	les*en*	haben	hab*en*	sind	*seien*	werden	werd*en*
ihr	tragt	trag*et*	lest	les*et*	habt	hab*et*	seid	*seiet*	werdet	werd*et*
sie	tragen	trag*en*	lesen	les*en*	haben	hab*en*	sind	*seien*	werden	werd*en*

1. **Bildung des Konj. Präs.: Man streicht vom Infinitiv das „en" der Endung. Die Endungen —e, —est, —e, —en, —et, —en werden an den unveränderten Stamm gehängt! Vergleichen Sie den Indikativ und Konjunktiv!**
2. **Der Konj. Präsens verändert den Stammvokal des Infinitivs in der 2. und 3. Person Singular nicht (er hat keinen Umlaut).**

Übung 311: Bilden Sie den Konjunktiv Präsens von folgenden Verben (ich, du, ihr): *

müssen, können, mögen, dürfen, sollen, wollen, wissen;
schlagen, fragen, halten, schlafen, sagen;
geben, sehen, essen, vergessen, sprechen, retten, rennen;
laufen, rufen, reiten, singen, schreiben.

II. Bildung des Konjunktivs Imperfekt:

Indik.:	ich kaufe,	kam,	war,	hatte,	wurde,
Konj.:	ich kaufte,	käme,	wäre,	hätte,	würde,
	du kauftest,	kämest,	wärest,	hättest,	würdest.

Man bildet den Konjunktiv des Imperfekts aus dem Imperfekt des Indikativs:

1. **Durch Umlaut.**
2. **Durch Anhängung der Endungen —e, —est, —e, —en, —et, —en.**
3. **Die schwachen Verben haben keinen Umlaut; Indikativ und Konjunktiv des Imperfekts der schwachen Verben haben dieselbe Form.**
4. **Beachten Sie bei einigen Verben die unregelmäßigen Konjunktive des Imperfekts, die meist nach älteren Formen gebildet sind, z. B.:**

erwerben	Imperfekt:	erwarb	Konj. Imp.:	ich erwürbe
helfen	„	half	„ „	ich hülfe
sterben	„	starb	„ „	ich stürbe
verderben	„	verdarb	„ „	ich verdürbe
werfen	„	warf	„ „	ich würfe usw.

Übung 312: Bilden Sie den Konjunktiv Imperfekt Aktiv (du, ihr): *

a) tragen, fahren, sagen; halten, fangen, fragen;
lesen, leben, sehen; können, mögen, dürfen;
reiten, bleiben, reisen; wissen, müssen, werden.

b) Bilden Sie den Konjunktiv Imperfekt Passiv (du ihr):
fragen, bitten, besuchen, ermahnen;
anklagen, freisprechen, verurteilen;
bedienen, anrufen, abholen.

III. Bildung des Konjunktivs Perfekt und Futur

1. **Konjunktiv Perfekt: Man nehme den Konj. Präsens von „haben"** (ich habe, du habest) **oder „sein"** (ich sei) **zusammen mit dem**

Partizip der Vergangenheit (gefragt, gegangen), z. B.: ich habe gefragt, ich sei gegangen, — **beim Passiv zusammen mit demselben Partizip** und **„worden"** (nicht „geworden"), z. B.: ich sei gefragt worden usw.

2. **Konjunktiv Futur: Man nehme den Konj. Präs. von „werden"** (ich werde, du werdest) **zusammen mit dem Infinitiv** (fragen), z. B.: ich werde fragen, — **beim Passiv zusammen mit dem Partizip** (gefragt) **und dem Infinitiv von „werden"**, z. B.: ich werde gefragt werden usw.

* **Übung 313 a):** Bilden Sie den Konjunktiv Perfekt und Futur des Aktivs (ich, du, ihr):

a) fahren, gehen, kommen, reiten, schwimmen, fliegen;
kaufen, borgen, mieten, schenken, anbieten.

b) Bilden Sie den Konj. Präs., Perfekt, Fut. des Passivs (ich, du, ihr):
suchen, rufen, abholen, begleiten, führen;
stoßen, schlagen, verwunden, retten, forttragen.

IV. Bildung des Konjunktivs Plusquamperfekt

Man nimmt den Konj. Imperfekt von „haben" (ich hätte) **oder „sein"** (ich wäre) **in Verbindung mit dem Partizip der Vergangenheit** (gefragt, gegangen), z. B.: ich hätte gefragt, ich wäre gegangen, — **beim Passiv in Verbindung mit dem Partizip (gefragt)** und **„worden"**, z. B.: ich wäre gefragt worden usw.

* **Übung 313 b):** Bilden Sie den Konjunktiv Plusquamperfekt von den Verben in Übung 312 (mit „ich, du, ihr").

V. Bildung des Konditionals

1. **Man nimmt den Konj. Imperfekt von „werden"** (ich würde) **zusammen mit dem Infinitiv** (fragen), z. B.: ich würde fragen, — **beim Passiv zusammen mit dem Partizip** (gefragt) **und werden**, z. B.: ich würde gefragt werden usw.
2. **Beim Konditional der Vergangenheit nimmt man auch den Konj. Imperf. „würde" zusammen mit dem Partizip** (gefragt) und **„haben"**, z. B.: ich würde gefragt haben, — **im Passiv zusammen mit dem Partizip** (gefragt) und **„worden sein"**, z. B.: ich würde gefragt worden sein.

Übung 314: a) Bilden Sie den Konditional der Gegenwart und der Vergangenheit (Aktiv und Passiv): ✶

besuchen, begleiten, führen, verlassen, vergessen; unterrichten, belehren, ermahnen, bitten, ersuchen.

b) Welcher Konjunktiv oder Konditional ist das? ✶

1. er fahre, er habe gelebt, er esse, er säße, er gebe
2. er führe, er hätte getrunken, er riefe, er sage, er läse
3. er sei gelaufen, er wäre gefallen, er dächte, er gebe, er wolle
4. er stürbe, er wäre geworden, er trage, er möchte, er sänge
5. er werde gerufen, er werde sehen, er würde gerufen, er wisse
6. er sei gefangen worden, er würde gefragt werden, er wäre
7. er wäre geschwommen, er wäre vergessen worden, er sei

§ 82–87. Anwendung des Konjunktivs

§ 82. Der Konjunktiv in der indirekten Rede

A. Direkte Rede:	B. Indirekte Rede:	
Der König sagte zu dem Müller:	Der König sagte zu dem Müller,	
1. „Deine Mühle stört mich."	daß *seine* Mühle *ihn störe.*	E.
	seine Mühle *störe ihn.*	G.
2. „Ich lebte früher ruhiger." „Ich habe früher ruhiger gelebt." „Ich hatte früher ruhiger gelebt."	daß *er* früher ruhiger gelebt *habe.*	E.
	er habe früher ruhiger gelebt.	G.
3. „Ich werde dir die Mühle abkaufen."	daß *er ihm* die Mühle abkaufen *werde.*	E.
	er werde ihm die Mühle abkaufen.	G.
4. „Verkaufe sie mir!"	daß *er* sie *ihm* verkaufen *solle (möge).*	E.
	er solle sie *ihm* verkaufen.	G.
	er möge sie *ihm* verkaufen.	G.

1. **Statt der direkten (wörtlichen) Rede (A.) kann man die indirekte (abhängige) Rede (B.) benutzen (Zeichensetzung!).**
2. **Dazu braucht man den Konjunktiv; das Verb tritt an das Ende (E.) nach „daß"; es behält normale Wortstellung (G.) ohne „daß".**
3. **In der indirekten Rede steht für die Vergangenheit niemals der Konjunktiv des Imperfekts (vgl. Satz 2), sondern der Konjunktiv des Perfekts (oder Plusquamperfekts, vgl. § 83).**
4. **Man benutzt die indirekte Rede nach Verben wie: erzählen, antworten, sagen, meinen, glauben, denken, schreiben usw. (besonders, wenn diese Verben im Imperfekt stehen: Er erzählte, daß . . .).**
5. **Manchmal braucht man diesen Konjunktiv auch nach Verben, die eine Unsicherheit, einen Wunsch ausdrücken: man hoffte (fürchtete, wünschte, vermutete, zweifelte), daß er gekommen sei, daß er bald kommen werde usw., vgl. § 86.**
6. **Beachten Sie die Formen des Personalpronomens: direkt: „ich", „du", „mein", „dein" (erste oder zweite Person!); indirekt: „er", „sein", „ihr" (dritte Person!). Vgl. § 83 und 84. Vergleichen Sie die Satzzeichen bei der direkten und der indirekten Rede! (§ 99 A).**
7. **Nebensätze, die eine Vorzeitigkeit ausdrücken (s. § 75), haben in der indirekten Rede den Konjunktiv Perfekt (oder Plusquamperfekt, s. § 83). Beachten Sie die Übung 315 b.**
8. **Konjunktive und Infinitive innerhalb der direkten Rede werden bei der Umwandlung in die indirekte Rede nicht verändert.**

* **Übung 315:** a) Ergänzen Sie in den folgenden Sätzen das fehlende Verbum (mit und ohne „daß"): 1. Der Reisende teilte mit, daß er gut angekommen —. 2. Der Freund schrieb mir, daß er übermorgen kommen —. 3. Ein Bekannter erzählte mir, daß er nur selten ins Theater — (gehen). 4. Der Schüler entschuldigte sich damit, daß er seine kranken Eltern besuchen — (müssen). 5. Die Zeitung berichtete, daß das Ministerium in der vergangenen Nacht gestürzt —. 6. Der Dieb dachte, daß er von niemand gesehen —. 7. Der Arzt sagte, daß man ihn täglich benachrichtigen — (sollen). 8. Er glaubte, daß man ihn schon seit langem vergessen —. 9. Man fürchtete, daß bei dem Unglück viele Menschen umgekommen —. 10. Der Angeklagte sagte aus, daß er sich an nichts mehr erinnern — (können).

b) Verwandeln Sie unter Beachtung der obigen Regel 7 die direkte Rede in die indirekte: 1. Mein Vetter sagte: „Ich reise ab, sobald ich das Geld erhalten habe." 2. Er sagte: „Ich werde abreisen, sobald ich das Geld erhalten habe." 3. Er sagte mir: „Ich reiste ab, sobald ich das Geld erhalten hatte." 4. Die Mutter sagte: „Nachdem ich gegessen habe, gehe ich in das Musikzimmer." 5. Sie sagte: „Nachdem ich gegessen habe, werde ich in das Musikzimmer gehen." 6. Sie sagte: „Nachdem ich gegessen hatte, ging ich in das Musikzimmer." 7. Der Buchhändler sagte: „Seitdem der Dichter gestorben ist, kauft jeder Mensch seine Bücher." 8. Er sagte: „Wenn der Dichter gestorben ist, wird jeder Mensch seine Bücher kaufen." 9. Er sagte: „Seitdem der Dichter gestorben war, kaufte jeder Mensch seine Bücher." 10. Die Schwester sagte: „Immer wenn der Kranke die Arznei genommen hat, schläft er ruhig." 11. Sie sagte: „Immer wenn der Kranke die Arznei genommen hat, wird er ruhig schlafen." 12. Sie sagte: „Immer wenn der Kranke die Arznei genommen hatte, schlief er ruhig." *

Übung 316: Verwandeln Sie die direkte Rede in die indirekte Rede (mit und ohne „daß"): Die Zeitung berichtete: 1. „Ein großes Unglück ist geschehen. 2. Der Fluß hat viel Land überschwemmt. 3. Die Bevölkerung mußte (!) fliehen. 4. Das Vieh stirbt auf dem Feld. 5. Niemand kann es vom Tode erretten. 6. Auch die Eisenbahn fährt nicht mehr. 7. Man sieht viele zerstörte Bahndämme. 8. Das Wasser steigt noch immer. 9. Es reißt die Brücken fort, es nimmt seinen Weg mitten durch die Dörfer. 10. Niemand darf das Gebiet betreten; alles wurde (!) vom Militär abgesperrt. 11. Wenn das Unwetter nicht bald aufhört, weiß niemand Hilfe und Rat. 12. Trotzdem wird die Regierung ihr möglichstes tun. 13. Man hofft, daß die Bevölkerung durch reiche Geldmittel unterstützt wird. 14. Gequältes Land, verliere nicht den Mut! Volk, hilf den unglücklichen Brüdern! Jeder muß geben, was er hat!" *

Übung 317: Benutzen Sie die indirekte Rede: Ein guter Bekannter schrieb mir: 1. „Ich befinde mich seit einigen Wochen auf der Insel Rügen. 2. Ich bin hierher (!) gefahren, weil ich krank war (!). 3. In den ersten Tagen konnte (!) ich mich nicht an die Seeluft gewöhnen. 4. Aber jetzt geht es mir viel besser. 5. Ich mache täglich Spaziergänge am Strand; ich fahre bisweilen mit dem Segelboot; ja ich werde auch einen Ausflug nach Schweden unternehmen. 6. Ganz wunderbar ist der Wald. 7. Man kann stundenlang wandern, ohne daß man einen Menschen trifft. 8. Und es gibt nichts Schöneres als den Anblick der See, wenn * man am Königsstuhl aus den Bäumen hervortritt. 9. Wenn man hier (!) auf dem Kreidefelsen steht, der in der hellen Sonne leuchtet, dann weiß man nicht, was man vor Entzücken sagen soll. 10. Der Einfluß von Sonne, Wald und Meer muß jeden Menschen gesund machen. 11. Ich will diesen Aufenthalt ausdehnen, solange wie ich kann. 12. Ich hoffe, daß ich Dich und die Deinen danach gesund wiedersehen werde."

* § 83. Freiheit in der Wahl des Konjunktivs

A. Direkte Rede: Mein Freund schrieb mir:	B. Indirekte Rede: Mein Freund schrieb mir,	
1. „Ich bin krank."	er sei krank. er wäre krank.	= Präs. **oder** Imperfekt
2. „Ich war beim Arzt." „Ich bin beim Arzt gewesen." „Ich war beim Arzt gewesen."	er sei beim Arzt gewesen. er wäre beim Arzt gewesen.	= Perf. **oder** Plusqpf.
3. „Ich werde bald abreisen."	er werde bald abreisen. er würde bald abreisen.	= Fut. **oder** 1. Kondit.
4. a) „Meine Brüder kommen mit."	seine Brüder kämen mit.	= Imperfekt
b) „Sie haben mich besucht."	sie hätten ihn besucht.	= Plusquampf.
c) „Sie werden mitkommen."	sie würden mitkommen.	= Konditional

Übersicht

Direkte Rede:	**Indirekte Rede:**
1. Präsens Indikativ	Präsens Konjunktiv oder Imperfekt Konjunktiv.
2. Imperfekt Indikativ Perfekt Indikativ Plusquamperfekt Indikativ	Perfekt Konjunktiv oder Plusquamperfekt Konjunktiv.
3. Futur Indikativ	Futur Konjunktiv oder 1. Konditional.

1. Die Wahl des Konjunktivs in der indirekten Rede folgt nicht einer ganz strengen Regel.

2. Statt des Konjunktivs Präsens kann man auch den Konjunktiv Imperfekt setzen, statt des Konjunktivs Perfekt den Konjunktiv Plusquamperfekt, statt des Konjunktivs Futur den 1. Konditional.

3. Den Konjunktiv Imperfekt statt des Präsens setzt man stets, wenn die Form des Konjunktivs Präsens sich nicht vom Indikativ unterscheidet (Satz 4 a: sie kommen ist Indikativ u n d Konjunktiv, dafür: sie kämen — n u r Konjunktiv). Entsprechend: Konjunktiv Plusquamperfekt für Konjunktiv Perfekt (sie hätten für: sie haben) und 1. Konditional für Konjunktiv Futur (sie würden für: sie werden).

Übung 318: Verwandeln Sie die direkte Rede in die indirekte: 1. Ein bekanntes Wort sagt: „Zum Mitleiden genügt ein Mensch; zur Mitfreude gehört ein Engel." 2. Von dem Theologen und Philosophen Friedrich Schleiermacher stammt das Wortspiel: „Eifersucht ist eine Leidenschaft, die mit Eifer sucht, was Leiden schafft." 3. Der Vater gibt seinem Sohn den Rat: „Sage nicht alles, was du weißt; aber wisse immer, was du sagst!" 4. Der Dichter Friedrich Hebbel schreibt in seinem Tagebuch: „Der Jugend wird oft der Vorwurf gemacht, sie glaube immer, daß die Welt mit ihr erst anfange. Wahr. Aber das Alter glaubt noch öfter, daß mit ihm die Welt aufhöre. Was ist schlimmer?" 5. Herder lehrt: „In Griechenland entstand das Drama, wie es im Norden nicht entstehen konnte (!). Im Norden ist's also nicht und darf's nicht sein, was es in Griechenland gewesen (ist)." 6. Einige Worte von Friedrich Nietzsche: „Was aus Liebe getan wird, geschieht immer jenseits von Gut und Böse." 7. „Sokrates fand eine Frau, wie er sie brauchte." 8. „Tatsächlich trieb ihn Xanthippe in seinen eigentümlichen Beruf immer mehr hinein, indem sie ihm Haus und Heim unhäuslich und unheimlich machte." 9. „Man wird es Wagner nie vergessen dürfen, daß er in der zweiten Hälfte des 19. Jahrhunderts die Kunst als eine wichtige und großartige Sache ins Gedächtnis brachte." 10. Bismarck sagte einmal: „Steht man vor einer schwierigen Aufgabe, so sollte man vorher eine halbe Flasche Rotwein trinken, — besser, man trinkt sie ganz." *

Übung 319: Wie vorher: 1. Friedrich der Große sagte: „Ich bin der erste Diener des Staates." 2. Plato lehrt in seinem „Staat": „Wenn nicht die Macht im Staat und die Philosophie in e i n e r Hand liegen, gibt es kein Ende der Leiden für die Staaten und für die Menschheit." 3. Drei Gedanken Schopenhauers: „Vielen Menschen sind die Philoso- *

phen lästige Nachtschwärmer, die sie im Schlaf stören." 4. „Es gibt Handlungen, deren Unterlassung ein Unrecht ist: Solche Handlungen heißen Pflichten. Dies ist die wahre Definition des Begriffs der Pflicht." 5. „Mitleid mit den Tieren hängt genau mit der Güte des Charakters zusammen, so daß man behaupten darf: Wer gegen Tiere grausam ist, könne kein guter Mensch sein." 6. Mephisto spricht im 2. Teil des „Faust" zum kaiserlichen Kanzler: „Daran erkenn ich den gelehrten Herrn! Was ihr nicht tastet, steht euch meilenfern; was ihr nicht faßt, das fehlt euch ganz und gar; was ihr nicht rechnet, glaubt ihr, sei nicht wahr; was ihr nicht wägt, hat für euch kein Gewicht; was ihr nicht münzt, das meint ihr, gelte nicht." 7. Richard Wagner sagte 1876 nach der ersten Aufführung des „Ringes der Nibelungen" in Bayreuth: „Sie haben jetzt gesehen, was wir können, wollen Sie jetzt! Und wenn Sie wollen, werden wir eine deutsche Kunst haben." 8. Der Philosoph Hegel lehrt: „Was vernünftig ist, das ist wirklich, und was wirklich ist, das ist vernünftig."

* **Übung 320:** Setzen Sie die direkte Rede in die indirekte: Wilhelmine Schröder (1804—1860) war im vorigen Jahrhundert eine der besten deutschen Schauspielerinnen und Sängerinnen. Allerdings waren ihr die Zeitungen nicht immer freundlich gesinnt, und ein Dr. Schmieder, der Schriftleiter der Dresdener „Abendzeitung", war ihr besonderer Gegner. Mit ihm hatte sie einmal in der Eisenbahn ein lustiges Erlebnis, das sie gern erzählte: 1. „Ich war in ein leeres Abteil gestiegen, um mit dem Zuge nach Leipzig zu fahren. 2. Im letzten Augenblick vor der Abfahrt stiegen noch zwei Personen ein, eine Dame, die mir unbekannt war, und Dr. Schmieder, den ich genauer kannte, als mir lieb war. 3. Ich wollte nicht mit ihm ins Gespräch kommen, zog meinen Schleier über das Gesicht und las in meinem Buch. 4. Plötzlich hörte ich meinen Namen von der fremden Dame, die sehr bedauerte, daß sie keine Gelegenheit gehabt habe, mich auf der Bühne zu sehen. 5. Aber es schien, daß sie mich nicht aus Liebe zur Kunst sehen und hören wollte (!), denn sie fuhr fort (haben): „Ich war doch zu neugierig, die Frau einmal zu sehen, von der man so viele schreckliche Geschichten erzählt." 6. „Sagen Sie mir doch, mein Herr", so wandte sie sich an Dr. Schmieder, den sie ebenso wenig kannte wie mich, „ob das alles wahr ist, was man in den Zeitungen über sie schreibt?" 7. Dr. Schmieder lächelte schon lange sehr vergnügt und antwortete boshaft: „Gnädige Frau, Sie tun am besten, die Sängerin selbst zu fragen; dort sitzt Frau Wilhelmine Schröder." 8. Die Dame erschrak (!) sehr, faßte sich aber schnell und sagte: „Meine verehrte gnädige Frau, verzeihen Sie

mir! Aber ein einziger Blick in Ihr Antlitz und Ihre Augen genügt mir, um zu sehen, daß alles nur häßliche Verleumdungen sind, was man über Sie schreibt. 9. Ich wohne in einer kleinen Stadt und kann mir mein Urteil nur nach dem bilden, was ich in unseren Zeitungen lese. 10. Da ist besonders ein Schriftleiter Dr. Schmieder, der in der „Abendzeitung" so viel Schlechtes über Sie schreibt; das muß ein schrecklich giftiger Mensch sein, der das wahrscheinlich nur aus persönlicher Feindschaft tut." 11. Ich hatte sie mit stiller Freude reden lassen und schaute nur manchmal boshaft zu Dr. Schmieder hinüber, der mit rotem Kopf und in großer Verlegenheit dasaß. 12. Als sie aber ihre lange Entschuldigung mit den Worten schloß: „Sagen Sie mir nur, verehrte gnädige Frau, warum macht der schlechte Mensch das?" — da antwortete ich: „Sie tun am besten, ihn selbst zu fragen; dort sitzt Herr Dr. Schmieder"."

§ 84. Der Konjunktiv in der indirekten Frage *

A. Direkte Frage:	B. Indirekte Frage:
Der König fragte den Müller:	Der König fragte den Müller,
1. „Wer hat die Mühle gebaut?"	*wer* die Mühle gebaut *habe (hätte).* E.
2. „Wieviel Geld forderst du?"	wieviel Geld *er fordere.* E.
3. „Willst du mir deine Mühle nicht verkaufen?"	*ob er ihm seine Mühle* nicht verkaufen *wolle.* E.

1. **Auch die direkte Frage (A.) kann man in die indirekte Frage (B.) verwandeln.**
2. **In der indirekten Frage steht der Konjunktiv wie in der indirekten Rede.**
3. **Man läßt das Fragewort (wer? wieviel? wann? warum? usw.) stehen und setzt das Verb an das Ende (E.).**
4. **Wenn der Satz kein Fragewort enthält, muß man die Konjunktion „ob" setzen (Satz 3).**
5. **Beachten Sie auch hier das Personalpronomen (direkt: „du", „deine"; indirekt: „er", „seine") und die Satzzeichen!**

* **Übung 321:** Verwandeln Sie folgende direkte Fragen in indirekte Fragen: 1. Der Beamte fragt den Reisenden: „Wann haben Sie den Paß verloren?" 2. Der Käufer wollte wissen: „Ist dieses Buch in einer neuen Auflage erschienen?" 3. Der Arzt meinte: „Warum wollen Sie alle Hoffnung aufgeben?" 4. Der Lehrer fragte den Schüler: „Haben Sie mich verstanden? Was soll ich Ihnen noch erklären?" 5. Der Kaufmann überlegte: „Wie kann ich meine Waren am besten verkaufen?" 6. Der Wanderer wußte nicht: „Soll ich nach links oder nach rechts gehen?" 7. Man fragte den Architekten: „Aus welchem Material werden Sie das Haus bauen? Wieviel wird es kosten?" 8. Der Kellner fragte den Gast: „Wünschen Sie dunkles oder helles Bier?" 9. Der Arzt fragte den Kranken: „Geht es Ihnen besser? Was essen und trinken Sie?" 10. Der Gelehrte fragte sich: „Kann ich mein Ziel wohl jemals erreichen?"

* **Übung 322:** Verwandeln Sie die direkte Frage in die indirekte Frage: 1. Der Richter fragte den jugendlichen Angeklagten: „Wann bist du geboren?" 2. Er fragte weiter: „In welchem Jahre ist dein Vater gestorben? Wer hat dich erzogen? Wovon lebst du?" 3. „Warum antwortest du nicht auf meine Fragen? Seit wann gehst du betteln? Wie denkst du dir deine Zukunft?" 4. „Hast du ein Handwerk erlernt? Willst du immer ein Bettler bleiben?" 5. „Hast du den Diebstahl begangen? Kannst du deine Aussage beweisen?" 6. „Weißt du, daß man dich beobachtet hat? Wirst du auch dann leugnen, wenn man Augenzeugen bringt?" 7. „Weshalb hast du das getan? Rührt sich dein Gewissen nicht?" 8. „Fühlst du nicht, daß dein Handeln ein Unrecht ist? Wann wirst du anfangen, dich zu bessern?"

* **Übung 323:** Benutzen Sie die indirekte Frage!

1. Der Fremde fragte den Bahnbeamten: „Wann fährt der nächste Schnellzug nach Leipzig?" 2. Er fragte weiter: „Wo kauft man die Fahrkarten? Muß man sie hier lösen oder kann man die Karten auch im Zuge erhalten?" 3. „Von welchem Bahnsteig geht der Zug ab? Ist er schon sehr besetzt?" 4. „Kann man den Speisewagen benutzen, auch wenn man zweiter Klasse fährt?" 5. „Wo kann man einen Platz im voraus belegen? Warum hat dieser Zug keine Schlafwagen? Muß man umsteigen?" 6. „Und wenn auf einem Bahnhof längerer Aufenthalt ist, kann man die Fahrt unterbrechen?" 7. „Gibt es in Leipzig eine Auskunftsstelle, die weiß, wo man ein gutes Zimmer findet?" 8. „Darf ich Ihnen für Ihre Freundlichkeit eine Zigarre anbieten?"

§ 85. Der Konjunktiv in irrealen Bedingungssätzen ✶

A. Gegenwart:

Wenn es nicht so weit *wäre* (E.), *Wäre* es nicht so weit (U.),	(dann) *führe* ich dorthin (U.), (so) *würde* ich dorthin *fahren* (U.),

B. Vergangenheit:

Wenn es nicht so weit gewesen *wäre* (E.), *Wäre* es nicht so weit gewesen (U.),	*wäre* ich dorthin gefahren (U.), *würde* ich dorthin gefahren *sein* (U.).

1. Die vier obigen Bedingungssätze bedeuten eine Nichtwirklichkeit (Irrealität); ihre Bedeutung ist: Ich fahre n i c h t dorthin; es ist mir z u weit.

2. In irrealen Bedingungs- (Konditional-) Sätzen benutzt man
a) den Konjunktiv des Imperfekts für die Gegenwart (A.),
b) den Konjunktiv des Plusquamperfekts für die Vergangenheit (B.).

3. Den Nebensatz mit „wenn" (E.!) kann man auch ohne „wenn" ausdrücken, dann erfolgt Umstellung (U.!).

4. Im Hauptsatz (im Nebensatz nur im Futur) kann man statt des Konjunktivs auch den Konditional benutzen.

5. Die Bindewörter „dann" und „so" im Hauptsatz können auch fehlen.

Übung 324: Bilden Sie aus folgenden Sätzen irreale Konditionalsätze und beginnen Sie stets mit „aber wenn ...": 1. Das Buch ist nicht interessant, ich lese es nicht gern; a b e r w e n n ... 2. Es hat nicht geregnet, die Straßen sind nicht naß; a b e r w e n n ... 3. Ich habe nicht viel Zeit, ich besuche die Vorträge nicht. 4. Die Sonne scheint nicht, ich fahre nicht auf das Land. 5. Er bittet mich nicht um Hilfe, ich kann ihm nicht helfen. 6. Ich finde das verlorene Geld nicht, ich kann es dir auch nicht geben. 7. Er schläft lange, er kann nicht viel arbeiten. 8. Es regnet nicht genug, das Getreide wächst nicht. 9. Der Mensch hat keine Flügel, er fliegt nicht wie ein Vogel. 10. Ich habe ihn nicht getroffen, ich habe nicht mit ihm gesprochen. 11. Er hat nicht gut gearbeitet, er hat kein Geld verdient. 12. Der Schüler ist nicht aufmerksam gewesen, er hat viele Fehler gemacht. ✶

✶ **Übung 325:** Ergänzen Sie folgende Sätze:

1. Wenn ich ein Flugzeug hätte, . . . 2. Wenn ich nicht ein Gymnasium besucht hätte, . . . 3. Hätte ich im Lotto gewonnen, . . . 4. Wäre der Bahnbeamte nicht aufmerksam gewesen, . . . 5. Gäbe es nur eine einzige Sprache, . . . 6. Wenn der Buchdruck nicht erfunden wäre, . . . 7. Wenn der Student fleißiger gewesen wäre, . . . 8. Wenn der Polizist mich gesehen hätte, . . .

✶ **Übung 326:** Lesen Sie folgende Sätze:

1. ohne „wenn": Wäre ich gesund, so brauchte ich usw.;
2. in der Vergangenheit (mit und ohne „wenn"): Wenn ich damals gesund gewesen wäre (Wäre ich gesund gewesen, so hätte ich . . .);
3. im Konditional der Gegenwart: Wenn ich gesund wäre, dann würde ich den Arzt nicht brauchen;
4. im Konditional der Vergangenheit: Wenn ich (damals) gesund gewesen wäre, würde ich den Arzt nicht gebraucht haben;
5. im Indikativ des Präsens — aber beachten Sie den Unterschied im Denken: Indikativ ist Realität, Konjunktiv ist Irrealität.

✶ 1. Wenn ich gesund wäre, brauchte ich den Arzt nicht. 2. Wenn ich das wüßte, dann fragte ich nicht. 3. Wenn er plötzlich arm würde, dann verlöre er alle seine Freunde. 4. Wenn sie ihm helfen könnte, so wäre sie glücklich. 5. Wenn er mehr Deutsch lernte, spräche er auch besser. 6. Wenn man ihm mehr Geld böte, dann verkaufte er vielleicht das Haus. 7. Wenn er schwiege, erreichte er mehr. 8. Wenn er plötzlich stürbe, gäbe es ein großes Unglück.

§ 86. Der Konjunktiv in irrealen Wunschsätzen

a) Gegenwart:

Wäre ich doch in meiner Heimat!	U.
Wenn ich doch in meiner Heimat *wäre*!	E.
Ich *möchte* in meiner Heimat sein!	G.
Ich wünschte, } daß ich in meiner Heimat *wäre*!	E.
Ich wollte, } ich *wäre* in meiner Heimat!	G.

b) Vergangenheit:

Hätte ich doch meine Heimat nie verlassen!	U.
Wenn ich sie doch nie verlassen *hätte*!	E.
Ich wünschte, } daß ich sie nie verlassen *hätte*!	E.
Ich wollte, } *ich* hätte sie nie verlassen!	G.

1. Den Konjunktiv des Imperfekts und Plusquamperfekts benutzt man auch, um einen Wunsch auszudrücken, den man als nicht erfüllt oder nicht erfüllbar denkt. (Wäre ich doch in meiner Heimat, d. h.: Ich möchte d o r t s e i n, aber ich bin n i c h t in meiner Heimat.)

2. In irrealen Wunschsätzen benutzt man (wie bei den irrealen Konditionalsätzen)

a) den Konj. des Imperfekts für einen Wunsch der Gegenwart,

b) den Konj. des Plusquamperfekts für einen Wunsch in bezug auf die Vergangenheit. — Beachten Sie das Ausrufezeichen!

Übung 327: Bilden Sie Wunschsätze nach obigen Beispielen für Gegenwart oder Vergangenheit: *

a) Ich bin nicht gesund.
Du bist nicht bei mir.
Er hat keinen Mut.
Wir können euch nicht helfen.
Ihr wißt nicht, wie unglücklich er ist.
Sie kommen nicht.

b) Warum habe ich so wenig Glück?
Warum schreibt er nicht?
Warum war ich gestern nicht im Theater?
Warum habe ich nicht besser gearbeitet?
Warum lebt er nicht mehr?
Warum ist er nicht fleißig?

§ 87. Der Konjunktiv nach „als ob" *

Er schrie, *als ob* er sterben *müßte.*
Er tat so, *als ob* er nicht *verstanden hätte.*

1. Der irreale Konjunktiv steht meistens auch nach a l s o b (er muß ja n i c h t sterben; er hat d o c h verstanden!).

2. Statt „als ob" kann man auch sagen: „als wenn".

Übung 328: Vollenden Sie folgende Sätze mit „als ob" oder „als wenn": 1. Der Ausländer sprach so gut Deutsch, als ob er ein Deutscher —. 2. Er redete, als ob er alles — (wissen). 3. Seine Augen sahen aus, als ob er krank —. 4. Er ging vorbei, als ob er mich nicht — *

(sehen). 5. Er machte ein Gesicht, als wenn er sehr unglücklich —. 6. Er tat so, als wenn er — (schlafen). 7. Er stellte sich, als ob er taub —. 8. Er tat so, als ob er nicht arbeiten — (können). 9. Er führte ein Leben, als ob sein Reichtum nie ein Ende haben — (können). 10. Er benahm sich, als wenn er allein im Zimmer — (sein).

* **Übung 329:** Bilden Sie Sätze mit „als ob" oder „als wenn": 1. Der (gesunde) Bettler zitterte wie ein an Krämpfen Leidender. 2. Er sprach über seinen eigenen Bruder wie über seinen ärgsten Feind. 3. Der Verbrecher machte ein unschuldiges Gesicht wie einer, der keine Fliege töten kann. 4. Der Gefragte heuchelte Taubheit (so tun). 5. Das Kind schrie bei jedem Löffel Suppe wie einer, der Gift essen soll. 6. Der Richter lächelte, — hatte ich eine Dummheit gesagt? 7. Der Bettler deutete an (so tun), taub und stumm zu sein. 8. Der Reisende prahlte, so daß man glaubte: er hat die ganze Welt bereist. 9. Der Zwanzigjährige benahm sich wie ein Kind. 10. Der alte Onkel hat an dem Neffen wie ein Vater gehandelt. 11. Der Junge schrie, der Mann hatte ihn nicht (!) geschlagen. 12. Er behandelte mich wie seinen Diener. 13. Die Mutter schalt die Kinder; sie hatten die Fensterscheibe nicht (!) zerschlagen. 14. Er machte mir Vorwürfe wie der Direktor selbst (wie seinem Lehrjungen).

L. Zusammenstellung der wichtigsten Konjunktionen

§ 88. Einteilung der Konjunktionen

1. Er beherrscht *sowohl* die deutsche *als auch* die russische Sprache.
2. Er spricht *nicht nur* Deutsch, *sondern* er beherrscht *auch* die russische Sprache.
3. Du mußt gehorchen, *oder* du hast die Folgen selbst zu tragen.
4. Er versteht die fremde Sprache nicht, *daher* hat er eine Übersetzung nötig.
5. *Da* er die fremde Sprache nicht versteht. hat er eine Übersetzung nötig.

I. Die Bindewörter (Konjunktionen) verbinden teils einzelne Wörter (vgl. 1), teils ganze Sätze (vgl. 2—5).

II. Die Bindewörter teilt man ein nach ihrem Einfluß auf die Wortstellung (§ 61—87) in solche

A. mit Grundstellung (vgl. Beispiele 2, 3) } **in Hauptsätzen,**
B. mit Umstellung (vgl. Beispiel 4) }
C. mit Endstellung (vgl. Beispiel 5), in Nebensätzen.

§ 89. Zusammenstellung der wichtigsten Konjunktionen

A. Konjunktionen mit Grundstellung:

a) gleichstellend:	und, sowohl — als auch, nicht nur — sondern auch;
b) entgegenstellend:	aber, allein, nicht — sondern, oder, entweder — oder;
c) begründend:	denn, nämlich.

B. Konjunktionen mit Umstellung (wenn die Bindewörter am Anfang des Satzes stehen):

a) gleichstellend:	auch, desgleichen, ebenfalls, gleichfalls, außerdem; weder — noch, teils — teils, bald — bald, einerseits — and(r)erseits; erstens — zweitens — drittens usw. — letztens; zuerst — dann — ferner — weiter — schließlich, endlich, zuletzt;
b) entgegenstellend:	dagegen, doch, jedoch, indes(sen), gleichwohl, trotzdem, nichtsdestoweniger, übrigens, nur, zwar, freilich, vielmehr, sonst, andernfalls;
c) folgernd:	also, daher, darum, demnach, deshalb, deswegen, folglich, mithin, somit.

C. Konjunktionen mit Endstellung in den Nebensätzen:

a) der Zeit:	als, bevor, bis, ehe, nachdem, indem, seit, seitdem, solange, sobald, sooft, sowie, während, wenn;
b) des Grundes:	da, weil;
c) der Absicht:	damit, auf daß;

d) des Zugeständnisses:	obgleich, obschon, obwohl, trotzdem, wenn ... auch, wenngleich, wennschon, wie ... auch;
e) der Folge:	so — daß;
f) der Art und Weise:	anstatt daß, je, je nachdem, ohne daß, so, wie — so, als, als daß, als ob, als wenn, wie;
g) der Bedingung:	wenn, falls, im Falle daß, vorausgesetzt daß;
h) der Aussage, der indirekten Rede und Frage, ebenso nach Relativadverbien:	daß, ob, warum, weshalb, weswegen, wozu, wofür, womit, wodurch, wobei, wovon, woran, worauf, woraus, wann, wo, wie, wieweit, wie oft, wie lange usw.

* **Übung 330:** Verwandeln Sie in folgenden Sätzen die gesperrt gedruckten Satzteile in Nebensätze: 1. *Am Ende* der Vorstellung pfiffen einige Zuschauer. 2. *Mit Ihren guten Kenntnissen* werden Sie leicht ein Examen machen. 3. *Trotz seiner Bemühungen* gelang es dem Schlosser nicht, das Schloß zu öffnen. 4. *Bei solchem Mute der Einwohner* konnte die Stadt gerettet werden. 5. Er arbeitet Tag und Nacht *zur Bereicherung seines Wissens*. 6. Man benutzt ein Siegel *zum Verschließen der Briefe*. 7. *Mit Einbruch der Nacht* wuchs die Gefahr. 8. Die Kinder kommen *mit sechs Jahren* in die Schule. 9. *Nach dem Verlust seiner Brieftasche* wandte er sich an die Polizei. 10. Ich handle gern *nach Ihrem Wunsche*. 11. *Vor Sonnenaufgang* machten sich die Wanderer auf den Weg. 12. *Vor Angst* konnte er kaum sprechen. 13. Er hoffte *auf die baldige Ankunft* der Eltern. 14. *Auf diese Art und Weise* wirst du alle deine Freunde verlieren.

* **Übung 331:** Verwandeln Sie die Satzteile in Nebensätze: 1. Die von dem brennenden Schiff geretteten Matrosen wurden an Bord genommen. 2. Bei dem günstigen Wind konnte das Schiff vor Anbruch der Nacht den Hafen erreichen. 3. Trotz großer Opfer an Zeit und Geld (bringen) konnte die Expedition ihr Ziel nicht erreichen. 4. Wegen unerträglicher Hitze und großen Wassermangels mußte man umkehren. 5. Seit seiner Entlassung aus dem Krankenhause lebte mein Vater bei unserer Schwester in ihrem großen, schönen Hause auf dem Lande bei München. 6. Mit der Geburt eines Sohnes bekam der Bauer endlich den heiß ersehnten Erben. 7. Zum Schutz der Augen

gegen grelles Licht haben manche Arbeiter eine Schutzbrille. 8. Besonders am Anfang und am Ende des Sommers, d. h. zur Zeit der Saat und der Ernte, haben die Landleute die schwerste Arbeit. 9. Während der heißen Sommermonate brach in der sehr dicht bevölkerten Stadt eine sich täglich weiter verbreitende Seuche aus. 10. Nach zweistündigem Suchen fand man die ersten Spuren der verirrten Kinder. 11. Bedenke immer deine Worte und deine Taten und handle niemals gegen dein Gewissen! 12. Das Vergangene bleibt tot; Völker und Kinder greifen immer nach dem Lebenden und Neuen.

Übung 332: Verwandeln Sie in folgenden Sätzen die Nebensätze in adverbiale Bestimmungen: 1. Er kaufte das Buch, obgleich der Preis sehr hoch war. 2. Solange man jung ist, muß man die Zeit zum Lernen benutzen. 3. Weil er keine guten Kenntnisse hatte, fiel er beim Examen durch. 4. Wenn das Wetter gut ist, wollen wir einen Ausflug unternehmen. 5. Wenn die Sonne untergegangen ist, singen die Vögel nicht mehr. 6. Wenn die Not am höchsten ist, ist Gottes Hilfe am nächsten. 7. Der Arbeiter war so müde, daß er einschlief. 8. Die Maurer bauten das Haus genau so, wie der Architekt es gezeichnet hatte. 9. Sowie das Feuer ausbrach, entwickelte sich ein dichter Rauch. 10. Ich werde nicht eher aufstehen, als bis ich diese Arbeit erledigt habe. 11. Nachdem er die Sitzung eröffnet hatte, gedachte der Präsident der Verstorbenen. 12. Ich erzähle Ihnen diese Geschichte von dem Schauspieler, damit Sie seinen Charakter besser verstehen. 13. Da er vom Arzt falsch behandelt wurde, verschlimmerte sich seine Krankheit täglich. 14. Wenn du mich auch noch so sehr bittest, kann ich deinen Wunsch nicht erfüllen. 15. Seitdem ihr Kind gestorben war, hatte die Mutter keine Freude mehr am Leben. *

Übung 333: Wie vorher: 1. Der Verbrecher versicherte, daß er völlig unschuldig sei. 2. Erst allmählich verbreitete sich im Volke die Nachricht, daß der Präsident tot sei. 3. Das ganze Volk hoffte, daß die Inflation bald zu Ende sei. 4. Viele Völker brachten den Göttern, um sie zu versöhnen, Menschenopfer. 5. Das am Abend entstandene große Feuer erlosch erst, als es Morgen wurde. 6. Der Vetter teilte uns mit, daß unser alter Großvater plötzlich gestorben sei. 7. Wir machen den Dampferausflug mit den Kindern nur, wenn das Wetter besonders warm und sonnig ist. 8. Während es dauernd regnete, donnerte und blitzte, saßen wir schutzlos in dem kleinen Motorboot. 9. Die Mutter war glücklich, als sie ihr verloren geglaubtes Kind wiedersah. 10. Solange der Mensch lebt, muß er sich immer mühen und plagen. *

M. Wortbildung

§ 90. Bildung von Substantiven

1. Substantive mit der Endung -er, -ler, -ner (männlich), **-erin, -lerin, -nerin** (weiblich):

Alle Wörter mit * verlangen Umlaut.

arbeiten — r Arbeit*er* e Kunst — r Künst*ler* e Rede — r Red*ner* — e Red*nerin*	Substantive mit der Endung -er, -erin bedeuten Personen, die eine Tätigkeit ausüben.

Übung 334: Bilden Sie Substantive auf -er (-erin) von folgenden Wörtern: dienen, malen, schneiden, rauben*, morden*, kaufen*, jagen*, rauchen, singen (!), Fleisch, Fisch, Verrat*, Schule*, — Kunst*, Tisch, Lüge, Rede, Garten*, Pforte*, — Berlin, Amerika, Italien, Japan, England*, Spanien, Indien (!), Ägypten, Marokko (!), Holland*.

Übung 335: Beantworten Sie die Fragen (in Satz 6—12 auch in der weiblichen Form): 1. Wer macht die Kleider? (schneiden). 2. Wer arbeitet in unsern Häusern? (mauern, schließen [!], malen). 3. Wer arbeitet für die Ernährung? (bauen, backen*, handeln* (!), jagen*, Fleisch, Fisch, Garten*). 4. Wer bringt das Glas für die zerbrochene Fensterscheibe? (Glas). 5. Wer druckt die Bücher? Und wer bindet sie? 6. Wer erfreut unsere Augen durch seine Werke? (zeichnen, malen, Bild[werke] hauen, Kunst*). 7. Wer spielt die Violinsonate mit Klavier von Haydn? (zwei, Musik; ein, Klavier, spielen, Geige spielen). 8. Welche Leute im Warenhause kaufen*, verkaufen*, kassieren das Geld, packen die Sachen ein? 9. Was sind das für sonderbare Menschen: Er spricht groß (von sich), er ist ein . . .; er färbt alles schön, er ist ein . . .; er tut wichtig; er versorgt sich selbst; und wie heißt derjenige, der anderen Arbeit gibt? von anderen Arbeit erhält (nimmt)? 10. Wer wohnt in Berlin? in Köln? in Hamburg? in Wien? in Europa?* in Amerika? in Italien? in Japan? in Indien? in Litauen? in Arabien? Wie heißen die dortigen Frauen?

2. Substantive mit der Endung -e (weiblich!):

groß — e Größe lieben — e Liebe	Mit der Endung -e bildet man viele abstrakte Substantive; es gibt auch Völkernamen auf -e, weiblich -in: Preußen, r Preuße, e Preußin.

Übung 336 a: Bilden Sie Substantive von folgenden Wörtern: breit, hoch* (!), lang*, nah*, warm*, kalt*, hart*, treu, bitten, lehren, sorgen, pflegen, liegen (!), lügen; — Sachsen, Frankreich (!), China (!), Rußland (!), Schweden, Estland (!), e Türkei (!), Bulgarien (!), e Slowakei (!), Dänemark (!), Portugal (!), Griechenland (!), Serbien (!).

Übung 336 b: Beantworten Sie die Fragen bzw. erganzen Sie die Sätze: 1. Was spricht der Lügner aus? der Bittende? der Besorgte? 2. Was zeigt der, welcher liebt? welcher treu ist? welcher hart* und kalt* ist? 3. Der Kölner Dom ist 144 m lang*, 86 m breit, bis zum Dach 61 m und bis zur Turmspitze 157 m hoch* (— des Kölner Doms beträgt . . .). 4. In Berlin ist es im Winter manchmal bis 15 Grad kalt* und im Sommer oft bis 30 Grad warm*. (In Berlin beträgt . . .). 5. Wie heißt der Bewohner Preußens? Irlands (!)? Dänemarks (!)? Lettlands (!)? Schottlands (!)? Frieslands (!)? Finnlands (!)? Deutschlands? 6. Wie heißen die dortigen Frauen?

3. Substantive mit der Endung -el (meist männlich): schließen — r Schlüss*el*.

Die Endung *-el* bezeichnet oft ein Werkzeug, ein Mittel.

Übung 337: Bilden Sie Substantive von folgenden Wörtern: decken, werfen (!), schließen (!), gürten, heben, klingen.

4. Substantive mit der Endung -ei (immer weiblich):

	Die Endung *-ei* bezeichnet oft
a) r Bäcker — e Bäcker*ei*	a) ein Geschäft,
b) spielen — e Spieler*ei*	b) eine Handlung mit verächtlichem Nebensinn.

Übung 338: Beantworten Sie folgende Fragen: 1. Wo arbeitet der *Weber*, r *Fleischer* r *Gärtner*? 2. Wo *druckt* man Bücher, verarbeitet man *Milch* (!), *spinnt* man Seide, *braut* man Bier, leiht man *Bücher*? 3. Wie nennen wir ein oberflächliches *Spielen*, *Lieben*, *Schmeicheln*, ein *kind*isches Benehmen?

5. Substantive mit der Endung -ling (immer männlich!):

jung — r Jüng*ling* feige — r Feig*ling*	Die Endung *-ling* bezeichnet oft Personen, die uns jung, klein oder verächtlich erscheinen.

Übung 339: Beantworten Sie folgende Fragen: 1. Wie nennt man einen jungen Menschen, den man *liebt*, *erzieht* (!), den der Meister etwas *lehrt*, der die Milch *saugt**, der *geprüft* wird? 2. Wie nennt man einen Menschen, der *weichlich* ist oder *schwach**, oder *fremd*, der *flüchten* (!) mußte, durch Reichtum *emporkommt**?

Wiederholung. Zur Bildung der Substantive 1—5

Übung 340: Beantworten Sie die Fragen: 1. Womit verschließt man die Tür? 2. Wer macht dieses Werkzeug? Und wo? 3. Wie heißt der Bewohner Englands*? der Schweiz? Amerikas (!)? Japans? Spaniens? der Niederlande*? Indiens (!)? 4. Wie heißt der Bewohner Rumäniens (!)? Kroatiens (!)? Europas (!)? Afrikas (!)? Australiens (!)? Portugals (!)? Chinas (!)? der Mongolei (!)? Asiens (!)? 5. Wie heißen die Frauen in den Fragen 3 und 4? 6. Wer macht Tische und wo? 7. Wer bindet Bücher und wo? 8. Wo wird Wäsche gewaschen* und von wem? 9. Wo werden Stoffe gefärbt und von wem? 10. Wie heißt die Ausdehnung nach oben? nach unten? nach beiden Seiten oder: nach rechts und links? 11. Wie heißt der Mann, der arbeitet? der etwas verkauft*? der mit Büchern handelt*? mit Obst? mit Fischen? mit Blumen? 12. Wie heißen die Frauen?

6. Substantive mit der Endung -ung (immer weiblich!):

erfinden — e Erfind*ung* rechnen — e Rechn*ung*	Mit der Endung *-ung* bildet man Substantive, welche oft eine Handlung oder das Ergebnis einer Handlung bezeichnen.

Übung 341: Bilden Sie aus folgenden Sätzen andere, in denen ein Substantiv mit -ung vorkommt: 1. Es ist oft schwer, seine Kinder richtig zu *erziehen*. 2. Er wurde berühmt, weil er gut *zeichnen* konnte. 3. Alle Menschen *versammelten* sich vor dem Schloß. 4. Der Regen *erfrischt* uns nach der Hitze. 5. Ich *wohne* in einem Vorort von Berlin. 6. Wenn wir viel arbeiten, müssen wir uns gut *ernähren*. 7. Im Herbst kann man sich leicht *erkälten*, wenn man sich nicht warm *kleidet*. 8. Alles, was *erfunden* und *entdeckt* ist, erscheint nachher sehr leicht. 9. Das Auge, das *verletzt* und *entzündet* war, machte ihm große Schmerzen. 10. Der Staat, der uns *regiert*, verlangt, daß wir seine Gesetze *achten*.

Vergleichen Sie dazu Übung 278!

7. Substantive mit der Endung -heit (-keit nach r, ch, ig), (immer weiblich!):

a) r Mensch — e Mensch*heit*
b) s Kind — e Kind*heit*
klug — e Klug*heit*
dankbar — e Dankbar*keit*

Die Endung *-heit* (*-keit*) bezeichnet
a) eine Gesamtheit (alle Menschen),
b) ein abstraktes Substantiv.

Übung 342: Verwandeln Sie folgende Sätze so, daß ein Substantiv mit -heit (-keit) darin vorkommt: 1. Der Papst in Rom ist das Oberhaupt der katholischen *Christen.* 2. Die großen Philosophen leben und arbeiten für alle *Menschen.* 3. Alle *Geistlichen* begrüßen das neue Gesetz. 4. Solange man ein *Kind* ist, hat man keine Sorgen. 5. Weil er *klug* und *tapfer* war, wurde er von allen geachtet. 6. Wenn die Kinder *fröhlich, sorglos* und *gesund* sind, freuen sich die Eltern. 7. Trotzdem er *blind* war, lebte er doch sehr *zufrieden.* 8. *Gesund* sein ist besser als *krank* sein. 9. *Dumme* und *Toren* sterben niemals aus.

Vergleichen Sie dazu Übung 271.

8. Substantive mit der Endung -schaft (immer weiblich!):

a) r Bürger — e Bürger*schaft*
b) r Freund — e Freund*schaft*

Die Endung *-schaft* bezeichnet oft
a) eine Gesamtheit (alle Bürger),
b) ein Verhältnis zwischen mehreren Personen.

Übung 343: Bilden Sie folgende Sätze so um, daß Substantive auf -schaft darin vorkommen: 1. Sie lebten als gute *Freunde.* 2. Alle *Bürger* und *Bauern* standen auf der Seite der Regierung. 3. Der Tyrann war ein harter *Herr* über die besiegten *Völker,* die als *Knechte* lebten. 4. Wie nennt man die systematische Ordnung des gesamten *Wissens*? 5. Der Boxer gewann den Titel des *Meisters.* 6. Sie teilten alles, was sie *hatten* (!); ihr Besitz war allen *gemeinsam* (Adjektiv). 7. Ihm sind viele gute Charakterzüge *eigen.* 8. In diesem Hause wohnt der *Gesandte* mit seinen (!) Beamten (sich befinden). 9. Das Schiff ist mit allen Männern untergegangen. 10. Alle *Verwandten* verlangten, daß der älteste ihnen vor*rechnen* (!) sollte, wo das Geld geblieben war.

9. Substantive mit der Endung -tum (immer sächlich, aber: der Irrtum, der Reichtum!):

r König — s König*tum* r Bürger — s Bürger*tum* r Fürst — s Fürsten*tum*	Die Endung *-tum* bedeutet oft eine Idee, einen Stand, eine Würde

Übung 344: Verwandeln Sie folgende Sätze so, daß ein Substantiv auf -tum angewandt wird: 1. Das alte Deutsche Reich hatte fast neunhundert Jahre *Könige* oder *Kaiser*. 2. In der Blütezeit des *Ritter*standes entstanden große Dichtungen. 3. Zu allen Zeiten hat man die *Helden* verehrt. 4. Der Tempel in Mekka ist ein *heiliger* Ort der Mohammedaner. 5. Dieses Haus ist mein eigener *Besitz*. 6. Sie *irren* sich! 7. *Reich* sein macht nicht immer glücklich. 8. Der *Bürger*stand kämpfte im vorigen Jahrhundert für eine Verfassung.

10. Substantive mit den Vorsilben Ge-, Ur- und Un-:

1. r Berg — s *Ge*birge	Die Vorsilbe *Ge-* bedeutet oft eine Zusammenfassung.
2. r Wald — r *Ur*wald	Die Vorsilbe *Ur-* bedeutet soviel wie: sehr alt, anfänglich.
3. r Dank — r *Un*dank e Menge — e *Un*menge	Die Vorsilbe *Un-* bezeichnet das Gegenteil, eine Verschlechterung oder auch eine große Verstärkung.

Übung 345: 1. Bilden Sie Substantive mit Ge-:

Wasser*, Trank*, Schrei, Hof* (!), Stein, Busch*, Bruder*, Schwester (!), fühlen, hören, sehen (!), schmecken (!), riechen (!).

2. Bilden Sie Substantive mit Ur-:

Großvater, Enkel, Mensch, Eltern, Geschichte, Stoff, Zeit (aber Uhr-?), Sache, Kunde, alt.

3. Bilden Sie Substantive mit Un-:

Treue, Glück, Gnade, Geschick, Recht, Wahrheit, Friede, Segen, Aufmerksamkeit, Gleichheit, Ordnung, Freiheit, Gehorsam; andere Bedeutungen: Summe, Wetter, Zahl, Mensch, Tat, Tier, Masse, Tiefe.

Übung 346: Beantworten Sie die Fragen: 1. Wie heißen die fünf Sinne? (*sehen, hören, riechen, fühlen, schmecken*). 2. Wie heißt der erste (älteste) *Mensch* der Erde? 3. Wie nennen wir die Zusammenfassung vieler *Sträucher* und *Büsche*? 4. Wie heißt der Sohn des *Enkels*? der Vater des *Großvaters*? 5. Wie heißt die älteste *Geschichte*? 6. Was fehlt aus dieser Zeit (schriftliche alte *Kunde*)? 7. Wie sagen wir, wenn eine große *Zahl, Menge, Masse* Menschen versammelt ist? 8. Woraus ist die Welt nach der Meinung des Materialismus entstanden (*Stoff*)? 9. Wie heißen zwei oder mehrere *Brüder* zusammen? Wie zwei oder mehrere *Schwestern*? 10. Wie heißen *Brüder* und *Schwestern* zusammen?

11. Zusammengesetzte Substantive:

e Haus*tür* = *e Tür* des Hauses
r Tür*schlüssel* = *r Schlüssel* zur Tür
r Haustür*schlüssel* = *r Schlüssel* zur Haustür

1. Substantive, die aus zwei oder mehreren Substantiven zusammengesetzt sind, heißen zusammengesetzte Substantive.

2. Der erste Teil eines zusammengesetzten Substantivs heißt Bestimmungswort (Haus-, Tür-, Haustür-), der zweite Teil heißt Grundwort (-tür, -schlüssel, -schlüssel).

3. Der erste Teil ist betont; der zweite Teil gibt dem zusammengesetzten Substantiv den Artikel.

4. Die Zusammensetzung erfolgt meist ohne verbindenden Laut, zuweilen mit s, e, en, er, z. B. Geburtstag, Langeweile, Straßenbahn, Kinderglück.

5. Auch zusammengesetzte Verben, Adjektive und Adverbien bildet man in ähnlicher Weise.

Übung 347: Bilden Sie zusammengesetzte Substantive: 1. Das Grundwort heißt: Garten; wie heißt der Garten für Blumen, für Gemüse, für die Küche? 2. Das Grundwort heißt: Messer; wie heißt das Messer zum Rasieren, für die Tasche, für den Tisch, für den Käse, für die Butter, für das Brot? 3. Das Bestimmungswort heißt: Adler; wie heißen das Auge, die Flügel, eine Feder, das Nest des Adlers? 4. Das Bestimmungswort heißt: Tisch; wie heißen die Decke, die Messer, die Leuchter, die Lampe für den Tisch? 5. Was für Uhren gibt es? (Wand, Armband, Turm, zum Wecken). 6. Was für Städte gibt es? (Haupt, Land, Provinz, Berg, Hafen). 7. Was kann man mit Schul(e) verbinden? (Haus, Hof, Garten, Kind, Zimmer, Tafel, Bücher, Arbeiten, Beruf, Abend). 8. Was kann man mit Tuch verbinden? (Hand, Mund, Tasche, Gläser, Teller, Tisch, Bett, Kopf, Hals).

Wiederholung

zur Bildung der Substantive 1—11

Übung 348: Beantworten Sie die Fragen bzw. ergänzen Sie die Sätze: 1. In unserem Staat hat jeder arbeitende Mensch das Recht auf bezahlten Urlaub und warum das? Er muß sich erholen und erfrischen nach langer Arbeit; er muß sich für die neue Arbeit stärken, kräftigen, unterhalten, zerstreuen, ablenken; wozu braucht er den Urlaub also? Er braucht ihn ... 2. Was für eine Eigenschaft zeigt der kühne und tapfere Mensch? das wilde Tier? der tüchtige Schüler? der ehrliche Finder? der nachlässige Student? das dankbare Kind? 3. Was bilden viele Äste zusammen? viele Knochen (Bein)? vieles Reden? viele Berge? alle Menschen? alle Bürger? alle Beamten? 4. Was für ein Wald ist ein sehr alter Wald? Was ist eine erste Schrift? ein erster Quell? die älteste Heimat? 5. Woher kommt das Wort Stachel? Deckel? Sessel? Klingel? Flügel? Ärmel? 6. Woher kommt Güte? Führung? Übung? Erinnerung? Regierung? Gesicht? Irrtum? Lage? 7. Wie heißt sehr schlechtes Wetter? eine schlechte Ordnung? ein törichter Verstand? ein schlechtes Kraut im Garten? ein dummer Sinn? ein unglücklicher Fall? eine schlechte Treue? 8. Der eine ist ordentlich, der andere unordentlich (lieben). 9. Der eine ist glücklich, der andere unglücklich (haben). 10. Der eine Schüler ist fleißig und aufmerksam, der andere faul und unaufmerksam (zeigen).

§ 91. Bildung von Adjektiven

12. Adjektive mit den Endungen -voll, -los, -reich, -ern, (-en):

Die Reise war gefahr*voll* — voll von Gefahren.
Die Reise war gefahr*los* — ohne Gefahren.
Das Meer ist fisch*reich* — reich an Fischen.
Die gold*ene* Uhr — aus Gold.

Übung 349: Benutzen Sie die oben genannten Endungen: 1. Die *Zahl* der Sterne ist sehr groß. 2. Die Krankheit verlief ohne *Schmerzen.* 3. Das Leben des Unglücklichen ist voll von *Sorge, Kummer, Qualen* und *Mühen.* 4. In manchen Ländern findet man viel *Silber.* 5. Die Umgebung der Stadt hat viele *Seen* und überhaupt viel *Wasser.* 6. Ich habe in der Nacht nicht *geschlafen.* 7. Gute Eltern behandeln ihre Kinder mit viel *Liebe,* schlechte Eltern behandeln sie ohne *Liebe.* 8. Das Buch ist reich an *Belehrungen* (!). 9. Manche Familien haben viele *Kinder* (!). 10. Er war ganz ohne *Hilfe* und ohne *Mittel.* 11. Der Saal war mit großer *Pracht* geschmückt. 12. Manche Menschen kennen keine *Treue.* 13. Der Garten war mit großer *Kunst* angelegt. 14. Ohne *Hoffnung,* ohne *Mittel* sahen die Flüchtlinge in die Zukunft. 15. Am Himmel war keine *Wolke.* 16. Der Strumpf ist aus *Seide,* aus *Wolle.* 17. Die Münze ist aus *Gold, Silber, Kupfer, Eisen.* 18. Die Bank ist aus *Holz* oder aus *Stein.*

13. Adjektive mit den Vorsilben un-, miß-:

Die Rede war *un*verständlich = nicht verständlich.

Seine Worte waren *miß*verständlich = man konnte sie falsch verstehen.

Übung 350: Benutzen Sie die oben genannten Vorsilben: 1. Die Lösung dieser Aufgabe ist nicht *möglich.* 2. Der Geizige *traute* niemand (!). 3. Manche Menschen sind nie (!) *vergnügt.* 4. Kinder sollen *höflich* und *artig* sein. 5. Seine Aussprache war nicht *deutlich* und *klar.* 6. Sei immer *freundlich* und *liebenswürdig.* 7. Die Antwort war nicht *richtig,* nicht *überlegt.* 8. Die Seele ist nicht *sichtbar.* 9. Die Arbeit war nicht *nötig.* 10. Das Klima war nicht *gesund.*

14. Adjektive mit der Endung -ig:

r Mut — mut*ig* s Salz — salz*ig*

Übung 351: Bilden Sie Adjektive und Sätze von folgenden Wörtern: Hunger, Durst, Geduld, Sand, Schmutz, Gift, Luft, Sonne, Schatten, Kraft*, Mut, Macht*, Feuer, Fleiß; — heute, gestern (!), morgen, hier (hiesig!), dort.

15. Adjektive mit der Endung -lich:

Der Greis freute sich kind*lich* = *wie* ein Kind.

Der Greis ist kränk*lich* = immer *ein wenig* krank.

Übung 352: Bilden Sie Adjektive mit der Endung -lich: 1. Er beschenkte seinen Retter wie ein *König,* wie ein *Fürst.* 2. Ich grüße dich von ganzem *Herzen.* 3. Der Unbekannte sorgte für den Unglücklichen wie ein *Freund,* ja wie ein *Vater**. 4. Die Farbe der Tapete ist fast *blau**, ziemlich *rot**, etwas *gelb.* 5. Der Sterbende ertrug die Schmerzen wie ein *Mann**. 6. Ich betrachte diesen Fall als eine *Nebensache**. 7. Ich rauche alle *Stunden**, alle *Tage** eine Zigarette. 8. Ich mache in jeder *Woche** (-entlich!), in jedem *Monat,* in jedem *Jahr** eine Reise. 9. Alle *Menschen* irren. 10. Viel Alkohol ist für den Menschen ein *Schaden**. 11. Bilden Sie Adjektive von: *Ehre, Herr, Staat, Norden**, *Süden, Westen, Tod**, *Gott**, *Natur**, *zart**, *schwach**, *lang**, *zerbrechen.*

16. Adjektive mit der Endung -isch:

Alte Leute werden manchmal kind*isch*, d. h. sie haben die schlechten Eigenschaften eines Kindes (unverständig, beschränkt).
Er spricht Russ*isch* (Engl*isch* usw.).

Übung 353: Bilden Sie Adjektive mit der Endung -isch: 1. Ungezogene Menschen sind voll *Zank** und *Neid*. 2. Der Feigling weint wie ein *Weib*. 3. Der Fuchs stiehlt wie ein *Dieb*. 4. Bei einem Gewitter gibt es meistens *Regen* (!) und *Sturm**. 5. Der Leichtsinnige lebt wie ein *Verschwender*. 6. Manche Menschen neigen zum *Aberglauben**. 7. Die Verkehrsmittel gehören zum Teil der *Stadt**, zum Teil dem *Staat* (!). 8. Das Leben im *Himmel* und auf der *Erde* (!). 9. Er kommt aus *Frankreich, England, China, Italien, Spanien, Japan* und spricht ... 10. Der Tyrann gab die Befehle in dem Tone eines unfreundlichen *Herrn;* die Menschen benahmen sich wie *Knechte* und *Sklaven*.

17. Adjektive mit der Endung -sam, -haft:

1. Das Kind ist spar*sam* — es spart *gern*.
2. Die Speise ist nahr*haft* — sie *hat* Nährkraft (*haft* von *haben*).

Übung 354: Bilden Sie Adjektive mit den Endungen -sam und -haft: 1. Kinder haben oft Lust zum *Schwatzen*. 2. Der Hund *bewacht* das Haus. 3. Nicht alle Kinder *gehorchen* (!) gern ihren Eltern. 4. Die Maschine hat viele *Fehler* und *Mängel*. 5. Manche Menschen *schweigen* gern, aber sie *arbeiten* viel. 6. Nicht alle Schüler *merken* (= hören) *auf* die Worte des Lehrers. 7. Die Operation brachte große *Schmerzen* mit sich. 8. Einige musikalische Vorträge zeigten die Vollendung eines *Meisters*, andere alle Fehler eines *Schülers*. 9. Der Hase ist ein Tier voller *Furcht*. 10. Das Erlernen jeder Sprache ist eine Arbeit voller *Mühe*.

18. Adjektive mit der Endung -bar:

a) Das Land ist frucht*bar* = es *bringt* viele Früchte.
b) Das Wasser ist trink*bar* = man *kann* es trinken.

Übung 355: Bilden Sie Adjektive mit der Endung -bar: 1. Gut erzogene Kinder *danken* ihren Eltern. 2. Das Erdbeben erweckt *Furcht* im Menschen. 3. Den Gummi kann man *dehnen*. 4. Verdorbene Speisen kann man nicht *essen*. 5. Die Seele kann man nicht *sehen* (!). 6. Der Gesang der Nachtigall ist ein *Wunder*. 7. Handlungen gegen das Gesetz bringen *Strafe*. 8. Das kann ich mir nicht *denken*. 9. Auf diesem Fluß können *Schiffe* fahren. 10. Diese Krankheit kann man nicht *heilen*.

Wiederholung

zur Bildung der Adjektive 12—18

Übung 356: Bilden Sie Adjektive und beantworten Sie die Fragen: 1. Wie ist die Mutter? (Güte, Freund, Herz, zart*, Geduld, voll Liebe, Sorge, sparen, Fleiß, Arbeit). 2. Wie ist das gute Kind? (Friede, Hof*, Freund, Lust, Liebe, danken, folgen, gehorchen). 3. Wie ist das böse Kind? (Zank*, Neid, Laune, lügen, naschen, schwatzen). 4. Wie ist die neue Wohnung? (Luft, Sonne, Freund, Raum* [!], gut heizen). 5. Wie soll der Mann sein? (Kraft*, Mut, Tatkraft*, Ruhe, Leben [!], wahr, Ehre, Ernst). 6. Wie ist der Student? (Fleiß, Arbeit, streben, aufmerken). 7. Wie macht er seine Arbeiten? (ohne Fehler, ohne Tadel, ohne Mühe, wie ein Meister). 8. Wie macht der schlechte Student seine Arbeiten? (Eile, Flucht*, mit Fehlern und Mängeln). 9. Wie war der Weg über die Felder? (zuerst Sand und Wind, später Schmutz und Morast). 10. Wie ist die Krankheit? (fühlen, ernst, Schreck, nicht heilen, Schmerz, Furcht, Gefahr*, Tod*).

§ 92. Bildung von Verben

19. Verben mit der Vorsilbe be- sind transitive Verben:

a) Die Bauern *bewässern* den trockenen Acker = mit *Wasser* versehen.

b) Die Mutter *beruhigt* das Kind = *ruhig* machen.

c) Der Gast *betritt* das Zimmer = transitiv für: treten *in*.
Ausnahmen: begegnen (§ 26,3), bedürfen (§ 30,1).

Übung 357: Gebrauchen Sie Verben mit be-:

a) 1. Der Schnee bildet eine *Decke* auf der Erde. 2. Die Regierung setzt *Flaggen* auf die Regierungsgebäude. 3. Er macht einen *Klecks* auf das Tischtuch. 4. Das Meer bildet an drei Seiten die *Grenze* Italiens. 5. Die warme Suppe gibt dem armen Bettler neues *Leben.* 6. Der Kaufmann gibt dem ehrlichen Finder einen *Lohn.* 7. Die Räuberbande besaß viele *Waffen.* 8. Die Eltern *schenken* dem Kind Spielsachen und Bücher.

b) 1. Er macht die Marke *feucht.* 2. Die Aufrührer machen die Gefangenen *frei.* 3. Fleiß und Ausdauer machen ihn *fähig,* den Sieg zu erringen. 4. Witze machen die Leute *lustig.* 5. Die Sorge um meines Vaters Krankheit macht mein Herz *schwer.* 6. Mein Freund macht mich in meiner Meinung *stark**.

c) 1. Er *weint (trauert)* um den Verlust seiner Mutter. 2. Wir *achten* auf die Zeichen des Verkehrspolizisten. 3. Er *schreibt* über die Landschaft seiner Heimat. 4. Die Stadt *baut* viele Häuser auf die freien Grundstücke. 5. Die Färberei *druckt* bunte Blumen auf die Seide. 6. Die Ärzte *kämpfen* mit großem Erfolg gegen die Seuche. 7. Der Gärtner *gießt* Wasser auf die Blumen. 8. Der Schmied *schlägt* ein Hufeisen unter den Huf des Pferdes.

20. Verben mit der Vorsilbe ent-:

a) Das Moor wird *entwässert* = das Wasser *fort*nehmen, entfernen.
b) Der Gefangene *entflieht* = *weg*-fliehen.

Übung 358: Gebrauchen Sie Verben mit ent-:

a) 1. Das Kind zieht sich das *Kleid* aus. 2. Er nimmt den *Kern* aus der Kirsche. 3. Der Herbstwind reißt das *Laub* von den Bäumen. 4. Die gute Nachricht nimmt eine *Last* von meinem Herzen. 5. Der Henker schlägt dem Mörder das *Haupt* ab. 6. Man nimmt die *Hülle* von dem neuen Denkmal. 7. Die schwere Arbeit nimmt mir den *Mut* (-igen).
b) 1. Der Hund *läuft* weg. 2. Der Vogel *fliegt* fort. 3. Das Buch *gleitet* aus meinen Händen. 4. Der Dieb *kommt* von den Verfolgern weg. 5. Der Brand fing am Abend an (*stehen*). 6. Die Quelle des Flusses ist oben am Berggipfel (*springen*).

21. Verben mit der Vorsilbe er-:

a) Die Köchin *erhitzt* die Milch = *heiß* machen.
Das Kind *errötete,* weil es log = *rot* werden.
b) Das Volk *erwählte* einen Präsidenten — *aus*wählen.
Wir *ersteigen* den Berg = bis zu Ende, mit Erfolg *steigen.*
Die Glocken *ertönen* = *beginnen* zu tönen.

Übung 359: Gebrauchen Sie Verben mit er-:

a) 1. Er wurde *(bleich),* als er die Gefahr erkannte. 2. Der arme Mann wurde im Alter *blind.* 3. Der Wanderer wurde beim Bergsteigen *müde* und *matt.* 4. Die Bitten des Kindes machten das Herz der Mutter *weich.* 5. Der Ofen wird *warm** (sich) und macht das Zimmer *warm**. 6. Die Muskeln des Läufers wurden *lahm.* 7. Bei dem nassen Wetter wurde er *kalt** (sich) und daher *krank.*
b) 1. Die Maurer *bauen* ein Haus auf, sie *richten* das Dach auf. 2. Die Bergsteiger *stiegen* auf den Gaurisankar. 3. Der Sport *schöpfte* seine

Kräfte aus. 4. Er *kämpft* mit Erfolg um eine bessere Stellung. 5. Die Zuschauer *stürmen* auf die Bühne. 6. Der Horizont beginnt zu *glühen.* 7. Die Erde fängt an zu beben. 8. Der Mörder *schießt* den Wanderer tot (*schlägt, würgt, sticht* usw. ihn tot).

22. Verben mit der Vorsilbe ver-:

a) Der Goldschmied *vergoldet* den silbernen Ring = mit *Gold versehen.*
Die Flammen *verkohlten* die Balken = zu *Kohle* machen.
Die Balken *verkohlten* im Feuer = zu *Kohle* werden.

b) Die schwarzen Wolken *verdunkeln* die Landschaft — *dunkel* machen.
Die Landschaft *verdunkelt sich* = *dunkel* werden.

c) Der Kaufmann *verschickt* Warenproben = *fort*schicken.
Der Verwundete *verblutete* = *zu Ende* bluten, sterben.
Die Schranke *versperrt* den Weg = etwas *davor* sperren.
Der Kassierer *verrechnete sich* = *falsch* rechnen.

Übung 360: Gebrauchen Sie Verben mit ver-:

a) 1. Er versieht den Brief mit einem *Siegel.* 2. Der Arbeiter wurde bei dem Unfall zu einem *Krüppel.* 3. Der Glaser versah die Veranda mit *Glas.* 4. Der Schnee auf der Straße ist zu *Eis* geworden. 5. In der Gasanstalt wird die Kohle zu *Gas* gemacht.

b) 1. Das Wasser macht den Tee *dünn.* 2. Der Lautsprecher macht den Ton *stark**. 3. Die Stadt wurde *größer* (sich —). 4. Die Inflation machte sein Kapital *geringer.* 5. Der viele Alkohol machte seine Krankheit *schlimmer.* 6. Sein Herzleiden wurde *schlimmer* (sich —). 7. Der Besitz des fleißigen Bauern wuchs (wurde *mehr,* sich —). 8. Das furchtbare Unwetter machte das Land *wüst* und *öde.*

c) 1. Er *jagte* den Hund fort. 2. Der Kaufmann *drängte* den Konkurrenten fort. 3. Die Katze *trieb* die Mäuse fort. 4. Der Bettler *hungerte* und starb. 5. Die Blumen *blühen* im Herbst nicht mehr lange und werden *trocken.* 6. Er *brauchte* sein ganzes Geld (bis zu Ende) auf. 7. Er *steckte* sein Geld fort, als die fremden Gäste kamen. 8. Er *sprach* versehentlich ein falsches Wort (sich —). 9. Die Mutter *erzog* das Kind falsch. 10. Das unglückliche Kind ist schlecht *gewachsen.*

Beachten Sie: 1. sich versprechen, sich versehen, sich verschreiben, sich verhören, sich verrechnen, sich verzählen, sich sich verirren, sich verlaufen.

2. verlegen: das Geschäft, den Brief, das Buch (r Verlag).
   versetzen: den Schüler, die Uhr, den Beamten.
3. er- und ver- sind oft Gegensätze:
   erjagen — verjagen,
   erziehen — verziehen,
   erblühen — verblühen,
   erlernen — verlernen.

23. Verben mit der Vorsilbe zer-:

a) Er zerteilte den Apfel = *zu Teilen* machen.

b) Das alte Haus zerfällt = *auseinander* fallen (*entzwei gehen*).

Übung 361: Gebrauchen Sie Verben mit zer-:

a) 1. Der Hund riß den Rock zu *Fetzen*. 2. Der Blitz schlug den Baum in *Splitter*. 3. Die Explosion schlug die Fenster in *Trümmer*. 4. Das Kind machte das Brot zu *kleinen Brocken* (zerbröckeln). 5. Die Köchin schnitt das Fleisch in *kleine Stücke* (zerstückeln).

b) 1. Das Eis *floß* in der Sonne auseinander. 2. Der Einbrecher *schlug* das Fenster entzwei. 3. Der Elefant *stampfte* das Maisfeld entzwei. 4. Der Junge *legte* das Fahrrad auseinander. 5. Die Schneiderin *schneidet* den Stoff auseinander. 6. Das Glas *springt* im heißen Wasser auseinander. 7. Der Wanderer *trat* die Blume entzwei. 8. Der Apotheker *reibt* den Zucker entzwei.

24. Verben mit der Nachsilbe -eln:

a) Der Kranke *fröstelte* = *ein wenig* Frost fühlen.

b) Der Wind *kräuselte* die Wellen = *ein wenig* kraus machen.

c) Die Mutter *streichelt* das Kind = *ein wenig* streichen.

Übung 362: Gebrauchen Sie Verben mit -eln:

a) 1. Er sprach ein wenig durch die *Nase**. 2. Der Regen kam in kleinen *Tropfen** von den Blättern. 3. Die Flammen schlugen wie kleine *Zungen** *empor*. 4. Er machte einige *Witze* über die Leute, die vorbeigingen.

b) 1. Er tut ein wenig *fromm**. 2. Er ist immer ein wenig *krank**.

c) 1. Wir *lachten** ein wenig. 2. Er *spottet** ein bißchen über den neuen Film. 3. Er *tanzte** fröhlich in das Zimmer herein. 4. Ein schwacher Wind *saust** in den Blättern. 5. Die Türglocke *klingt*. 6. Er *hustete** etwas, als er in die Tür trat.

Beispiel einer Wortfamilie

b*i*nden	b*a*nd	geb*u*nden
e Binde	r Band	r Bund
e Bindung	s Band	s Bündnis
e Verbindung	r Verband	s Bund
	r Einband	s Bündel
	anbändeln	r Ausbund
		bündeln
		sich verbünden

Ferner: an-, auf-, ab-, ein-, ent-, los-, um-, unter-, ver-, vor-, zubinden, zusammenbinden u. a. m.

Zusammensetzungen: Armbinde, Augenbinde, Bindemittel, Bindewort, Buchbinder, Halsbinde
Kopfverband, Ledereinband, Prachtband; Seidenband
Völkerbund, Bundesstaat, Bundes-Versammlung; Schlüsselbund.

Wiederholung

zur Bildung der Verben 19—24

Übung 363: Bilden Sie Verben und beantworten Sie die Fragen bzw. ergänzen Sie die Sätze: 1. Wie sagt man, wenn man etwas Falsches gesehen, gesprochen, gehört, geschrieben, gerechnet hat? Man sagt: Entschuldigen Sie, ich habe ... 2. Was macht man mit der Wunde? (binden), mit der Tür? (schließen, riegeln), mit dem Fenster? (machen, dunkeln). 3. Deutschland hat viele Wälder, es ist stark —; dagegen haben andere Länder wenig Wälder, sie sind stark —. 4. Wenn der Arzt den Kranken untersucht, muß er ihn genau (sehen, horchen, fühlen). 5. Der reiche Mann will sein ganzes Vermögen der Lieblingstochter (erben), aber die anderen Kinder (erben). 6. Nur mit viel Fleiß und großer Mühe kann man eine fremde Sprache (lernen), ein Ziel (reichen), eine neue Maschine (finden), viel Geld (sparen). 7. Wer vor einer schweren Arbeit steht, den soll man nicht (Mut), sondern (Mut). 8. Gutes Papier darf man nicht (reißen, drücken, knittern, kratzen). 9. Verständige Eltern werden ihre Kinder gut (ziehen), törichte Eltern werden sie (ziehen). 10. Der „vornehme" Gast lachte ein wenig nach allen Seiten, sprach etwas durch die Nase, machte einige etwas spöttische und witzige Bemerkungen und verschwand dann halb tanzend aus dem Saal.

§ 92a. N. Einige sinnverwandte Wörter und Wortgruppen

1. r Berg und s Tal

   r Berg, r Hügel, e Erhebung, e Erhöhung, e Anhöhe
   e Düne, r Sandhaufen, r Trümmerhaufen, r Trümmerberg
   e Spitze, r Gipfel, e Kuppe
   s Gebirge, r Höhenzug, e Hochebene, s Hochland
   s Tal, e Tiefe, e Vertiefung, r Abgrund, e Schlucht
   e Tiefebene, s Tiefland, s Flachland

2. s Land

   e Erde, r Boden, r Grund und Boden
   s Feld, r Acker, e Flur, e Wiese
   r Sumpf, s Moor, e Heide, e Wüste

3. s Gewässer

   r Bach, r Fluß, r Nebenfluß, r Strom, r Kanal
   e Quelle, r Flußlauf, r Oberlauf, r Unterlauf, e Mündung
   r Teich, r See, e See, s Meer, r Ozean, s Gewässer
   r Hafen, e Bucht, r Meerbusen
   r Wasserfall, r Springbrunnen, e Überschwemmung

4. r Weg

   e Straße, e Gasse, e Allee, e Promenade
   e Landstraße, e Chaussee, e Autobahn, r Feldweg, r Parkweg,
   r Pfad, r Steig, r Gang, r Fahrweg, r Fußweg, r Gehweg

5. r Raum

   s Zimmer, e Stube, e Zelle, s Gemach, r Saal, e Halle
   s Schlaf-, Eß-, Herren-, Arbeits-, Wohn-, Badezimmer
   e Schlaf-, Speise-, Mädchenkammer
   r Dachboden, r Keller, e Küche
   e Höhle, s Loch, e Grube, s Grab, e Gruft

6. s Gebäude und e Siedlung

   s Haus, e Hütte, r Schuppen, e Scheune, r Stall, e Halle, s Gebäude, e Laube, e Villa, e Ruine
   e Burg, s Schloß, r Palast; s Kloster, e Kapelle, e Kirche, r Dom
   s Hotel, r Gasthof, e Jugendherberge, s Altersheim, r Kindergarten, s Jugendheim (r -Klub), s Restaurant, s Wirtshaus.
   e Kneipe
   s Warenhaus, s Rathaus, s Theater, r Konzertsaal, e Kaserne
   r Hof, s Gehöft, s Dorf, r Marktflecken, e Kleinstadt, e Mittelstadt, e Großstadt, e Hauptstadt, e Weltstadt, e Hafenstadt

7. e B e w e g u n g

gehen, wandern, schreiten (ein-)treten
sich bewegen, sich begeben, aufbrechen, reisen
laufen, rennen, eilen, jagen, rasen, hasten
fallen, stürzen, stolpern, schwanken, hinken
reiten, traben, galoppieren, fahren, ausweichen, überholen
springen, hüpfen, tanzen, klettern, steigen
kriechen, krabbeln, schleichen, gleiten
fliegen, schweben, kreisen, flattern
schwimmen, tauchen, segeln, rudern

8. s c h l a g e n

hauen, puffen, boxen, stoßen, stechen
prügeln, peitschen, geißeln, ohrfeigen
pochen, klopfen, hämmern, dreschen
r Schlag, r Hieb, r Stich, r Stoß, r Puff
e Prügel (Pl.), e Ohrfeige

9. s c h n e l l

rasch, flink, geschwind, eilig, behend, hurtig, fix, schleunig, hastig, rasend
e Schnelligkeit, e Geschwindigkeit, e Eile, e Behendigkeit, e Hurtigkeit, e Fixigkeit, e Hast, e Raserei

10. l a n g s a m

schwerfällig, träge, faul, gemächlich, bequem, gemütlich, bedächtig, behaglich
e Langsamkeit, e Trägheit, e Faulheit, e Bedächtigkeit, e Gemächlichkeit, e Gemütlichkeit, e Behaglichkeit

11. e M e n g e

r Haufe, e Masse, e Rotte, e Abteilung, e Gruppe
e Schar, r Schwarm, e Herde, e Horde, e Meute, e Bande

12. s G e f ä ß

e Tasse, s Glas (Bier-, Wein-, Trink-)
r Becher, r Pokal, e Karaffe
e Schale, e Schüssel, r Topf, e Vase
e Flasche, e Kanne, r Krug, e Dose, e Büchse
s Faß, e Tonne, r Kessel, r Kübel, r Eimer
e Kiste, r Kasten, e Schachtel, r Karton
r Koffer (Hand-, Reise-), e (Hand-, Reise-) Tasche

13. s G e r ä u s c h

r Lärm, r Ton, r Laut, r Klang, s Geräusch

r Krach, r Knall, r Schuß, r Schall, s Klopfen
brüllen, bellen, knurren, heulen, brummen, dröhnen
klappern, klirren, klingeln, knarren, kratzen
rauschen, sausen, summen, zischen, fauchen, schnauben
ächzen, stöhnen, röcheln

14. h ö r e n
hören, horchen, lauschen, wahrnehmen, zuhören (gehorchen!)

15. e L i c h t e r s c h e i n u n g
leuchten, glänzen, strahlen, funkeln, blitzen, blenden
scheinen, glühen, schimmern, glimmen
dämmern, sich aufklaren

16. s e h e n
sehen, gucken, starren, betrachten, beobachten, schauen, blicken, lauern, schielen
erkennen, wahrnehmen, bemerken, erspähen, erblicken
besichtigen, prüfen, untersuchen

17. t ö t e n
umbringen, beseitigen, um die Ecke bringen
erstechen, erschlagen, totschlagen, ermorden, erhängen, ertränken, erwürgen, erdrosseln, vergiften, erschießen

18. s t e r b e n
eingehen, verscheiden, entschlafen, den Geist aufgeben, verenden, umkommen, ertrinken, ersticken, erfrieren, verhungern

19. s p r e c h e n
sagen, sprechen, reden, fragen, antworten, erwidern, entgegnen,
erzählen, mitteilen, melden, anzeigen, berichten, benachrichtigen,
belehren, unterrichten, erklären
eine Rede, Ansprache, Predigt, Vorlesung, einen Vortrag halten
schreien, rufen, singen, pfeifen, jauchzen, murmeln
plaudern, sich unterhalten, schwatzen, flüstern, lispeln
gähnen, niesen, husten, schnarchen, stottern

20. b i t t e n
bitten, ersuchen, ermahnen, warnen, raten
begehren, wünschen, fordern, verlangen, flehen
verbieten, untersagen, versagen (Wunsch), abschlagen (Bitte)
erlauben, gestatten, bewilligen, genehmigen, gewähren (Bitte), erfüllen (Wunsch)

21. f r o h
freudig, fröhlich, lustig, heiter, vergnügt, übermütig, ausgelassen

e Freude, r Frohsinn, e Freudigkeit, e Fröhlichkeit, e Wonne, s Vergnügen, e Lustigkeit, e Heiterkeit, r Übermut, e Ausgelassenheit; sich freuen, sich vergnügen, sich ergötzen, sich belustigen, lachen, lächeln

22. traurig

trübe, betrübt, trübsinnig, trübselig, griesgrämig, launisch
freudlos, gedrückt, niedergeschlagen, düster, mürrisch
melancholisch, schwermütig, mißmutig, verdrießlich
weinen, schluchzen, klagen, jammern, seufzen
e Trauer, e Traurigkeit, r Trübsinn, e Trübseligkeit, e Betrübnis, e Niedergeschlagenheit, e Gedrücktheit, e Melancholie, e Schwermut, r Mißmut, e Verdrießlichkeit, e Verzweiflung

23. klug

klug, schlau, gescheit, erfahren, listig, gerissen
gelehrt, gebildet, verständig, vernünftig, weise, geistreich, begabt, fähig, geschickt, gewandt, findig, pfiffig

24. dumm

töricht, beschränkt, geistlos, unwissend, gedankenlos, zerstreut, einfältig, gehemmt, stur
schwerfällig, unbeholfen, unerfahren, ungelehrt, ungebildet

O. Rechtschreibung

(nach den amtlichen „Regeln für die deutsche Rechtschreibung")

§ 93. Die Vokale

A. Der Vokal ist lang

Wie die Länge des Vokals bezeichnet wird:

1. Hinter dem langen Vokal steht nur ein Konsonant: s Schaf, r Weg, r Bote, r Flur, e Tür, der, er kam, er zog, er schlug.

2. Der lange Vokal wird verdoppelt: s Haar (s Härchen!), e Waage, s Heer, s Boot. Es gibt nur wenige Wörter mit doppeltem a, e, o; i und u werden nicht verdoppelt.

3. Nach dem langen Vokal steht ein „h", wenn ein l, m, n, r folgt: r Stahl, r Fehler, hohl, r Stuhl, fühlen, lahm, r Ruhm, e Eisenbahn, e Lehne, r Sohn, s Huhn, gewöhnen, fahren, mehr, r Mohr, e Uhr, r Führer. Ausnahmen: r Maler, selig, holen, s Öl, r Name, nämlich, r Strom, s Märchen, er war, wir, e Tür.

4. Das lange i schreibt man ie: e Liebe, s Lied, r Sieg, biegen, wieder (= noch einmal), nie. Ausnahmen: mir, dir, wir, ihr, ihn, ihnen, er gibt, wider (= gegen), s Augenlid.

5. In Fremdwörtern steht i, nicht ie: e Maschine, e Fabrik, e Mine, r Stil, e Musik; Ausnahmen: Die Endungen -ie, -ier und -ieren: e Infanterie, e Symphonie, r Musketier, r Offizier, studieren, regieren, marschieren.

B. Der Vokal ist kurz

Wie die Kürze des Vokals bezeichnet wird:

1. Hinter dem kurzen Vokal stehen mehrere Konsonanten; folgt nur einer, so wird er doppelt geschrieben: fallen, er fällt, s Feld; er griff, r Griff, s Gift; hell, r Held; offen, oft; können, e Kunst. Ausnahmen bilden die kurzen einsilbigen Wörter: an, am, in, im, um, bis, hin, das, was, es, des, man, bin, hat usw., aber: wann, wenn, dann, denn.

2. Anstatt zz und kk schreibt man tz und ck: r letzte Platz, e Hitze, r Schutz, e Mütze, r Acker, e Ecke, r Stock, e Mücke. Ausnahme: In Fremdwörtern schreibt man k und nicht ck: r Tabak, s Paket, e Technik, akut, jedoch: r Akkusativ, r Akkumulator.

3. Doppelte Konsonanten, auch ck und tz, stehen nicht nach Konsonanten oder nach *langen* Vokalen: werfen, r Helm, e Stirn, s Herz, r Tanz, s Salz, e Birke; r Stein, kaufen, r Haken (aber: r Hacken), s Wohl (e Wolle).

4. In zusammengesetzten Wörtern schreibt man den gleichen Konsonanten nicht dreimal: e Schiffahrt (Schiff-Fahrt), r Schnelläufer (schnell-Läufer), s Bettuch, r Mittag, s Drittel, dennoch, aber bei Silbentrennung: Schiff-fahrt.

C. e oder ä? eu oder äu?

ä und äu schreibt man zur Bezeichnung des Umlauts,

1. wenn das Wort in seiner Grundform a oder au hat: fängt von fangen, Wälder von Wald, läuft von laufen;

2. wenn ein verwandtes Wort mit a oder au vorhanden ist: r Ärmel von Arm, häuslich von Haus, träumen von Traum.

3. Merken Sie besonders: e Ähre, r Bär, r Käse, e Träne, r Lärm, s Märchen, schräg, spät, vorwärts, e Säule.

D. ei oder ai?

1. Beide Laute werden gleich gesprochen (wie a͡-i oder besser: a͡-e).

2. Mit ai (ay) schreibt man nur wenige Wörter: r Mai, r Mais, r Hain, r Haifisch, r Kaiser, e Saite, e Waise, Bayern, bayrisch.

§ 94. Die Konsonanten

Stimmhafte und stimmlose Konsonanten

1. Stimmhafte Konsonanten werden zwischen Vokalen stimmhaft (weich), im Auslaut und vor Konsonanten meist stimmlos (hart) gesprochen: lesen — las — ihr last; geben — gab — er gibt; flog, stand, aber: r Redner, r Gang (sprich nicht: Gank), r König (= Könich, nicht: Könik).

2. Die Schreibung des Auslautes richtet sich nach dem Inlaut: r Rat von raten, s Rad (Räder), r Raub (rauben), liegt (liegen), e Burg (Burgen) r Wald (Wälder), s Grab (Gräber).

3. Um den richtigen Konsonanten, ob stimmhaft oder stimmlos, zu erkennen, muß man das Wort verlängern, so daß aus dem Auslaut ein deutlicher Inlaut wird: s Land (Landes oder Länder), endlich von Ende, möglich von mögen.

4. Merken Sie besonders: r Herbst, hübsch, s Haupt, s Obst, r Schnaps; r Honig, r Teppich; bald, jemand, während, e Jugend.

B. -ig und -lich als Adjektivendungen

1. Die Endungen -ig und -lich bilden Adjektive (v. § 91, 14 und 15): mutig, gütig, häufig, eckig, feindlich, ängstlich, ärgerlich.

2. Wenn das l zum Stamm des Grundwortes gehört, wird -ig angehängt: eilig von Eile, völlig von voll, wollig von Wolle, unzählig von Zahl.

C. tot, r Tod

1. Zusammensetzungen mit dem Adjektiv tot bilden Substantive und Verben: e Totenstille, r Totengräber, s Totenbett; totarbeiten, totlachen, totärgern, totschlagen, totschießen.

2. Zusammensetzungen mit dem Substantiv r Tod bilden Substantive und Adjektive: r Todfeind, e Todesstunde, e Todesursache, e Todesangst, e Todesfurcht, e Todesstrafe, s Todesurteil; tödlich, todkrank, todmüde, todunglücklich, todsicher.

D. Der s-Laut

1. s bezeichnet den stimmhaften (weichen) s-Laut. Es steht am Anfang der Silben und nach r, l, m, n (wenn ein Vokal folgt); in allen anderen Fällen wird es als stimmloses s gesprochen; st und sp am Wortanfang spricht man scht und schp: e Silbe, e Rose, e Börse, e Hülse, emsig; aber: s Haus, e Wespe, er reist; r Stein, s Spiel.

2. ss bezeichnet den stimmlosen (harten) s-Laut. Er steht zwischen zwei Vokalen, von denen der erste **kurz** ist: s Wasser, essen, r Schlosser, wissen, müssen.

3. ß bezeichnet den stimmlosen (harten) s-Laut. Es steht zwischen zwei Vokalen, von denen der erste **lang** ist: stoßen, schießen, heißen, Füße. Man findet für ß oft „ss".

4. Vor t und am Ende einer Silbe steht auch für einen stimmlosen (harten) s-Laut, also für „ss" immer ß: er vergißt, vergiß! er ißt, iß! er vergaß, er aß, r Schuß, er läßt, er ließ, laß!

5. Unterscheiden Sie die Schreibung der Vorsilbe „miß-" und der Endsilbe „nis" (Plur.: -nisse): s Mißverständnis, s Mißtrauen, e Mißernte; s Zeugnis, s Gefängnis, Plur.: e Gefängnisse.

6. Unterscheiden Sie „das" und „daß": „das" ist Artikel, Demonstrativpronomen (= dieser) oder Relativpronomen (= welcher); „daß" ist Bindewort (z. B. = damit, = so daß).

E. f, v, ph

1. Alle drei Laute haben die gleiche Aussprache.

2. Die meisten Wörter werden mit f geschrieben.

3. Es gibt wenige deutsche Wörter, die noch mit v geschrieben werden: r Vater, r Vetter, r Vogel, s Volk, s Vieh, voll, von, vor (aber: fort), vordere (aber: fordern, e Forderung), vorn, viel, vier und die Vorsilbe ver-, z. B. vergessen, r Versuch.

4. In Fremdwörtern schreibt man meist v statt f und spricht es wie w aus: e Universität, s Verb, r Vokal, r Vulkan, Venedig. Mit f werden gesprochen: r Nerv (aber mit w: nervös), r Vers, s Veilchen, s Pulver.

5. Nur in Wörtern, die aus dem Griechischen kommen, schreibt man ph: e Orthographie, e Photographie (auch: s Foto, r Fotograf), r Telegraph, Philipp, s Telephon (auch: Telefon).

§ 95. Die Groß- und Kleinschreibung

A. Mit großem Anfangsbuchstaben schreibt man:

1. Das erste Wort am Anfang eines Satzes, oft auch in Gedichten jedes erste Wort eines Verses.

2. Das erste Wort nach einem Punkt, Frage- oder Ausrufezeichen. Nach einem Doppelpunkt wird das erste Wort der folgenden wörtlichen Rede groß geschrieben.

Ausnahme: Das in die direkte Rede eingeschobene: sagte er, rief er, fragte er — wird immer klein geschrieben.

3. Alle Substantive und jedes Wort, das als Substantiv gebraucht wird, z. B. r Blinde, r Deutsche, s Mein und Dein, e böse Sieben, s Nichts, mit Ja und Nein antworten, s Wenn und Aber, s Einst und Jetzt, von A bis Z, das A und O.

4. Pronomen, die als Anrede in Briefen gebraucht werden: Sie, Ihr, Du, auch die Possessivpronomen Dein, Euer usw. Außerhalb des Briefstils schreibt man nur die Personalpronomen der höflichen Anrede groß: Sie, Ihrer, Ihnen und das Possessiv Ihr.

5. Nach den unbestimmten Zahlwörtern viel, etwas, nichts, manches, allerlei, einiges usw. schreibt man alleinstehende Adjektive groß: viel Schönes, etwas Neues, nichts Wichtiges, alles Große und Herrliche.

6. Adjektive, Pronomen und Ordnungszahlen werden als Teile von Titeln und Namen groß geschrieben: e Freie Deutsche Gewerkschaft, r Norddeutsche Bund, s Deutsche Rote Kreuz, r Preußische Zollverein, s Deutsche Institut für Wirtschafts-Forschung, s Eiserne Kreuz, e Allgemeine Zeitung, e Vereinigten Staaten, s Schwarze Meer, Karl der Große, r Große Kurfürst. Beachten Sie aber: B, 2 a und b.

7. Ebenso die von Personennamen abgeleiteten Adjektive: Schillersche Dramen, Grimmsche Märchen, Stormsche Novellen.

Nur wenn diese Adjektive eine Gattung bezeichnen, werden sie klein geschrieben: e christliche Kirche, r buddhistische Glaube, e mohammedanischen Pilger.

B. Mit kleinem Anfangsbuchstaben schreibt man:

1. Substantive, wenn sie die Bedeutung anderer Wortklassen annehmen:

a) als Präpositionen: trotz, statt, mittels;

b) als Adverbien und unbestimmte Zahlwörter: anfangs, heutzutage, unterwegs, beizeiten, bergauf, kopfüber, morgen, sonntags, nachts, ein bißchen, ein paar;

c) in stehenden Verbindungen mit Verben: not tun, schuld sein, recht haben, gut sein, angst sein, wohl sein, es ist schade, etwas findet statt, er nimmt teil.

2. a) Adjektive auf -isch, die von Orts- und Volksnamen abgeleitet sind (wenn sie nicht in Titeln stehen, s. A, 6): e preußischen Könige, e sächsische Industrie, s oberschlesische Kohlengebiet.

b) dagegen werden die von Ortsnamen mit -er abgeleiteten Wörter groß geschrieben: e Berliner Museen, e Dresdener Gemäldegalerie, e Frankfurter Würstchen, s Münchener Bier.

3. Pronomen und Zahlwörter: man, jemand, jeder, die beiden, der eine — der andere, der erste — der letzte, die übrigen, einige, der einzelne.

4. Adjektive und Adverbien in stehenden Verbindungen: aufs neue, am besten, i. a. = im allgemeinen, im folgenden, von vorn, über kurz oder lang, alt und jung, klein und groß.

§ 96. Der Bindestrich

1. Man sagt meist nicht: einsteigen und aussteigen; Windmühlen, Wassermühlen und Dampfmühlen; einmal bis zweimal, eintausend bis zweitausend, sondern kürzer: ein- und aussteigen; Wind-, Wasser- und Dampfmühlen; ein- bis zweimal; ein- bis zweitausend.

An die Stelle des fehlenden Wortteiles setzt man den Bindestrich.

2. Man setzt ihn auch bei der Zusammensetzung von Eigennamen, die lang und schwerfällig sind: Hessen-Darmstadt, Westfalen-Nord, Martin-Luther-Straße, Richard-Wagner-Platz.

§ 97. Der Apostroph

1. Wenn man „e"-Laute unterdrückt, die man gewöhnlich ausspricht, setzt man an ihre Stelle einen Apostroph: Wie geht's, wie steht's? Wie war's im Theater? Hast du's (das Buch) gefunden? Wo lag's denn? Wie kam's eigentlich zu dem Ärger?

2. Die mit dem Artikel zusammengezogenen Präpositionen am, ans, im, ins, zum, aufs usw. bekommen keinen Apostroph.

3. Die Genitive von Eigennamen schreibt man ohne Apostroph: Schillers Gedichte, Goethes Werke, Robert Kochs Entdeckungen, Rudolf Diesels Erfindung.

§ 98. Silbentrennung

1. Man trennt die Silben meist, wie man spricht: s Wör-ter-buch, r Aus-län-der, e Mor-gen-däm-me-rung.

2. Einzelne Buchstaben trennt man nicht ab. Wörter wie: r Ofen, r Abend, blaue, oben, über — bleiben ungetrennt.

3. Ein Konsonant zwischen zwei Vokalen kommt auf die folgende Zeile: ge-le-sen, sei-de-ne Klei-der, be-la-de-ne Wa-gen.

4. Von mehreren Konsonanten kommt der letzte auf die folgende Zeile: s Was-ser, kom-men, s Wet-ter, war-ten, furcht-bar, freund-lich, r Pfört-ner, s Bünd-nis.

5. Es werden getrennt: pf, ng, nk, ck, dt, sp, tz: e Emp-findung, kämp-fen, sin-gen, sin-ken, r Ge-sand-te, e Knos-pe, e Kat-ze; ck = kk: r Zuk-ker, e Mük-ke.

6. Es werden nicht getrennt: ß, ch, sch, th, weil sie einfache Laute bezeichnen, und außerdem: st: e Stra-ße, la-chen, wa-schen, ko-sten, sie rei-sten, r Phos-phor, e Apo-the-ke.

7. Zusammengesetzte Wörter werden nach der Zusammensetzung getrennt, ebenso auch die Fremdwörter: er-in-ner-te, vollenden, all-zu-viel, her-ein, hin-aus, dar-aus, wor-aus, vor-über, warum; s Mikro-skop, e Atmo-sphäre, s Inter-esse, e Epile-psie.

§ 99. Interpunktion

A. Der Punkt, das Fragezeichen, das Ausrufezeichen

1. Der Punkt steht am Ende eines Satzes mit einem abgeschlossenen Gedanken, nach Ordnungszahlen (s. § 53) und nach Abkürzungen (s. Anhang, S. 274).

2. Das Fragezeichen steht hinter einem Fragewort und hinter der direkten Frage: Wie heißen Sie? Wo wohnen Sie? Wie, bitte? Wo? Warum denn nicht? — Bei der indirekten Frage (§ 84) steht kein Fragezeichen, sondern ein Punkt, z. B.: Ich wollte wissen, wer gekommen sei.

3. Das Ausrufezeichen steht hinter einem Ausruf, einem Wunsch, einem Befehl: Ach! welch ein Unglück! — Herr Ober, ein Helles! — Einen Augenblick, bitte! — Vorsicht am Zuge! — Bei indirekten Sätzen (§ 82) dieser Art steht kein Ausrufezeichen, sondern ein Punkt, z. B.: Ich sagte, er solle warten oder morgen wiederkommen.

B. Das Komma

1. Es trennt den Hauptsatz grundsätzlich von allen Arten der Nebensätze und nahestehenden Wortverbindungen, z. B.:

a) Relativsatz: Wer nicht hören will, der muß fühlen. Der eingeschobene Satz erhält zwei Kommas: Das Pferd, das den Hafer verdient, bekommt ihn selten.

b) Aussagesätze nach Verben des Sagens: Ich weiß, daß ich mehr arbeiten muß. Ich habe gemeint, daß ich die Prüfung machen kann.

c) Apposition: Karl Friedrich Gauß, der „Fürst der Mathematiker", lebte von 1777 bis 1855 und starb als Professor in Göttingen.

d) Erweiterte Infinitive mit „zu" (Infinitivsätze): Ich habe jetzt keine Zeit, ins Theater zu gehen. Bei „um zu, ohne zu, anstatt zu" setzt man immer ein Komma (s. § 67, § 77—79 und 6 b).

e) Partizipien (Partizipsätze): Ein Lied pfeifend, ging er durch die Straßen. Von Hunger und Krankheit geplagt, zogen die Flüchtenden weiter. Die Hände in den Taschen (haltend, habend), stand er frierend vor dem Hause.

2. Bei Aufzählungen (in zusammengezogenen Sätzen) steht zwischen den einzelnen Gliedern ein Komma, aber nicht vor „und, oder": Berlin, Hamburg, München, Köln *und* Frankfurt a. M. sind die größten Städte Deutschlands. Ich reise diesen Sommer nach Oberbayern, nach Tirol *oder* nach dem Schwarzwald.

3. Anreden und Ausrufe, kurze Wünsche und Befehle haben (wenn nicht ein Ausrufezeichen) ein Komma: Hallo, alter Freund, wie kommst du nach Berlin? — Lauf, beeile dich, es ist schon spät!

4. Erklärende Zusätze, eingeleitet z. B. durch *nämlich, besonders, vor allem* usw., werden durch ein Komma abgetrennt: Wir sprachen viel von der Vergangenheit, besonders von unserer Studentenzeit in Berlin, am meisten von unsern alten Freunden.

5. Einfache Hauptsätze, die keine Nebensätze haben, werden durch ein Komma getrennt, besonders bei Verbindung durch „und, oder": Der Ausländer sang ein Volkslied seiner Heimat, *und* sein Freund begleitete ihn auf dem Klavier. Hilf ihm bei seiner Arbeit, *oder* er wird die Prüfung nicht bestehen.

6. Kein Komma steht

a) zwischen Satzteilen: Nach langen Jahren und vielen Erfolgen kehrte er als ein reicher Mann in die Heimat zurück;

b) nach *haben, sein,* nach inhaltsarmen Verben wie *pflegen, brauchen, scheinen, wissen:* Ich habe heute noch den ganzen Abend zu tun. Sein Kommen ist zu so später Stunde nicht zu erwarten. Er pflegt nach dem Mittagessen eine Stunde zu schlafen. Du brauchst auf den Besuch des Freundes heute nicht zu hoffen. Sie scheinen den Weg nicht zu wissen. Er weiß sich in der Not zu helfen (vgl. 1 d).

C. Das Semikolon

Es trennt längere Hauptsätze, besonders dann, wenn sie noch andere Haupt- oder Nebensätze bei sich haben: Vieles wünscht sich der Mensch, und doch bedarf er nur wenig; denn die Tage sind kurz und beschränkt (ist) der Sterblichen Schicksal. Weinenden klage dein Leid, und Frohen erzähle die Freude; denn es begreift der Mensch nur, was er selber empfand.

D. Der Doppelpunkt und die Anführungsstriche

Der Doppelpunkt steht vor der direkten Rede, die von Anführungsstrichen eingeschlossen wird: Ein Fabrikbesitzer sagte: „Ich ernähre 1000 Arbeiter", worauf ihm jemand erwiderte: „Erlauben Sie, eigentlich ernähren die Arbeiter Sie." — Oder: „Erlauben Sie", erwiderte jemand, „eigentlich ernähren die Arbeiter Sie".

Verdeutschung der wichtigsten Fremdwörter im Sprachunterricht

(nach dem amtlichen Erlaß vom 31. Dezember 1937)

s Abstraktum	s begriffliche Hauptwort
s Adjektiv(um) *)	s Eigenschaftswort
s Abverb(ium) *)	s Umstandswort
e adverbiale Bestimmung	e Umstandsbestimmung
r Adverbialsatz	r Umstandssatz
s Adverb(ium) der Art u. Weise	s Umstandswort der Art u. Weise
s Adverb(ium) des Grundes	s Umstandswort des Grundes
s Adverb(ium) des Ortes	s Umstandswort des Ortes
s Adverb(ium) der Zeit	s Umstandswort der Zeit
r Akkusativ	r Wenfall
s Aktiv(um)	e Tatform
r Apostroph	s Auslassungszeichen
e Apposition	r Beisatz
r Artikel	s Geschlechtswort
s Attribut	e Beifügung
r Attribut(iv)satz	r Beifügungssatz
r Dativ	r Wemfall
e Deklination	e Beugung d. Hauptwortes usw.
s Demonstrativpromonen	s hinweisende Fürwort
r Dental	r Zahnlaut
s Diktat	e Nachschrift
e Diminutivform	e Verkleinerungsform
r Diphthong	r Doppellaut
e direkte Rede	e wörtliche Rede
e Disposition	e Gliederung
s Femininum	s weibliche Hauptwort
r Finalsatz	r Umstandssatz der Absicht
flektierbar	beugbar
s Futur(um)	e Zukunft
r Genitiv	r Wesfall
s Genus verbi	e Handlungsart
s Genus	s Geschlecht
e Grammatik	e Sprachlehre

*) Adjektiv, Adjektivum: beide Formen sind gebräuchlich; ebenso: Adverbium, Adverb usw.

s Hilfsverb(um)	s Hilfszeitwort
r Imperativ	e Befehlsform
s Imperfekt(um)	e Dauer in der Vergangenheit
s Indefinitum	s unbestimmte Zeitwort
r Indikativ	e Wirklichkeitsform
e indirekte Rede	e abhängige Rede
r Infinitiv	e Grundform
e Interjektion	s Ausrufewort
e Interpunktion	e Zeichensetzung
s Interrogativ-Pronomen	s fragende Fürwort
e Kardinalia (Plural)	e Grundzahlen (Plural)
r Kasus	r Fall
r Kausalsatz	r Umstandssatz des Grundes
s Kausativum	s bewirkende Zeitwort
s Kollektivum	r Sammelname
s Komma	r Beistrich
e Komparation	e Steigerung
r Komparativ	e Steigerungsstufe
s Kompositum	s zusammengesetzte Wort
r Konditionalis	e Bedingungsform
r Konditionalsatz	r Umstandssatz der Bedingung
e Konjugation	e Beugung des Zeitworts
e Konjunktion	s Bindewort
r Konjunktiv	e Möglichkeitsform
s Konkretum	s gegenständliche Hauptwort
r Konsekutivsatz	r Umstandssatz der Folge
r Konsonant	r Mitlaut
e Kontraktion	e Zusammenziehung
r Konzessivsatz	r Umstandssatz der Einräumung
koordinierend	beiordnend(es Bindewort)
r Labial	r Lippenlaut
e Liquida	r flüssige Laut (Fließlaut)
s Maskulinum	s männliche Hauptwort
r Modalsatz	r Umstandssatz der Art u. Weise
r Modus	e Aussageweise
r Nasal	r Nasenlaut
s Neutrum	s sächliche Hauptwort
nicht flektierbar	unbeugbar

r Nominativ	r Werfall
s Numerale	s Zahlwort
r Numerus	e Zahl
s Objekt	e Satzergänzung
e Ordinalia (Plural)	e Ordnungszahlen (Plural)
e Orthographie	e Rechtschreibung
e Partikel	s Füllwort
s Partizip(ium)	s Mittelwort
s Passiv(um)	e Leideform
s Perfekt(um)	e Vollendung in der Gegenwart
s Personal-Pronomen	s persönliche Fürwort
e Phonetik	e Lautbildungslehre
r Plural	e Mehrzahl
s Plusquamperfekt(um)	e Vollendung in der Vergangenheit
r Positiv	e Grundstufe
s Possessiv-Pronomen	s besitzanzeigende Fürwort
s Prädikat	e Satzaussage
s Präfix	e Vorsilbe
s Präsens	e Gegenwart
e Präposition	s Verhältniswort
s Präteritum	e Vergangenheit
s Reflexiv-Pronomen	s rückbezügliche Fürwort
s Relativ-Pronomen	s bezügliche Fürwort
s Semikolon	r Strichpunkt
r Singular	e Einzahl
s Subjekt	r Satzgegenstand
subordinierend	unterordnend(es Bindewort)
s Substantiv(um)	s Hauptwort, s Dingwort
s Suffix	e Nachsilbe
r Superlativ	e Höchststufe
e Syntax	e Satzlehre
r Temporalsatz	r Umstandssatz der Zeit
s Tempus	e Zeit
s Verb(um)	s Zeitwort
r Vokal	r Selbstlaut

Alphabetisches Verzeichnis der starken und unregelmäßigen Verben

Die mit einem Stern (*) versehenen Verben werden auch schwach konjugiert, oft aber in anderer Bedeutung.

Infinitiv	3. Pers. Präs.	Imperfekt		Part. Perfekt
backen	bäckt	buk, backte		gebacken
befehlen	befiehlt	befahl		befohlen
beginnen		begann		begonnen
beißen		biß		gebissen
bergen	birgt	barg		geborgen
bersten	birst	barst	ist	geborsten
bewegen*	bewegt	bewog		bewogen
biegen		bog		gebogen
bieten		bot		geboten
binden		band		gebunden
bitten		bat		gebeten
blasen	bläst	blies		geblasen
bleiben		blieb	ist	geblieben
(er)bleichen*		erblich	ist	erblichen
braten*	brät, bratet	briet		gebraten
brechen	bricht	brach	hat, ist	gebrochen
brennen		brannte		gebrannt
bringen		brachte		gebracht
denken		dachte		gedacht
dingen*		dang		gedungen
dreschen	drischt	drasch (drosch)		gedroschen
dringen		drang		gedrungen
dünken*	es dünkt mich	deuchte		gedeucht
dürfen	darf	durfte		gedurft
empfehlen	empfiehlt	empfahl		empfohlen
essen	ißt	aß		gegessen
fahren	fährt	fuhr	ist, hat	gefahren
fallen	fällt	fiel	ist	gefallen
fangen	fängt	fing		gefangen
fechten	ficht	focht		gefochten
finden		fand		gefunden
flechten	flicht	flocht		geflochten
fliegen		flog	ist	geflogen

Infinitiv	3. Pers. Präs.	Imperfekt	Part. Perfekt
fliehen		floh	ist geflohen
fließen		floß	ist geflossen
fressen	frißt	fraß	gefressen
frieren		fror	gefroren
gären*		gor	gegoren
gebären	gebiert	gebar	geboren
geben	gibt	gab	gegeben
gedeihen		gedieh	ist gediehen
gehen		ging	ist gegangen
gelingen	es gelingt	gelang	ist gelungen
gelten	gilt	galt	gegolten
genesen	genest	genas	ist genesen
genießen		genoß	genossen
geschehen	es geschieht	geschah	ist geschehen
gewinnen		gewann	gewonnen
gießen		goß	gegossen
gleichen		glich	geglichen
gleiten		glitt	ist geglitten
glimmen*		glomm	geglommen
graben	gräbt	grub	gegraben
greifen		griff	gegriffen
haben	hat	hatte	gehabt
halten	hält	hielt	gehalten
hängen*		hing	gehangen
hauen	haut	hieb	gehauen
heben	hebt	hob	gehoben
heißen		hieß	geheißen
helfen	hilft	half	geholfen
kennen		kannte	gekannt
klimmen*		klomm	ist geklommen
klingen		klang	geklungen
kneifen		kniff	gekniffen
kommen	kommt	kam	ist gekommen
können	kann	konnte	gekonnt
kriechen		kroch	ist gekrochen
laden	lädt, ladet	lud	geladen
lassen	läßt	ließ	gelassen
laufen	läuft	lief	ist gelaufen

Infinitiv	3. Pers. Präs.	Imperfekt	Part. Perfekt
leiden		litt	gelitten
leihen		lieh	geliehen
lesen	liest	las	gelesen
liegen		lag	gelegen
(er)löschen*	erlischt	erlosch	ist erloschen
lügen		log	gelogen
mahlen	mahlt	mahlte	gemahlen
meiden		mied	gemieden
melken*		molk	gemolken
messen	mißt	maß	gemessen
mögen	mag	mochte	gemocht
müssen	muß	mußte	gemußt
nehmen	nimmt	nahm	genommen
nennen		nannte	genannt
pfeifen		pfiff	gepfiffen
preisen		pries	gepriesen
quellen	quillt	quoll	ist gequollen
raten	rät	riet	geraten
reiben		rieb	gerieben
reißen		riß	hat, ist gerissen
reiten		ritt	ist geritten
rennen		rannte	ist gerannt
riechen		roch	gerochen
ringen		rang	gerungen
rinnen		rann	ist geronnen
rufen		rief	gerufen
salzen	salzt	salzte	gesalzen
saufen	säuft	soff	gesoffen
saugen*		sog	gesogen
schaffen*		schuf	geschaffen
schallen*		scholl	geschollen
scheiden		schied	hat, ist geschieden
scheinen		schien	geschienen
schelten	schilt	schalt	gescholten
scheren*	schert	schor	geschoren
schieben		schob	geschoben
schießen		schoß	geschossen
schlafen	schläft	schlief	geschlafen

Infinitiv	3. Pers. Präs.	Imperfekt		Part. Perfekt
schlagen	schlägt	schlug		geschlagen
schleichen		schlich	ist	geschlichen
schleifen*		schliff		geschliffen
schließen		schloß		geschlossen
schlingen		schlang		geschlungen
schmeißen		schmiß		geschmissen
schmelzen*	schmilzt	schmolz	hat, ist	geschmolzen
schneiden		schnitt		geschnitten
erschrecken*	erschrickt	erschrak	ist	erschrocken
schreiben		schrieb		geschrieben
schreien		schrie		geschrien
schreiten		schritt	ist	geschritten
schweigen		schwieg		geschwiegen
schwellen*	schwillt	schwoll	ist	geschwollen
schwimmen		schwamm	ist	geschwommen
schwinden		schwand	ist	geschwunden
schwingen		schwang		geschwungen
schwören		schwor, schwur		geschworen
sehen	sieht	sah		gesehen
sein	ist	war	ist	gewesen
senden*		sandte		gesandt
sieden*		sott		gesotten
singen		sang		gesungen
sinken		sank	ist	gesunken
sinnen		sann		gesonnen
sitzen		saß		gesessen
sollen	soll	sollte		gesollt
spalten		spaltete		gespalten
speien		spie		gespien
spinnen		spann		gesponnen
sprechen	spricht	sprach		gesprochen
sprießen		sproß	ist	gesprossen
springen		sprang	ist	gesprungen
stechen	sticht	stach		gestochen
stehen		stand		gestanden
stehlen	stiehlt	stahl		gestohlen
steigen		stieg	ist	gestiegen
sterben	stirbt	starb	ist	gestorben

Infinitiv	3. Pers. Präs.	Imperfekt		Part. Perfekt
stieben		stob	ist	gestoben
stinken		stank		gestunken
stoßen	stößt	stieß		gestoßen
streichen		strich		gestrichen
streiten		stritt		gestritten
tragen	trägt	trug		getragen
treffen	trifft	traf		getroffen
treiben		trieb		getrieben
treten	tritt	trat	hat, ist	getreten
trinken		trank		getrunken
trügen		trog		getrogen
tun	tut	tat		getan
verderben	verdirbt	verdarb	hat, ist	verdorben
verdrießen	es verdrießt mich	verdroß		verdrossen
vergessen	vergißt	vergaß		vergessen
verlieren		verlor		verloren
verzeihen		verzieh		verziehen
wachsen	wächst	wuchs	ist	gewachsen
(er)wägen		erwog		erwogen
waschen	wäscht	wusch		gewaschen
weben*	webt	wob		gewoben
weichen*		wich	ist	gewichen
weisen		wies		gewiesen
wenden*		wandte		gewandt
werben	wirbt	warb		geworben
werden	wird	wurde (ward)	ist	geworden
werfen	wirft	warf		geworfen
wiegen*		wog		gewogen
winden		wand		gewunden
wissen	weiß	wußte		gewußt
wollen	will	wollte		gewollt
ziehen		zog	hat, ist	gezogen
zwingen		zwang		gezwungen

Anhang

Deutsche Münzen, Maße und Gewichte

Die Einheit für Münzen bildet:

1 (e) Deutsche Mark (DM)
= 100 (r) Deutsche Pfennige (DPf.)

Alte Bezeichnungen:

1 (r) Taler = 3 Mark = 300 Pfennige
1 Groschen = 10 Pfennige

Die Einheit für Längenmaße bildet:

1 (r, s) Meter (m)
= 100 (r, s) Zentimeter (cm)
= 1000 (r, s) Millimeter (mm)
1 (r, s) Kilometer (km)
= 1000 (r, s) Meter (m)

Alte Bezeichnungen:

1 (e) Elle	= 66,69	cm
1 (r) Fuß	= 31,4	cm
1 (r) Zoll	= 2,6	cm
1 (e) Meile	= 7,5	km
1 (e) Seemeile	= 1,852	km

Die Einheit für Flächenmaße bildet:

1 (r, s) Quadratmeter (qm)
= 10 000 (r, s) Quadratzentimeter (qcm)
1 (s) Hektar (ha), d. i. ein Quadrat von 100 m Seitenlänge = 100 (s) Ar (a) = 10 000 (r, s) Quadratmeter (qm); 100 ha = 1 qkm

Alte Bezeichnung:

1 (r) Morgen = 25 a

Die Einheit für Körpermaße bildet:

1 (r, s) Kubikmeter (cbm), d. i. ein Körper, der 1 m lang, 1 m breit und 1 m hoch ist.
= 1 000 000 (r, s) Kubikzentimeter (ccm)

Die Einheit für Hohlmaße bildet:

1 (r, s) Liter (l), d. i. der 1/1000. Teil des Kubikmeters
100 l = 1 (r, s) Hektoliter (hl)

Alte Bezeichnung:

(r) Scheffel = 50 l

Die Einheit für Gewichte bildet:

1 (s) Kilogramm (kg)
= 1000 (s) Gramm (g)
1000 (s) Kilogramm (kg)
= 1 (e) Tonne (t)

Alte, noch viel gebrauchte Bezeichnungen:

1 Pfund = 1/2 kg = 500 g
1 Zentner = 100 Pfund = 50 kg
1 Doppelzentner = 100 kg

Häufige Abkürzungen

Folgende Ausdrücke werden fast nur in der verkürzten Form gebraucht:

Anm.	Anmerkung
betr.	betreffs (mit Genitiv) oder: betreffend (mit Akkusativ)
bzw.	beziehungsweise
d. h., d. i.	das heißt, das ist
m. E.	meines Erachtens
S.	Seite
s. S.	siehe Seite
s. o., s. u.	siehe oben, unten
u. a.	unter anderem
u. a. m.	und anderes mehr
u. A. w. g.	um Antwort wird gebeten (Schluß einer Einladung)
u. dgl. m.	und dergleichen mehr
usw., u.s.w.	und so weiter
vgl., vergl.	vergleiche
v. Chr.	vor Christus
n. Chr.	nach Christus
z. B.	zum Beispiel
z. Z.	zur Zeit

cand.	Kandidat, bewirbt sich um Erlangung eines Amtes. um die Ablegung einer Prüfung oder dgl., z. B. cand. med., cand. phil.
stud.	Student, z. B. stud. jur., stud. theol.
Dr. theol., D.	Doctor theologiae, Doktor der Theologie
Dr. jur.	Doctor juris, Doktor der Rechtswissenschaft
Dr. phil.	Doctor philosophiae, Doktor der Philosophie
Dr. med.	Doctor medicinae, Doktor der Medizin
Dr. med. dent.	Doctor medicinae dentariae, Doktor der Zahnheilkunde
Dr. med. vet.	Doctor medicinae veterinariae, Doktor der Tierheilkunde
Dr. rer. pol.	Doctor rerum politicarum, Doktor der Staatswissenschaften
Dr. rer. nat.	Doctor rerum naturalium, Doktor der Naturwissenschaften
Dr. rer. oecon.	Doctor rerum oeconomicarum, Doktor der Wirtschaftswissenschaft
Dr. rer. agr.	Doctor rerum agrariarum, Doktor der Landwirtschaft
Dr. rer. technic.	Doctor rerum technicarum, Doktor der technischen Wissenschaften
Dr.-Ing.	Doktor-Ingenieur
Dipl.-Ing.	Diplom-Ingenieur
Dr. h. c. (e. h.)	Doctor honoris causa, Doktor ehrenhalber

Alphabetische Hinweise

auf die grammatischen Abschnitte (Die Zahlen bezeichnen die Seiten)

D

E

I

J

K

L

M

N

Z